CHRONIQUES DU BOUT DU MONDE

Chroniques du bout du monde

La trilogie de Spic

1. *Par-delà les Grands Bois*

2. *Le Chasseur de tempête*

3. *Minuit sur Sanctaphrax*

La trilogie de Rémiz

1. *Le Dernier des pirates du ciel*

2. *Vox* (à paraître)

Titre original : *The Edge Chronicles/The last of the sky pirates*
Traduit de l'anglais par Jacqueline Odin
This edition is published by arrangement with Transworld Publishers, a division of The Random House Group Ltd.
ISBN : 2-7459-1274-7

Paul Stewart & Chris Riddell

Chroniques du bout du monde

tome 4
Le dernier des pirates du ciel

Traduit de l'anglais
par Jacqueline Odin

Milan

NOUVELLE SANCTAPHRAX
ANCIENNE INFRAVILLE
ÉBOULIVILLE
JARDIN DE PIERRES

GRANDS BOIS
FORÊT DU CLAIR-OBSCUR
LANDE
LA FALAISE

LES CITÉS DES GRANDS BOIS
CLAIRIÈRE DES FONDERIES
NATIONS GOBELINES
PERCHOIR EST
PRÉS D'ARGENT

LES CLAIRIÈRES FRANCHES
CAMP DES ÉGORGEURS
CLAIRIÈRE DU BOIS DE FER
LAC DU SUD
ATELIER DU TROLL DES BOIS
GRAND LAC
DÉBARCADÈRE DU LAC
VALLÉE DES ÉCOUTINALS
LAC DU NORD
NOUVELLE INFRAVILLE
CAVERNES DES TROGLOS PLOUCS
CLAIRIÈRES FRANCHES

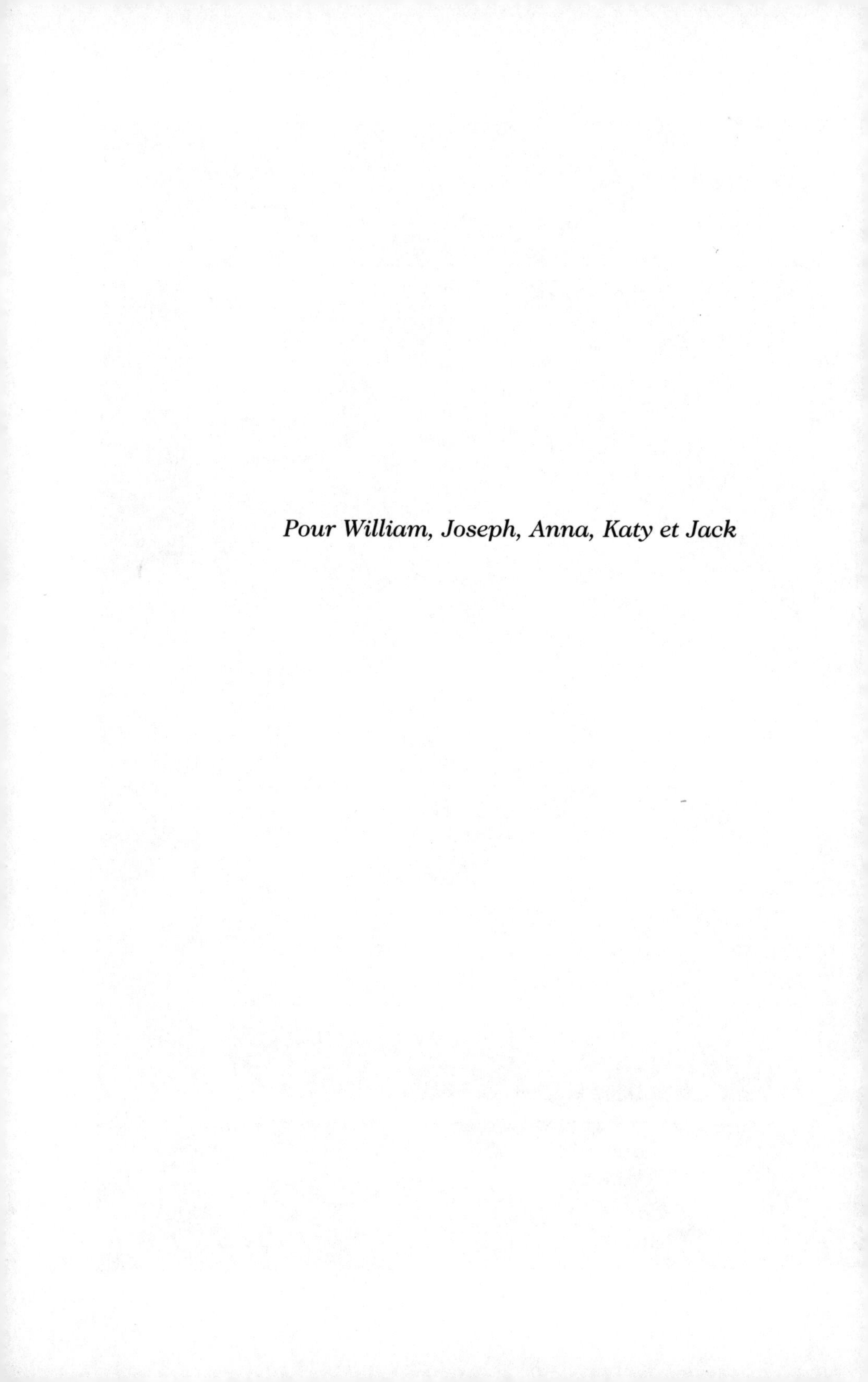

Pour William, Joseph, Anna, Katy et Jack

Introduction

LOIN, TRÈS LOIN, SURPLOMBANT LE VIDE COMME LA PROUE d'un grand bateau de pierre, se dresse la Falaise. Une large cascade, l'Orée, plonge sans fin par-dessus la corniche rocheuse qui la borde. Il n'en fut pas toujours ainsi. Voilà cinquante ans, presque jour pour jour, la rivière s'arrêta de couler.

Ce n'était pas un hasard, mais un événement prédéterminé : le tarissement de la rivière annonçait en effet l'arrivée de la Mère Tempête qui, tous les cinq ou six mille ans, balaie le ciel infini et régénère la Falaise.

Une fois la Chaîne d'amarrage sectionnée et la cité flottante de Sanctaphrax perdue, la Mère Tempête poursuivit sa route jusqu'à la Fontaline. Elle y déversa ses immenses réserves d'énergie, rajeunit la rivière et sema les précieux germes d'une vie neuve.

L'Orée se remit à couler. La Fontaline refleurit. Un nouveau rocher naquit pour Sanctaphrax. Néanmoins, la situation n'était pas bonne, loin s'en fallait : une pestilence terrible se répandait déjà sur la Falaise.

Elle s'appelait la maladie de la pierre. Ce nom fut malheureusement très vite sur toutes les lèvres.

La maladie stoppa toute croissance dans le Jardin de pierres où, pendant des siècles, des rochers flottants avaient germé puis grossi avant d'équiper les bateaux des ligues et les navires pirates du ciel, auxquels ils permettaient de voler. L'épidémie se transmit de navire en navire ; les roches de vol des ligueurs comme des pirates s'abîmèrent, perdirent leur légèreté et tombèrent à pic. Le gros rocher flottant sur lequel on bâtissait la Nouvelle Sanctaphrax fut lui-même atteint : il commença à s'effriter et à perdre de la hauteur.

Certains affirmèrent que la Mère Tempête avait apporté la terrible maladie depuis les profondeurs du ciel infini. Certains prétendirent que le Loup des nues, le vaillant capitaine pirate disparu au cœur de la Mère Tempête, l'avait mystérieusement infectée. D'autres soutinrent, avec autant de conviction, qu'il n'y avait aucun rapport entre l'arrivée de la Mère Tempête et l'épidémie, mais que la maladie de la pierre punissait les habitants de la Falaise qui n'avaient pas voulu renoncer à leurs mauvaises habitudes.

Bref, personne n'en savait rien. Une seule certitude : en raison de la maladie de la pierre, la vie de la Falaise serait changée à jamais.

Les bateaux de la Ligue furent cloués au sol. Le commerce aérien mourut. Infraville et la Nouvelle Sanctaphrax étaient maintenant isolées. L'usurpateur

Vox Verlix, l'ancien scrute-nuages qui avait évincé le nouveau Dignitaire suprême de la Nouvelle Sanctaphrax, ordonna donc la construction de la Grand-Route du Bourbier, afin de relier les villes jumelles aux Grands Bois. Pour réaliser ce projet, il obtint l'aide des redoutables pies-grièches et des bibliothécaires (union entre les érudits terrestres et des érudits célestes déçus qui les avaient rejoints). L'opération eut des conséquences considérables.

Dans les Grands Bois, des cités permanentes se développèrent pour la première fois : le Perchoir est des pies-grièches, la Clairière des fonderies, les Nations gobelines et loin, loin au nord-ouest, entre les Prés d'argent et les Cent Lacs, les Clairières franches. Dans le Bourbier, une nouvelle cité sortit de terre en une nuit, lorsque les pirates du ciel se sabordèrent tous ensemble.

Pendant ce temps, à Infraville et à Sanctaphrax, malgré une trêve provisoire et troublée, la division entre les gardiens de la Nuit (les anciens érudits célestes) et les bibliothécaires empira comme jamais.

Les gardiens de la Nuit croyaient au pouvoir guérisseur des tempêtes. Selon eux, la pointe de Minuit (qui surmontait la tour de la Nuit de Sanctaphrax) attirerait au passage leur énergie électrique et détruirait l'horrible pestilence. Les bibliothécaires, en revanche, étaient non seulement persuadés que le remède se trouvait quelque part au loin dans les Grands Bois, mais que, si elle recevait la foudre, la pointe de Minuit causerait plus de mal que de bien.

Au fil des ans, les gardiens prirent le dessus. Conduits par le Gardien suprême Orbix Xaxis, tristement célèbre pour sa brutalité, ils imposèrent leur volonté : ils manipulèrent les ligues, asservirent les Infravillois et obligèrent leurs ennemis à se terrer, au sens propre, dans la clandestinité : les égouts d'Infraville devinrent en effet le refuge des érudits bibliothécaires.

C'est ici, dans les froides salles souterraines, sombres, suintantes, que vit un jeune sous-bibliothécaire, modeste mais audacieux. Il a treize ans. Il est orphelin. Quand il n'y a personne alentour, il n'aime rien tant que s'installer à l'un des nombreux pupitres flottants en gâtinier et se plonger dans un traité manuscrit, même si son statut inférieur le lui interdit strictement.

Il suppose, à tort, que personne ne l'a jamais vu. Car quelqu'un s'est aperçu de sa désobéissance et en a pris bonne note. Or les répercussions seront telles que nul n'aurait jamais pu le prédire.

Les Grands Bois, le Jardin de pierres, l'Orée. Infraville et Sanctaphrax. Autant de noms sur une carte.

Pourtant, chaque nom recèle un millier d'histoires consignées sur des manuscrits ancestraux, des récits transmis oralement de génération en génération – des récits que l'on raconte encore aujourd'hui.

Comme en témoigne ce qui suit.

CHAPITRE 1

La grande salle de lecture pluviale

LE JEUNE SOUS-BIBLIOTHÉCAIRE SE RÉVEILLA INONDÉ DE sueur. Alentour, dans l'ensemble des égouts d'Infraville, résonnait le chœur matinal aigu des rats tachetés. Rémiz Gueulardeau se demandait comment ils pouvaient savoir que, loin au-dessus d'eux, l'aurore pointait. Ils le savaient en tout cas, et Rémiz se réjouissait d'être réveillé. Dans le petit dortoir, les dix-neuf autres sous-bibliothécaires remuèrent et s'agitèrent au creux des hamacs, mais continuèrent à dormir. Deux heures s'écouleraient encore avant que les cornes de tildes retentissent. D'ici là, Rémiz aurait les égouts pour lui seul.

Il se glissa hors de son hamac, s'habilla en vitesse et se précipita sur le sol froid. La lampe à huile fixée au mur humide, moussu, vacilla sur son passage. Au fond de la pièce, Milouis marmonna dans son sommeil. Rémiz se figea. Il ne fallait pas qu'il se fasse prendre.

– Je t'en supplie, ne te réveille pas, chuchota Rémiz tandis que Milouis se grattait le nez.

Puis, poussant un petit cri de colère ou de peur, le garçon roula sur le côté et s'apaisa.

Rémiz quitta le dortoir en catimini pour s'avancer dans la pénombre de l'étroit corridor. L'air était chargé d'une vapeur glacée. Les flaques éclaboussaient ses bottes et des gouttes lui coulaient dans le cou.

Quand il pleuvait sur Infraville, les tunnels et les cana-lisations souterraines s'emplissaient d'eau, et les bibliothécaires s'efforçaient de la détourner du réseau des égouts qu'ils appelaient leur maison. Malgré tout, elle s'infiltrait par les murs et suintait du moindre plafond. Elle sifflait sur les lampes murales, qu'elle éteignait parfois complètement. Elle détrempait les matelas, les couvertures, mouillait les armes, les vêtements... et les bibliothécaires eux-mêmes.

Rémiz frissonna. Le rêve flottait encore dans sa tête. D'abord venaient les loups – toujours les loups. À collier blanc. Hérissés, hurlants. Leurs terribles yeux jaunes étincelaient dans l'obscurité de la forêt...

Son père lui criait de se cacher ; sa mère glapissait. Il ne savait que faire. Il courait d'un côté, de l'autre.

Partout, les yeux jaunes luisaient et les ravisseurs aboyaient leurs ordres tranchants.

La gorge de Rémiz se serra. C'était un cauchemar, mais la suite était pire, bien pire.

Il était seul dans les bois noirs. Le hurlement de la meute de loups s'atténuait dans le lointain. Les ravisseurs étaient partis en emmenant son père et sa mère comme esclaves. Rémiz ne les reverrait jamais. À quatre ans, il se retrouvait seul dans l'immensité des Grands Bois... et une créature s'approchait de lui. Une créature énorme...

Et alors...

Alors il s'était réveillé, ruisselant de sueur, les cris aigus des rats tachetés à ses oreilles. Comme la fois précédente, et la fois d'avant encore. Le cauchemar revenait toutes les deux ou trois semaines, toujours identique, d'aussi loin qu'il s'en souvienne.

Au bout du corridor, Rémiz prit à gauche, et de nouveau immédiatement à gauche ; puis, après cinquante foulées, il vira sur la droite dans l'ouverture d'une canalisation étroite et basse.

Les nouveaux venus s'égaraient toujours dans le labyrinthe déroutant des tuyaux et des tunnels. Mais pas Rémiz Gueulardeau. Il connaissait la moindre citerne, la moindre salle, le moindre conduit. Il savait que cette canalisation était un raccourci menant à la grande salle de lecture pluviale ; même s'il avait grandi depuis sa découverte et devait dorénavant se courber pour progresser le long du boyau, celui-ci n'en demeurait pas moins le chemin le plus rapide.

Lorsqu'il déboucha à l'autre extrémité, Rémiz jeta un regard furtif autour de lui. Côté droit, le large tunnel principal se perdait dans les ténèbres. Il était, constata le lève-tôt avec satisfaction, désert. Côté gauche, il se terminait par une grande voûte décorée, au-delà de laquelle s'étendait la salle elle-même.

Rémiz avança d'un pas et, tandis que la caverne de la bibliothèque s'ouvrait devant lui, son cœur palpita. Il avait beau la voir presque chaque jour depuis bientôt dix ans, elle le stupéfiait toujours.

L'air était tiédi par les poêles à bois et dispersé en une brise légère par les centaines d'hélices à vent frémissantes. Les lutrins flottants abritaient la vaste bibliothèque de précieux rouleaux d'écorce et de traités reliés : leurs « bouquets » dansaient doucement et tendaient les chaînes qui les rattachaient au magnifique pont en noirier. L'ouvrage finement sculpté enjambait la grande salle voûtée, reliant les deux parois du tunnel central. À proximité se trouvaient le pont en ricanier, plus ancien, et de nombreux portiques ; en contrebas s'écoulaient les eaux du plus vaste égout d'Infraville.

Resté immobile à l'entrée de la salle, Rémiz sentit la chaleur pénétrer ses os. Ici, ni ruissellement d'eau ni fuite d'aucune sorte n'étaient tolérés, rien qui aurait pu endommager la précieuse bibliothèque, dont l'établissement et la protection avaient coûté la vie à tant d'érudits terrestres.

Les paroles du professeur vieillissant Spiritix Mirax revinrent à Rémiz. « Souviens-toi, mon garçon, disait-il, que notre vaste bibliothèque ne représente qu'une fraction du savoir contenu dans les Grands Bois. Mais elle est précieuse. N'oublie jamais, Rémiz, que certains détestent les bibliothécaires et se méfient de l'érudition terrestre ; que certains nous ont trahis et persécutés, nous tiennent responsables de la maladie de la pierre et nous ont forcés

LA GRANDE SALLE DE LECTURE PLUVIALE

à chercher refuge ici, loin de la lumière du soleil. Pour la rédaction et la défense de chaque traité, un bibliothécaire a payé de sa souffrance, tandis qu'un autre payait de sa vie. Mais nous ne devons pas abandonner. Les chevaliers bibliothécaires désignés continueront à voyager jusqu'aux Grands Bois, afin d'y recueillir des informations inestimables et d'augmenter notre connaissance de la Falaise. Un jour, mon garçon, ce sera ton tour. »

Rémiz sortit de la canalisation et s'engagea à pas feutrés sur le pont en noirier, la tête courbée derrière la balustrade. Il y avait quelqu'un sur le pont parallèle, fait inhabituel aussi tôt le matin. Même si ce n'était sans doute qu'un tractotroll préposé au nettoyage, Rémiz ne voulait prendre aucun risque.

Machinalement, mais immanquablement, il compta au passage les treuils d'amarrage. C'était un réflexe chez tous les sous-bibliothécaires, car ceux qui confondaient les chaînes des lutrins flottants ne restaient pas longtemps dans la grande salle pluviale.

L'expérience de Rémiz le conduisit infailliblement au dix-septième lutrin, où il savait qu'il trouverait un traité bien précis. L'ouvrage s'intitulait : *Étude comportementale des ours bandars dans leur milieu naturel*. Parmi les innombrables volumes reliés en cuir de la bibliothèque, celui-ci était particulier ; particulier pour une raison très simple.

Rémiz Gueulardeau lui devait la vie, et jamais il ne l'oublierait.

Il vérifia que le tractotroll ne l'épiait pas, attrapa la manivelle du treuil et se mit à la tourner lentement. Maillon après maillon, la chaîne s'enroula autour de l'axe central et le lutrin flottant en gâtinier descendit. Lorsqu'il fut au niveau de la plate-forme d'accès, Rémiz tira sur le levier de frein et grimpa.

– Attention ! chuchota-t-il, nerveux, alors que le lutrin tanguait et oscillait.

Il s'assit sur le banc et se cramponna fermement au plateau. Il n'avait aucune envie de culbuter et de tomber dans l'eau paresseuse de la rivière souterraine. À cette heure de la journée, il n'y avait aucun pilote de radeau pour le repêcher ; or Rémiz nageait très mal.

Le bois couleur de miel était tiède et satiné au toucher. Dans l'atmosphère chaude et déshydratée de la bibliothèque, un bloc de gâtinier bien séché était deux fois plus léger que l'air. Cependant, comme pour tous les bois flottants de premier ordre, la plus infime variation de température ou d'humidité était déstabilisatrice : les lutrins trépidaient et ballottaient donc sans cesse, si bien que s'y maintenir constituait un véritable exercice d'équilibre.

– Arrête de trembloter, idiot de siège ! ordonna Rémiz au lutrin d'une voix sévère.

Il changea de position sur le banc. Les violents écarts diminuèrent.

– Voilà qui est mieux, dit-il. Maintenant, ne bouge pas pendant que je…

Rémiz grimaça, ébloui par le globe de lumière vive surmontant le lutrin, puis il tendit le bras et tira de l'étagère supérieure un

gros volume relié. C'était le traité sur les ours bandars. Alors qu'il posait l'ouvrage sur le plateau devant lui, il ressentit un élan d'enthousiasme bien connu, teinté d'un soupçon de crainte. Il ouvrit le livre au hasard.

Il pencha la tête. Il plissa les yeux, absorbé. Il n'était plus installé sur un lutrin flottant, dans une salle voûtée, dans les profondeurs du sol…

Non, Rémiz était là-haut, dehors, dans les Grands Bois immenses, mystérieux, sans murs, ni tunnels, ni plafonds, rien que le ciel lui-même. L'air était frais, empli par les cris des oiseaux et les couinements des rongeurs…

Il se concentra sur le traité. *Le cri de communication modulé,* lut-il, *est adressé à un seul et unique ours bandar. Aucun individu, même s'il se trouve plus près, ne répond à un appel qui ne lui est pas destiné. À cet égard, ce dernier est un peu l'équivalent d'un nom. Néanmoins, du fait que, durant mon voyage d'études, je n'ai jamais réussi à m'approcher suffisamment d'un individu pour déchiffrer complètement son langage, je ne puis être catégorique à ce sujet.*

Rémiz leva le nez. Le cri modulé de l'ours bandar résonnait dans sa tête, comme s'il en avait lui-même entendu un autrefois…

Un fait paraît certain. Il semble impossible à un ours bandar de déguiser son identité à ses congénères. Voilà peut-être pourquoi les ours bandars sont des animaux aussi solitaires. L'anonymat de la foule ne pouvant leur procurer une individualité, ils recherchent celle-ci dans un éloignement vis-à-vis de cette foule.

Plus mes expéditions m'entraînent loin…

Rémiz quitta de nouveau des yeux l'écriture soignée et son regard se perdit dans le vague. *Plus mes expédi-*

tions m'entraînent loin... Ces mots le transportaient. Comme il aimerait explorer lui-même les Grands Bois infinis, séjourner au milieu des ours bandars, entendre leurs plaintes modulées sous la clarté de la pleine lune !

À cet instant, une idée le frappa.

« Bien sûr ! » songea-t-il, et il sourit amèrement. Aujourd'hui n'était pas une journée ordinaire. C'était le jour de la Proclamation, lors de laquelle trois apprentis bibliothécaires seraient désignés pour aller achever leur formation là-bas dans les Grands Bois, au Débarcadère du lac.

Rémiz aurait tellement, tellement voulu être choisi ; mais il savait que, malgré les paroles encourageantes de Spiritix Mirax, rien de tel ne se produirait. Il était un orphelin, un rien du tout. C'était la glorieuse Violetta Lodd qui l'avait découvert, seul et perdu, errant dans les Grands Bois – d'après ce qu'on lui avait raconté, du moins. Violetta, fille du Bibliothécaire supérieur, Fortunat Lodd, était l'auteur du traité que Rémiz avait entre les mains à cet instant.

Si elle ne s'était pas aventurée dans la forêt pour étudier les ours bandars, elle n'aurait jamais trouvé l'enfant abandonné, privé de tout souvenir, mis à part son nom et un cauchemar répété peuplé de ravisseurs, de loups et de...

Oui, Rémiz Gueulardeau devait bel et bien sa vie à ce traité relié.

Violetta Lodd les avait rapportés tous deux dans les égouts d'Infraville ; elle avait laissé l'enfant aux bons soins des érudits bibliothécaires. Le vieux professeur Spiritix Mirax avait pris sous son aile le triste garçonnet solitaire et fait de son mieux, mais Rémiz savait bien qu'un orphelin sans aucune famille ne serait jamais rien de plus qu'un sous-bibliothécaire. Son destin était de rester dans la grande salle de lecture souterraine, à s'occuper des lutrins flottants et à servir les professeurs et leurs apprentis.

Contrairement à Félix. Dans son for intérieur, Rémiz sourit. Il n'irait pas au Débarcadère du lac, mais Félix, lui, partirait !

Félix Lodd était le petit frère de Violetta – à ceci près qu'il n'était plus petit du tout. Grand pour son âge, il avait une charpente solide et des muscles d'athlète. Prompt à sourire et long à se fâcher, il compensait sa lenteur d'esprit par la générosité de son cœur.

Félix était apprenti lorsqu'il avait décidé de protéger le petit orphelin trouvé par sa sœur. Il se sentait peut-être coupable que sa sœur adorée, idolâtrée, ait purement et simplement laissé Rémiz aux bibliothécaires. Aucune importance. Ils étaient amis, les meilleurs amis du monde. Félix châtiait les apprentis qui tentaient de malmener Rémiz, et Rémiz aidait Félix dans les études que son aîné trouvait difficiles. À eux deux, ils formaient une équipe imbattable. Et aujourd'hui, tout ce dur travail était sur le point de payer, car Félix avait de fortes chances de s'en aller achever sa formation au Débarcadère du lac. Rémiz éprouvait tant de fierté. Qui sait si, un jour, il ne serait pas assis à ce lutrin, le traité de Félix entre les mains ?

Il prit l'ouvrage et s'apprêtait à le remettre sur la haute étagère lorsqu'une voix tonitruante résonna, furieuse, dans la grande salle.

– Toi, là-bas !

Rémiz fut pétrifié. Non, personne n'avait pu le remarquer, tout de même ! Pas aujourd'hui. L'inconnu devait s'adresser au tractotroll sur le pont en ricanier.

– Rémiz Gueulardeau !

Le garçon grogna. Il reprit son aplomb, replaça le traité, puis il pivota lentement. À cet instant, il s'aperçut combien il était haut. À cause des violentes oscillations au moment où il était monté, le levier de frein avait dû bouger, et la chaîne qui retenait le lutrin s'était complètement déroulée. Rémiz se retrouvait bloqué dans les airs sur son perchoir flottant, qui dominait tous les autres au-dessus du pont en noirier. Pas étonnant que quelqu'un l'ait remarqué ! Il scruta en contrebas et sa gorge se serra. Quelle malchance avait voulu que le témoin soit Ledmus Critix ?

Personnage sourcilleux et boursouflé, aux petits yeux roses et aux favoris broussailleux, Critix était l'un des divers sous-professeurs de la bibliothèque. Nul ne l'appréciait, non sans raison : Ledmus était à la fois autoritaire et vaniteux. Il aimait l'ordre, il aimait le confort et, en vieillissant, il s'était aussi découvert une aptitude marquée à imposer sa présence (bedonnante).

– Fais-moi le plaisir de descendre immédiatement ! brailla-t-il.

Rémiz baissa les yeux vers le personnage corpulent et rougeaud. Ce dernier avait les mains sur les hanches et arborait une mine railleuse. Lui aussi savait bien que Rémiz dépendait de son aide.

– Je... je ne peux pas, monsieur.

– Alors tu ne devrais pas grimper là-haut en premier lieu, si ? triompha Critix.

Air penaud de Rémiz.

– Si ? répéta l'autre.

– N… non, monsieur, souffla Rémiz.

– Non, monsieur ! aboya Critix en réponse. Tu ne le devrais pas. Sais-tu combien de règles tu as enfreintes, Rémiz ?

Il leva la main gauche et se mit à compter sur ses doigts :

– Primo, l'accès aux lutrins est interdit durant les heures comprises entre l'extinction des feux et la sonnerie des cornes de tildes. Secundo, l'accès aux lutrins flottants est interdit en l'absence d'un tiers qui puisse manœuvrer le treuil. Tertio, en quelque circonstance que ce soit, siffla-t-il (il détachait chaque mot avec lenteur), l'accès aux lutrins flottants est formellement interdit aux sous-bibliothécaires.

Il afficha un sourire détestable.

– Est-il nécessaire que je continue ?

– Non, monsieur, répondit Rémiz. Je m'excuse, monsieur, mais…

– Tais-toi ! ordonna Critix.

Il fixa son attention sur la manivelle du treuil, qu'il tourna et tourna encore, tout en soufflant comme un bœuf, jusqu'à ce que le lutrin flottant soit revenu au niveau de la plate-forme.

– À présent, sors d'ici ! ordonna-t-il.

Rémiz posa le pied sur le pont. Critix lui saisit les bras et approcha tant son visage que leurs nez se frôlèrent.

– Je ne tolérerai pas une telle désobéissance ! tonna-t-il. Une telle indiscipline. Un mépris aussi flagrant du règlement… Ta conduite, Rémiz, ajouta-t-il après une profonde inspiration, est en tout point inacceptable. Comment oses-tu seulement avoir l'idée de lire les traités de la bibliothèque ? Les subalternes de ton espèce n'y ont pas droit, cracha-t-il avec dédain. Toi ! Un simple sous-bibliothécaire !

– Mais… mais, monsieur…

– Silence ! hurla Critix. D'abord, je te surprends à passer outre les règles les plus importantes de la bibliothèque, ensuite, tu as le culot éhonté de me répliquer ! Ton effronterie ne connaît-elle pas de limites ? Je te ferai envoyer en cellule punitive. Je te ferai mettre les fers et fouetter. Je te…

– Avez-vous des ennuis, Critix ? interrompit une voix frêle mais impérieuse.

Le sous-professeur se retourna. Rémiz leva les yeux. C'était Spiritix Mirax, le vieux professeur. D'un doigt maigre, celui-ci remonta ses lunettes sur son nez et considéra son inférieur hiérarchique.

– Des ennuis, Critix ? répéta-t-il.

– Rien qui échappe à ma compétence, répondit Critix en bombant le torse.

– J'en suis heureux, Critix, approuva Spiritix. Très heureux… Cependant, un détail me chagrine, ajouta-t-il après une pause.

– Oui, monsieur ?

– Un détail que je crois avoir entendu par hasard, dit Spiritix. Il était question d'une cellule d'emprisonnement, de fers. Et… quoi encore ? Ah oui, de fouet !

La figure flasque de Critix vira du rouge au violet et des gouttes de sueur perlèrent par chacun de ses pores.

– Je… Je… Je… bégaya-t-il.

Le professeur sourit.

– Critix, il est superflu de vous rappeler, j'en suis certain, que votre rang de sous-professeur ne vous autorise nullement à distribuer des punitions. Je crois même, ajouta-t-il en se grattant l'oreille droite d'un air pensif, qu'une telle tentative constitue une faute punissable...

– Je... Je... C'est-à-dire que je ne voulais pas... marmonna Critix, fébrile.

Rémiz dut se mordre la lèvre inférieure pour réprimer un sourire. Quelle joie de voir son bourreau embarrassé !

– Mais, monsieur... protesta Critix, indigné, après qu'il eut assemblé ses esprits. Il a enfreint règle sur règle. Je l'ai surpris, expliqua-t-il d'une voix plus assurée, perché sur un lutrin flottant, en train de lire, rien de moins. Il lisait un traité universitaire. Il...

– Que faisais-tu ? lança Spiritix à Rémiz. Oh, voilà qui jette une lumière toute nouvelle sur cette affaire ! Tu lisais donc !

Il se retourna vers le sous-professeur, qui rayonnait maintenant d'un air présomptueux.

– Je m'en occupe, Critix. Vous pouvez disposer.

Le gros Ledmus Critix s'éloigna en se dandinant, et Rémiz attendit, nerveux, que Spiritix se consacre à lui. Le professeur avait paru sincèrement furieux. C'était inhabituel, et Rémiz se demandait s'il n'avait pas dépassé les bornes, cette fois-ci. Mais lorsque le professeur le regarda enfin, ses yeux pétillaient.

– Rémiz ! Rémiz ! s'exclama-t-il. Tu lisais encore les traités, hein ? Qu'allons-nous faire de toi ?

– Je suis désolé, monsieur, dit Rémiz. C'est seulement que...

– Je sais, Rémiz, je sais, l'interrompit le professeur. La soif de connaissances est une force irrésistible. Mais à l'avenir…

Il se tut et secoua la tête avec sévérité. Rémiz retint son souffle.

– À l'avenir, reprit-il, tâche de ne pas te faire prendre !

Il gloussa, et Rémiz rit aussi. Puis le visage du professeur redevint grave.

– Tu ne devrais pas être ici, quoi qu'il en soit, dit-il. Les lutrins flottants sont fermés. As-tu oublié que la Proclamation a lieu aujourd'hui ?

À cet instant, l'écho des cornes de tildes résonna dans la salle caverneuse. Il était sept heures.

– Oh, non ! gémit Rémiz. C'est le grand jour de Félix, et j'ai promis de l'aider à se préparer. Je ne dois pas lui faire faux bond.

– Du calme, Rémiz. Tel que je le connais, Félix Lodd dort encore à poings fermés dans son hamac.

– Justement ! répliqua Rémiz. Je me suis engagé à le réveiller !

– Ah oui ? demanda le professeur avec un gentil sourire. Eh bien, vas-y. Si tu te dépêches, vous reviendrez tous les deux ici à temps.

– Merci, professeur, dit Rémiz en s'élançant sur le pont.

– Oh, Rémiz ! appela le vieux bibliothécaire dans son dos. Pendant que tu y es, fais-toi beau, mon garçon.

– Oui, monsieur, répondit Rémiz. Et merci encore, monsieur.

Il quitta la salle pluviale, se baissa et s'engouffra dans l'étroite canalisation. Lorsque l'obscurité l'enveloppa, son humeur s'assombrit elle aussi.

Le souvenir du cauchemar lui revint : les grondements des loups des bois et les cris des ravisseurs. Et ce sentiment terrible, terrible, de solitude…

Félix parti, Rémiz serait de nouveau seul. Une petite pensée coupable s'insinua en lui. Et si Félix n'était pas désigné ? S'il sortait du lit trop tard ?

– Non ! s'écria Rémiz en se frappant la tempe du poing. Non ! Félix est mon ami !

CHAPITRE 2

Les égouts

RÉMIZ FRANCHIT LES ÉPAISSES TENTURES EN PEAU DE hammel et entra dans la chambre. Contrairement au dortoir humide, spartiate, des sous-bibliothécaires, la pièce était tiède et douillette, car Félix Lodd bénéficiait de tout le confort des apprentis les plus âgés. Il y avait un poêle à bois dans un angle, des tapisseries contre les murs et une couche de paille sur le sol. Les cornes de tildes sonnaient le dernier appel lorsque Rémiz s'approcha du hamac matelassé, avec ses oreillers rebondis et ses chaudes couvertures en fourrure.

Rémiz dévisagea son ami. Il paraissait comblé, insouciant, et, à en juger par le sourire aux coins de ses lèvres, bercé par un rêve agréable. Le réveiller semblait presque dommage.

– Félix ! dit Rémiz d'un ton pressant, et il le secoua par les épaules. Félix, lève-toi !

Le dormeur ouvrit soudain les yeux.

– Quoi ? Quoi ?

Son regard se fit scrutateur.

– C'est toi, Rémiz ?

Il sourit et s'étira paresseusement.

– Quelle heure est-il ?

– Il est tard, Félix... commença Rémiz.

– J'étais au milieu d'un rêve sensationnel, l'interrompit Félix. Je volais, Rémiz. Au-dessus des Grands Bois ! Imagine ! Voler là-haut, dans l'air limpide, translucide ! C'était une sensation si incroyable : fondre d'un côté, de l'autre, frôler la cime des arbres... Jusqu'au moment où j'ai heurté des tourbillons et chuté en vrille. L'instant où tu m'as réveillé, je suppose, ajouta-t-il en plissant les yeux.

– Tu as oublié, hein ? déplora Rémiz.

Félix bâilla.

– Oublié quoi ?

– Quel jour nous sommes ! Aujourd'hui a lieu la Proclamation.

Félix bondit hors du hamac, envoyant valser oreillers et coussins, renversant une petite lampe ornée.

– La Proclamation ! s'exclama-t-il. Je croyais que c'était demain.

Il embrassa la chambre du regard.

– Maudit soit cet endroit stupide ! tonna-t-il en sortant ses toges de la lourde commode en plombinier, sous le hamac. Il n'y a ni aurore ni crépuscule. Comment ne pas perdre la notion du temps dans ce monde souterrain ?

– Ne t'inquiète pas, le rassura Rémiz. La dernière corne vient juste de sonner. Si nous nous dépêchons, nous pouvons encore rejoindre le pont en ricanier avant que le Bibliothécaire supérieur prononce le serment, même si les meilleures places sont déjà prises.

– Ça, je m'en moque, dit Félix, qui s'efforçait de dénouer sa large ceinture de cérémonie. La Proclamation ne peut pas arriver trop tôt à mon goût. Il me tarde tant de quitter cet égout gorgé d'eau et de sentir le vent sur mon visage, de respirer l'air pur et frais…

– Laisse-moi faire, dit Rémiz.

Il s'empara de la ceinture et la dénoua habilement. Il la rendit à Félix, qui s'évertuait maintenant à enfiler ses lourdes toges.

Rémiz sourit avec tristesse. C'était la dernière fois qu'il avait l'occasion de tirer son ami de tel ou tel mauvais pas. Car aujourd'hui, le Bibliothécaire supérieur annoncerait à coup sûr que Félix Lodd allait partir achever ses études au Débarcadère du lac. Là-bas, Félix devrait se prendre en main : s'assurer qu'il rendait son travail dans les délais, que ses toges étaient propres et reprisées, ne pas oublier de se réveiller les jours importants. Il n'aurait plus Rémiz pour veiller sur lui.

Néanmoins, il se ferait vite des amis dans les Clairières franches : en effet, où qu'il aille et quoi qu'il fasse, Félix ne pouvait s'empêcher d'attirer la sympathie et l'attention. Tout comme sa sœur avant lui, Félix était sur le point d'entreprendre une belle aventure et de se faire un nom, là-haut dans le royaume du grand air et du soleil. Et Rémiz, lui, demeurerait seul.

Félix noua la ceinture autour de sa taille et recula. Rémiz le contempla de la tête aux pieds. La surprise était toujours au rendez-vous ! Quelques instants plus tôt, Félix dormait du sommeil du juste. À présent, il se dressait devant lui, magnifique dans sa toge de cérémonie, comme s'il avait mis plusieurs heures (et non une poignée de minutes) à se préparer.

– Suis-je présentable ? demanda-t-il.

Rémiz sourit.

– Ça ira.

– La terre et le ciel soient loués ! s'écria Félix.

Il saisit deux lanternes, en donna une à Rémiz.

– Très bien. En route pour le pont ! Ils vont m'attendre.

– Pas de bruit, Félix ! J'essaie d'écouter.

Rémiz se plaça tout contre l'ouverture près de laquelle il s'était arrêté et, d'un geste de la main, signifia à Félix de se taire.

– J'ai cru entendre quelque chose, chuchota-t-il… Là-dedans, précisa-t-il, et, de sa lanterne levée, il indiqua l'étroite canalisation dégoulinante sur sa droite.

Félix s'approcha. Il plissa les yeux.

– Penses-tu qu'il s'agisse d'un… paludicroque ? murmura-t-il.

– J'ai bien eu l'impression, répondit Rémiz tout bas.

Félix hocha la tête. Il n'en demandait pas plus. Rémiz n'avait pas son pareil pour identifier les nombreux parasites et prédateurs qui rôdaient dans le réseau des égouts. Il dégaina son épée, écarta son ami d'un bras ferme et s'engagea dans le tuyau.

– Mais, Félix… objecta Rémiz qui, la tête courbée, trottait derrière lui. Et la Proclamation ?

– Elle passera après, rétorqua Félix. Il y a des priorités.

Il continua son chemin dans le tuyau, s'immobilisa au premier embranchement, tout ouïe, puis repartit en hâte.

Rémiz s'efforçait de le suivre.

– Une seconde, haleta-t-il alors que Félix amorçait un troisième virage. Félix…

– Silence, Rémiz ! siffla Félix. Si un paludicroque venu d'Ébouliville s'est vraiment introduit dans nos égouts, le danger nous menace tous.

– Ne pouvons-nous pas simplement le signaler et le laisser à la patrouille des égouts ? suggéra Rémiz.

– À la patrouille ? ricana Félix. Cette bande d'incapables n'est même pas fichue de tenir les rats à distance, alors un paludicroque adulte parti chasser le sang !

– Mais…

– Chut !

Félix s'arrêta à un carrefour où se croisaient cinq conduits et s'accroupit. L'atmosphère était froide, humide. Tout autour d'eux, l'eau ruisselait dans des clapotis.

– Il est là, chuchota Félix un instant après.

Rémiz dressa l'oreille. Oui, il les entendait, lui aussi : la respiration basse et sifflante de la créature, le bruit de succion de ses pattes palmées. La bête semblait grosse.

Sa lanterne levée, Félix suivit les chuintements dans le tunnel d'en face et continua sa route. Rémiz lui emboîta le pas. Il tremblait, nerveux. Et si Félix avait raison ? Si la créature chassait en effet le sang ?

Certes, lorsqu'ils étaient acculés, les paludicroques qui infestaient les égouts d'Infraville devenaient parfois violents ; mais ils se montraient en général moins agressifs que leurs cousins du Bourbier. C'était peut-être dû à l'absence de soleil direct. Ou à leur changement de régime alimentaire : les rats tachetés dont ils se gavaient désormais étaient plus gras et plus nourrissants que les limonards pleins d'arêtes du Bourbier. Bref. Habituellement, les paludicroques des égouts se tenaient à l'écart. Mais, de temps à autre, l'un d'eux était pris d'une soif de sang qui l'entraînait dans les égouts principaux, en quête d'une proie plus grosse. Il partait chasser le sang. Les histoires des ravages causés par de tels paludicroques étaient légion chez les érudits.

– Par ici, dit Félix, résolu, en virant brusquement à droite. Je le sens.

– Mais Félix, protesta Rémiz, ce tunnel, c'est...

Félix l'ignora. Le paludicroque était tout près, il le savait. Il était temps de le rattraper. Au petit trot désormais, son épée braquée devant lui comme une baïonnette, il chargea dans le tunnel. Il allait, une bonne fois pour toutes, débarrasser les égouts de cette infâme créature assoiffée de sang de bibliothécaire !

Rémiz essaya de ne pas se laisser distancer. Il leva la tête et vit que Félix avait presque atteint l'extrémité du conduit :

– Félix, attention ! prévint-il. C'est une voie... Aaah ! s'écria-t-il alors que son pied glissait, que sa cheville basculait et qu'il s'étalait sur le sol. Sans issue, murmura-t-il.

Il se redressa.

– Félix ? appela-t-il.

Puis, plus fort :

– Félix !

Toujours rien.

– Félix, qu'est-ce qui… ?

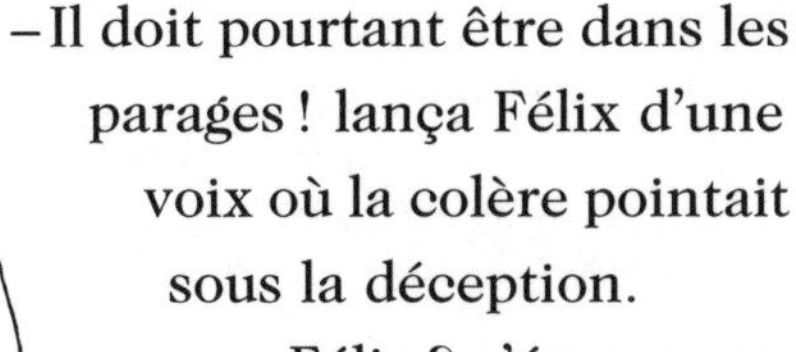

– Il doit pourtant être dans les parages ! lança Félix d'une voix où la colère pointait sous la déception.

– Félix ? s'époumona Rémiz. Attends ! J'arrive…

Boitillant, il marcha aussi vite qu'il le put. Son souffle formait des nuages rebondis. De l'eau lui ruisselait dans le cou. Il sortit son poignard du fourreau.

– Félix, tout va bien ? demanda-t-il avec angoisse.

– Cul-de-sac, dit Félix d'un ton morne. Où est-il passé ?

Rémiz atteignit la fin du conduit et examina la citerne dans laquelle il débouchait. Félix se tenait à l'autre bout, le dos tourné.

– Félix ! Méfie-toi ! hurla Rémiz. Là-haut !

Félix fit volte-face. Il scruta les ombres au-dessus de sa tête et son regard tomba sur les yeux jaunes et la gueule cramoisie, baveuse, du paludicroque.

La bête était énorme : le ventre gonflé, une longue queue cinglante et six pattes trapues. Accrochée au plafond, le corps tendu, ses griffes acérées étincelantes.

– Viens donc, monstre hideux ! le défia Félix entre ses dents.

Les narines de la créature frémirent comme si elle humait l'air et elle promena sur ses lèvres une longue langue luisante. Elle plissa les yeux. Elle se ramassa, prête à bondir.

Félix brandit son épée, menaçant.

– Bloque la sortie, Rémiz ! ordonna-t-il. Cette bête ne s'échappera pas.

Rémiz prit position au bout du tuyau. Il serra son poignard avec détermination, mais il ne put s'empêcher de se demander quelle serait son utilité face aux trente griffes terribles du prédateur au cas où celui-ci l'attaquerait.

Posant un œil prudent sur l'épée de Félix, le paludicroque recula. À pas lents, il rebroussa chemin le long du plafond, spouich, spouich, spouich. Rémiz avala sa salive, nerveux. La créature se dirigeait vers le tuyau de sortie ; elle se dirigeait vers lui.

– Ne t'inquiète pas, Rémiz, le rassura Félix. Je vais lui régler son compte. Garde ton calme, et...

À cet instant précis, le paludicroque décolla du plafond, se retourna à mi-hauteur et atterrit juste devant Rémiz. Il le foudroya des yeux dans un sifflement de narines et grogna de fureur.

Félix traversa la citerne d'un bond, son épée tranchant l'air. Rémiz leva son poignard et tint bon... mais, une seconde plus tard, un coup magistral de la queue cinglante le balaya. Il s'effondra lourdement par terre. Le paludicroque fonça vers l'issue et enfila le tunnel.

– Ne le laisse pas se sauver ! hurla Félix.

Rémiz se remit debout et projeta son poignard sur les traces du paludicroque en fuite. Il y eut un craquement âpre, la lame brillante sectionna la longue queue préhensile en creusant une entaille courbe puis se ficha dans le haut de la patte arrière droite de la bête.

Le paludicroque s'immobilisa et poussa un cri de douleur atroce. Puis il se tourna, et Rémiz sentit le regard furibond de la créature le pénétrer.

– Bravo, Rémiz ! approuva Félix derrière lui. Maintenant, écarte-toi, et laisse-moi finir le travail.

Malgré sa patte blessée, le paludicroque ne semblait pas ralenti. Avant que Félix ait parcouru douze foulées, l'animal avait atteint l'extrémité du conduit et disparu.

– Tu t'en tires aujourd'hui ! rugit Félix. Mais la prochaine fois, tu n'auras pas cette chance ! Ça, mon ignoble ami, je te le garantis !

De sa botte, Rémiz tâta la queue sectionnée. La question était : à quand la prochaine fois ? Après tout, Félix était sur le point de partir pour le Débarcadère du lac, où les paludicroques assoiffés de sang seraient le cadet de ses soucis.

C'est alors que, depuis les profondeurs des égouts souterrains, la clameur d'une foule leur parvint. Elle vibra le long des tunnels, noya le clapotis de l'eau. Félix se tourna vers Rémiz.

– La Proclamation ! dit-il. Elle commence. Vite, Rémiz, il faut nous dépêcher. Je ne me pardonnerai jamais d'avoir raté l'annonce de mon nom !

Ils étaient arrivés au bout de l'étroite canalisation. Félix regarda d'un côté, puis de l'autre, le tunnel qui la jouxtait.

– À gauche, je pense.

– Non, dit Rémiz. Prenons à droite. Je connais un chemin plus rapide.

Et il se précipita.

– Suis-moi ! cria-t-il.

Rémiz obliqua prestement à gauche dans un tuyau abandonné, privé d'éclairage. Félix marchait sur ses talons. Le boyau était vieux et fissuré, des flaques d'eau et des débris pointus jonchaient le sol. Des toiles d'araignées nocturnes, épaisses et détrempées, collaient au visage des deux garçons, qui pataugeaient et trébuchaient.

– Crois-tu vraiment que nous sommes... pouah ! pouah !... sur la bonne route ? demanda Félix tout en crachant des toiles d'araignées. Je n'entends plus la foule.

– C'est parce que les applaudissements ont cessé, répondit Rémiz. Ton père a dû entrer en scène. Compte sur moi, Félix. T'ai-je déjà fait faux bond ?

– Non, dit Félix, et il secoua lentement la tête. Non, Rémiz, jamais. Tu vas me manquer, tu sais.

Rémiz ne répondit rien. Il en était incapable. La boule dans sa gorge l'en empêchait.

– Tu as raison ! s'exclama Félix un moment après, lorsque la voix grave, sonore, du Bibliothécaire supérieur filtra dans le tuyau. Je reconnaîtrais cette voix entre mille.

– Bienvenue ! s'écriait Fortunat Lodd. Bienvenue dans la grande salle de lecture pluviale, érudits bibliothé-

caires de tous rangs, pour l'événement qui nous réunit, la Proclamation…

– Le but paraît proche, dit Félix.

– Le but est proche, certifia Rémiz. Encore quelques pas et… oui, nous y sommes.

Il s'engouffra dans un conduit plus large qui, cinquante foulées plus loin, déboucha soudain dans le grand tunnel central. Rémiz poussa un soupir de soulagement. Ils avaient réussi. La voûte d'entrée de la grande salle pluviale était devant eux.

– Viens ! dit Félix, résolu. Il ne reste sans doute plus de sièges.

Rémiz regarda la foule immense qui s'était rassemblée pour assister à la Proclamation. Elle débordait de la salle pluviale et tous se bousculaient à la recherche d'une place.

– Nous aurons de la chance si nous atteignons la porte, dit-il.

– Pas de problème, affirma Félix. Garez-vous ! cria-t-il, bon enfant. Laissez passer un apprenti qui a rendez-vous au Débarcadère du lac !

Chapitre 3

La Proclamation

En raison de la multitude tassée dans la grande salle (massée sur le pont en noirier, accrochée aux portiques en surplomb et perchée sur les imprévisibles lutrins flottants), la chaleur était plus forte que jamais. Félix et Rémiz furent bientôt inondés de sueur et, lorsque leurs vêtements trempés se mirent à sécher, des nuages de vapeur se dégagèrent.

Les deux amis se frayèrent un chemin jusqu'à l'avant de la foule qui encombrait le pont en noirier, se campèrent au niveau inférieur de la balustrade sculptée et regardèrent le pont en ricanier voisin. Au-dessous d'eux, le ruisseau, paresseux après une longue période sans véritable pluie au-dehors, était couvert de radeaux, tous chargés d'autres spectateurs encore, et maintenus par les perches recourbées des pilotes.

– Ils sont tous là, remarqua Félix en pointant le menton vers l'estrade dressée sur le pont parallèle.

Rémiz acquiesça. Installés dans des fauteuils à haut dossier, les professeurs de Lumière et d'Obscurité, Ulbus Vespius et Magnus Centitax, encadraient le balcon du

Bibliothécaire supérieur, depuis lequel Fortunat Lodd s'adressait au public. Tous deux étaient d'anciens érudits célestes qui, effarés par la conduite des gardiens de la Nuit, avaient décidé de lier leur destin à celui des bibliothécaires. Les doyens de la bibliothèque, six de part et d'autre, les entouraient.

La voix de Fortunat Lodd résonna dans le silence de la salle.

– Notre Conseil des trois n'a jamais eu autant de mal à désigner les chevaliers qui partiront pour le Débarcadère du lac. Non, dois-je ajouter, par manque de candidats satisfaisants, mais bien l'inverse. Chacun de vos doyens a présenté un excellent protégé, qu'il a défendu avec passion…

Rémiz contempla tour à tour les douze vénérables personnages. Ils avaient des parcours très variés. Brillants érudits terrestres rentrés d'exil pour aider la nouvelle bibliothèque souterraine, éminents érudits célestes ayant, de même que les professeurs de Lumière et d'Obscurité, changé de camp lorsque les funestes gardiens de la Nuit s'étaient emparés du pouvoir à Sanctaphrax ; ceux, enfin, dont l'histoire demeurait un secret absolu. Son regard tomba sur Spiritix Mirax. Le professeur bienveillant qui l'avait pris sous son aile entrait dans la troisième catégorie. Son passé constituait un mystère.

– Comme toujours, poursuivit le Bibliothécaire supérieur, la liste des candidats sélectionnés s'est réduite aux trois lauréats que nous, Conseil des trois, considérons les plus aptes à la tâche proposée…

Rémiz glissa un coup d'œil vers Félix. Son visage rayonnait d'une espérance ardente. Ils avaient souvent parlé ensemble des conséquences d'une désignation. D'abord le voyage : traverser Infraville, emprunter la Grand-Route du Bourbier puis pénétrer dans les Grands Bois, avec l'aide des fidèles aux érudits bibliothécaires. Puis, après une période d'études intenses (sur laquelle son ami préférait souvent ne pas s'appesantir), la construction de son propre esquif du ciel. Et pour finir, Félix volerait, comme il en rêvait.

– Tâche sacrée, mais également difficile, disait le Bibliothécaire supérieur… Et très périlleuse, compléta-t-il d'une voix sourde. Futurs lauréats, vous devrez lutter contre une confiance aveugle, car elle sera votre pire ennemie. Vous devrez vous tenir sur vos gardes. Le monde extérieur est dangereux.

À cet instant, les yeux de Rémiz rencontrèrent ceux de Spiritix Mirax. Le professeur salua le jeune sous-bibliothécaire d'un léger signe de tête. Rémiz lui rendit son salut et espéra que Spiritix n'avait pas remarqué à quel point il rougissait. Le professeur, selon la rumeur, avait l'intention de le nommer assistant personnel à titre définitif dès qu'il aurait l'âge requis. Rémiz savait qu'il aurait dû être reconnaissant : après tout, c'était là l'ambition d'une majorité de sous-bibliothécaires. Mais, pour Rémiz, la perpective de passer le restant de ses jours dans le réseau souterrain de conduites et de salles, privé d'air, privé de soleil, était au contraire un vrai cauchemar.

– Ainsi donc, érudits de la Falaise, tous sans exception, proclama Fortunat d'un ton empreint de solennité, le moment de la Proclamation est venu.

L'assistance se tut. Il ne subsista qu'un ruissellement doux, lointain, résonnant sous le plafond voûté, et le frémissement des hélices à vent, semblables à de grandes ailes battantes. Tous les yeux fixèrent le rouleau que le Bibliothécaire supérieur, Fortunat Lodd, déployait maintenant devant lui.

– Le premier chevalier bibliothécaire désigné est Boris Lummus, annonça-t-il.

La nouvelle fut accueillie par des applaudissements, des vivats et le « hip, hip, hip hourra ! » traditionnel des apprentis, tandis que les professeurs approuvaient de la tête. Boris Lummus était un intellectuel remarquable : sa désignation ne les surprenait donc pas ; toutefois, il apprendrait bien vite que le seul savoir livresque n'assurait pas la réussite, observèrent quelques érudits parmi les plus vieux et les plus sages de l'auditoire. Rémiz et Félix découvrirent en contrebas un garçon robuste, le dos large, la chevelure noire, épaisse, porté en triomphe par ses voisins.

– C'est sans doute lui, dit Félix, qui l'examina plus attentivement.

Ne pas avoir été appelé en premier l'inquiétait un peu.

– Boris Lummus, finit-il par dire en haussant les épaules. Je ne pense pas l'avoir déjà croisé.

Rémiz fronça les sourcils.

– Moi si, peut-être, affirma-t-il d'un air songeur. Dans les biefs est. Je crois qu'il est le fils d'un grand garde de la patrouille des égouts. Tu sais, celui qui a une cicatrice…

– Un fils de garde, alors ? dit Félix.

Il posa les yeux sur son propre père. À une époque, ses camarades l'avaient accusé d'être privilégié, lui qui avait pour père un érudit aussi éminent. Félix ne partageait pas leur avis. Dans la mesure où il était le fils du Bibliothécaire supérieur et le frère de la célèbre Violetta Lodd, tout le monde semblait attendre de lui une réussite éblouissante. Il devait faire deux fois mieux que les autres dans tous les domaines. Parfois, il s'estimait tout simplement incapable d'y parvenir. Il lisait souvent de la déception dans les yeux de ses professeurs. Seul Rémiz maintenait en lui une confiance absolue.

– Ton tour arrive, chuchota celui-ci.

Félix hocha la tête, mais ne répondit pas. Au moment où Boris Lummus atteignait l'estrade, Fortunat Lodd leva le rouleau une deuxième fois. Un silence qui parut vibrant d'impatience s'établit de nouveau dans la salle.

– Le deuxième chevalier bibliothécaire désigné est…

Félix avala sa salive avec peine. Rémiz se mordit la lèvre inférieure.

– Magda Burlix.

Chacun des spectateurs, sembla-t-il, poussa la même exclamation étouffée. Le murmure de surprise résonna entre les murs de la pièce. Un instant plus tard, lorsque la lauréate se montra, le public se divisa en deux clans. Une moitié leva les bras et applaudit, tandis que les autres gardaient les mains dans les poches et témoignaient leur étonnement à leurs voisins.

Magda Burlix, une grande fille aux yeux verts perçants, portant trois nattes épaisses, s'avança sur l'un des radeaux. Des bras la hissèrent sur le pont en ricanier, où elle prit place au côté de Boris Lummus.

Du fond de la salle jaillirent des huées. Mais les applaudissements redoublèrent pour les couvrir, et une voix solitaire, près du tunnel central, s'écria :

– Une nouvelle Violetta Lodd !

Les partisans de la désignation lancèrent une clameur joyeuse. Ses détracteurs restèrent silencieux : en effet, comment auraient-ils pu rejeter le choix de Magda Burlix sans rejeter aussi la plus admirable, la plus courageuse, la plus intelligente des chevaliers bibliothécaires jamais anoblie ?

Félix regardait droit devant lui et tentait de résister aux larmes. Avec un tel père et une telle sœur, pourrait-il échouer ? Et s'il échouait néanmoins, pourrait-il ne pas mourir de honte ? Il se tourna vers Rémiz et le saisit par la manche.

– Je vais rester sur la touche, hein ? demanda-t-il. Dis-moi, Rémiz. Ils ne vont pas annoncer mon nom.

– Bien sûr que si, répliqua Rémiz. Personne ici n'est meilleur que toi, Félix. Au combat singulier, tu es invaincu. À l'épée, tu es le plus fort. Au rosse-ballon et aux parajoutes...

– Ce sont les matières théoriques, regretta Félix, mon éternel point faible. L'apprentissage. La mémorisation. Sans ton aide, je n'aurais jamais atteint mon niveau d'aujourd'hui.

– Sottises ! dit Rémiz d'une voix rassurante. Et puis, quel besoin a-t-on de livres quand on se bat aussi bien que toi ?

– Tu dis sans doute vrai, convint Félix.

Il se tut et braqua les yeux sur Rémiz.

– Me trouves-tu ridicule ?

– Non, pas ridicule. Mais tu t'inquiètes inutilement. Il y a une très bonne raison pour laquelle ton nom n'a pas encore été proclamé.

– Ah oui ? s'écria Félix.

– Oui, confirma Rémiz en souriant. Ils gardent le meilleur pour la fin.

Pour la troisième fois, la grande salle fut plongée dans un silence plein d'attente. Le Bibliothécaire supérieur gratta son épaisse barbe broussailleuse et considéra de nouveau le rouleau.

– Le troisième chevalier bibliothécaire désigné...

Fortunat marqua une pause et promena son regard sur l'assistance. Durant une seconde, il fixa l'endroit occupé par les deux amis sur le pont en noirier.

Rémiz soupira tristement. L'heure avait donc sonné. D'ici un instant, Félix serait appelé, puis tous deux, qui avaient vécu comme des frères, seraient séparés, sans doute à jamais. Félix partirait le soir même pour le Débarcadère du lac, tandis que Rémiz, lui, resterait sous terre.

– Tu vas me manquer, murmura-t-il.

– Toi aussi, chuchota Félix.

Les yeux de Fortunat revinrent au rouleau.

– Est…

À l'unisson, l'assemblée entière retint son souffle. Le Bibliothécaire supérieur s'éclaircit la voix. Il releva la tête.

– Rémiz Gueulardeau.

Pendant une minute, un silence total régna dans la pièce. Personne, mais vraiment personne, ne pouvait en croire ses oreilles.

Rémiz Gueulardeau ?

Le garçon n'était même pas apprenti ! Un simple sous-bibliothécaire, voilà tout ce qu'il était : un brique-lutrin, un tourne-chaîne… Comment le Conseil avait-il

pu accorder un tel honneur à un individu aussi humble ? C'était invraisemblable. C'était inouï.

Des marmonnements ténus enflèrent jusqu'au moment où le tumulte envahit toute la salle. Portiques et ponts tremblèrent ; dans l'atmosphère de plus en plus surchauffée et moite, les lutrins tanguèrent et oscillèrent avec violence. Plusieurs grands apprentis tombèrent à l'eau, et les pilotes de radeau durent les repêcher.

Ébahi, Rémiz parcourut des yeux la rangée d'érudits sur le pont en ricanier. Il vit Magnus Centitax, le professeur d'Obscurité, l'examiner d'un air calme, les sourcils froncés, ses lourds bras croisés. Il vit Spiritix Mirax acquiescer, enthousiaste ; et il se rappela que le professeur lui avait conseillé de se faire beau. À présent, il savait pourquoi. Malheureusement, après la chasse au paludicroque, il paraissait encore plus débraillé que d'habitude. Mais qu'y pouvait-il ?

Il descendit de la balustrade, la tête en proie au vertige, les jambes flageolantes, et se tourna pour remonter le pont en noirier. La foule chahuteuse s'écarta sur son passage. Rémiz ne voyait qu'un brouillard de visages scandalisés, interrogateurs. Alors qu'il progressait d'un pas incertain, les murmures et les chuchotements fusaient.

– Un sous-bibliothécaire ! s'exclama quelqu'un. Et puis quoi encore ? Un nettoyeur d'égout ?

– Moi, je n'ai jamais entendu parler de lui, dit un autre.

– C'est l'enfant trouvé par Violetta Lodd, paraît-il, dit un troisième avec mépris.

– Et un ami du stupide rejeton du Bibliothécaire supérieur ! renchérit quelqu'un.

Enfin parvenu au pont en ricanier, Rémiz s'approcha lentement de l'estrade où Ulbus Vespius, Magnus Centitax et Fortunat Lodd attendaient, installés en triangle. Suivant l'exemple de Boris et de Magda, Rémiz passa de l'un à l'autre. Tour à tour, les vénérables érudits félicitaient les chevaliers bibliothécaires désignés, puis leur offraient les objets qui les aideraient durant leur quête.

Ulbus Vespius donnait deux pierres jaune pâle.

– Des cristaux du ciel, dit-il à Rémiz. Range-les dans des poches distinctes, car ils brillent quand on les réunit. En les frottant, on obtient des étincelles.

– Merci, monsieur, répondit Rémiz. Merci.

Il avança. Le professeur d'Obscurité venait ensuite. Ayant congratulé Magda, il se tourna vers le jeune timide.

– Bravo ! dit-il d'un ton bourru, et il se pencha pour nouer autour du cou de Rémiz, à la manière d'un foulard, un carré de tissu plié, noir et brillant. Le voile d'obscurité est tissé dans la plus fine soie que peuvent produire les araignées nocturnes, expliqua-t-il. Ouvre-le et enveloppe-toi dedans si tu as besoin de te cacher ou de voyager incognito.

Une nouvelle fois, Rémiz adressa ses remerciements et avança. Fortunat Lodd, le Bibliothécaire supérieur de la grande salle pluviale, se dressait devant lui.

– Félicitations, mon garçon, déclara-t-il, et il tendit le bras pour lui passer une amulette. Voici une dent de carnasse, gravée à ton nom, précisa-t-il. Elle te protégera contre les dangers des Grands Bois.

Rémiz baissa les yeux vers l'objet pointu, en forme de griffe, qui luisait sous la lumière des lampes.

– Merci, dit-il d'une voix hésitante. Mais…

– Mais ? demanda Fortunat.

– S'il vous plaît, monsieur, murmura Rémiz. C'est seulement que… C'est Félix qui devrait partir, pas moi. Il y a sûrement erreur.

Fortunat fit un pas en avant et saisit les bras de Rémiz.

– Il n'y a pas erreur, lui assura-t-il. Félix a beau être mon fils, je ne peux pas prétendre qu'il est à la hauteur de la tâche proposée. Il possède sans nul doute l'audace, le courage et la force nécessaires, mais il n'a aucun don pour l'étude ; or, sans celui-ci, ses autres qualités sont inutiles.

– Mais… répéta Rémiz.

– Cela suffit, l'interrompit Fortunat. La décision a été unanime. Guère étonnant, toutefois, sourit-il. Ton défenseur a présenté des arguments si convaincants !

– Le professeur Mirax a toujours été bon envers moi, apprécia Rémiz.

Le Bibliothécaire supérieur plissa le front.

– J'en suis certain ; pourtant, ce n'est pas lui qui a proposé ton nom.

– Comment ? demanda Rémiz, perplexe.

– Non, en effet, dit une voix dans son dos.

Rémiz fit volte-face, et se trouva nez à nez avec Spiritix Mirax en personne.

– Car, s'il n'avait tenu qu'à moi, tu serais devenu mon assistant personnel…

– C'est moi qui ai plaidé en ta faveur.

Le professeur d'Obscurité s'avança. Dans la robe de cérémonie qui correspondait à sa fonction, si éloignée de ses blouson et harnais habituels de pilote du ciel, il était métamorphosé. Ses yeux sombres, attentifs, se portaient de tous côtés, et rien ne semblait leur échapper.

– Vous ? demanda Rémiz, stupéfait.

Il rougit aussitôt : il avait dû paraître très insolent.

– Je veux dire… merci, monsieur, se rattrapa-t-il.

– Je t'observe depuis quelque temps, Rémiz, déclara le professeur d'Obscurité. Ta persévérance et ta rigueur m'impressionnent beaucoup, même si ton empressement à enfreindre les règles peut, parfois, causer une certaine inquiétude.

Rémiz écarquilla les yeux. De toute évidence, le professeur savait très bien qu'il lisait les traités.

– Souviens-toi, Rémiz : si une telle attitude était compréhensible de la part d'un sous-bibliothécaire, elle est absolument inacceptable chez un chevalier. Je continuerai à te surveiller. Ne me déçois pas, dit-il, les sourcils sévèrement froncés.

– Je ne vous décevrai pas, lui garantit Rémiz.

Le professeur acquiesça.

– Le voyage qui t'attend sera long et difficile. Tu rédigeras un traité précieux : en effet, les nouvelles connaissances sur la Falaise apportées par les chevaliers bibliothécaires constituent notre unique espoir de tenir en échec la sombre ignorance des gardiens de la Nuit et, le moment venu, si la terre et le ciel le veulent, de découvrir le remède à la maladie de la pierre. Si tu veux réussir et rentrer sain et sauf, Rémiz, tu devras te déplacer en secret et ne te fier à personne. Un seul mot imprudent, et vous pourriez tous périr !

À cet instant, une douzaine de cornes de tildes retentirent : il était temps pour les trois jeunes espoirs de prononcer le serment d'érudition. Rémiz prit sa place auprès de ses compagnons.

Le Bibliothécaire supérieur leva la tête :

– Boris Lummus, Magda Burlix et Rémiz Gueulardeau, jurez-vous de servir l'érudition de la Falaise, à la fois terrestre et céleste, pour le bien de tous ?

Trois voix répondirent en chœur. Néanmoins, le regard fixé sur le visage du Bibliothécaire supérieur, Rémiz ne perçut que la sienne. Il entendit les mots sortir de sa bouche – des mots dont il rêvait depuis des années, sans jamais oser imaginer qu'il les articulerait un jour.

– De tout mon cœur et de tout mon esprit, je le jure.

Le Gardien suprême, Orbix Xaxis, était posté dans l'une des logettes supérieures de la tour de la Nuit. Grand personnage imposant, il portait la lourde toge noire dénotant sa fonction... ainsi que les lunettes aux verres fumés et le masque de métal révélant ses propres peurs intimes. Les lunettes, espérait-il, repousseraient ceux qui voudraient lui jeter le mauvais œil; quant au masque, il contenait un filtre poudré de phrax et purifiait l'air infesté de microbes que respirait Xaxis.

Vers lui montaient les crissements et cliquètements des télescopes sur pivot: les gardiens scrutaient le ciel matinal à la recherche de tout esquif illicite en vol. La navigation aérienne, et à Sanctaphrax et à Infraville, était strictement interdite.

Xaxis fouilla des yeux les profondeurs du ciel. Une fois encore, les vents violents et les pluies battantes annoncés la veille ne s'étaient pas déclenchés.

– Tout de même, une tempête finira bien par arriver ! marmonna-t-il dans sa barbe.

Il regarda la pointe de Minuit, le long paratonnerre élégant dressé vers le ciel au sommet de la tour, et secoua la tête.

– Rien depuis cinquante ans. Mais bientôt. Bientôt, inévitablement, une tempête arrivera, siffla-t-il, et, par suite, le gros rocher de Sanctaphrax sera guéri, régénéré, reconstitué...

Ses yeux étincelèrent, détestables, derrière les verres fumés.

– Et alors...

À cet instant précis, on frappa à la porte. Xaxis se retourna et, dans un grand mouvement de cape, quitta la logette pour regagner son salon de réception.

LA TOUR DE LA NUIT

– Entrez ! cria-t-il, sa voix impérieuse quelque peu étouffée par le masque.

La porte s'ouvrit, et un garçon vêtu de la robe noire des gardiens de la Nuit s'avança. Il avait le teint blafard, des traits anguleux, des cernes sombres sous ses yeux violets et des cheveux coupés en brosse brune.

– Ah, Xanth ! dit Orbix, le reconnaissant aussitôt. Qu'est-ce qui t'amène ? L'exécution a-t-elle déjà eu lieu ?

– Oui, monsieur ; mais ce n'est pas le motif de ma visite.

Le garçon marqua une pause. C'était très perturbant de ne jamais pouvoir distinguer les yeux du Gardien suprême. Seule sa voix rauque laissait parfois deviner ses pensées.

– Eh bien ? pressa Orbix.

– J'ai des informations, répondit simplement Xanth.

Orbix hocha la tête. Xanth Filantin était, à n'en pas douter, l'apprenti le plus prometteur qu'il ait jamais vu depuis des années. Maintenant que Orbix l'avait soustrait à l'emprise de Vox Verlix, ce dandy obèse, le garçon progressait bien.

– Des informations ? demanda-t-il. Lesquelles ?

– Elles concernent les érudits bibliothécaires, répondit-il avant de cracher sur le sol. Un de nos récents prisonniers vient de révéler des faits précieux à leur sujet, durant son interrogatoire.

– Je t'écoute, dit Orbix en frottant ses mains gantées.

– Ils s'apprêtent à envoyer trois nouveaux chevaliers dans les Grands Bois. Demain matin, lorsque…

– Alors nous devons les capturer, sourit Orbix derrière son masque. Trois traîtres supplémentaires pour la potence.

– Si vous le permettez, monsieur, hasarda Xanth, sa voix nasillarde réduite à un chuchotement, je crois pouvoir suggérer une meilleure idée.

Orbix foudroya le garçon des yeux. Il n'aimait pas que ses projets soient contestés.

– Une meilleure idée ? grogna-t-il.

– Euh, pas meilleure en tant que telle, concéda Xanth. Mais une autre solution qu'il vous plaira peut-être d'examiner.

– Parle ! ordonna Orbix.

– Monsieur, suivre les renégats en secret pourrait fournir l'occasion attendue de dépister tout le réseau de traîtres. Nous pourrions découvrir le moindre ennemi de la tour de la Nuit qui opère entre Infraville et les Clairières prétendues franches.

– Mais… commença Orbix.

– Selon moi, l'alternative est la suivante, se hâta d'enchaîner Xanth. Ou trois chevaliers maintenant, ou l'organisation entière demain.

Orbix haussa un sourcil.

– Et qui serait l'espion chargé d'une telle mission ? demanda-t-il.

Xanth baissa la tête avec modestie.

– Je vois, dit Orbix.

Du bout de ses doigts maigres, il tambourina, songeur, contre la grille de son masque. La proposition était attrayante, très attrayante. Il y avait des lustres maintenant qu'il rêvait d'arrêter ces deux déserteurs, Ulbus Vespius et Magnus Centitax, les professeurs de Lumière et d'Obscurité déloyaux, et de les torturer jusqu'à ce qu'ils se repentent d'être passés à l'adversaire et lui demandent pardon à genoux. Il leur pardonnerait, bien sûr. Il pardonnerait à tous ceux qui tomberaient entre ses griffes, même à Fortunat Lodd.

Et ensuite, il les exécuterait.

– Très bien, Xanth, déclara-t-il enfin. Je t'accorde la permission.

– Merci, monsieur. Merci, répondit Xanth d'une voix où l'émotion perçait pour la première fois depuis le début de leur entretien. Vous ne regretterez pas votre décision, monsieur. Je vous en donne ma parole.

La réponse fut glaciale :

– J'espère que non, Xanth. Car je te le promets : si jamais tu me déçois, c'est toi qui regretteras ma décision.

Alors que les paroles sinistres d'Orbix Xaxis résonnaient dans sa tête, Xanth quitta le salon et redescendit l'escalier. Capuchon rabattu, robe serrée autour de lui, il resta dans l'ombre, à l'abri des regards. Il laissa derrière lui les logettes de guet ; le quartier des gardes et les grandes salles, les laboratoires et les cuisines ; continua sa route jusqu'aux cachots sombres, lugubres, des étages inférieurs de l'effroyable tour de la Nuit.

Il entendait tout autour de lui la plainte basse, gémissante, des prisonniers. Ils étaient des centaines : érudits terrestres, pirates du ciel, accusés d'espionnage et de trahison, voire gardiens tombés en disgrâce. Chacun d'eux était enfermé à clé, en attendant un procès qui mettrait des années à arriver et se terminerait presque à coup sûr par une exécution. D'ici là, ils devaient demeurer dans leur cellule (à supposer que le mot « cellule » puisse décrire les rebords précaires qui surplombaient le vaste puits au centre de la tour).

Xanth s'arrêta sur un demi-palier, où l'un des escaliers se divisait en deux, et se tourna vers la porte face à lui. Il écarta l'opercule circulaire du judas et scruta l'intérieur. Le détenu était assis exactement dans la même position que deux heures plus tôt, lorsque Xanth l'avait quitté.

– C'est moi, chuchota-t-il. Je suis de retour.

La silhouette voûtée ne bougea pas.

– Vous aviez raison, dit Xanth, plus fort cette fois-ci. Le stratagème a fonctionné.

Mais le prisonnier ne remuait toujours pas. Xanth fronça les sourcils.

– Je pensais que mes bonnes nouvelles vous intéresseraient, dit-il, bougon.

Le personnage pivota et regarda en direction du judas. Il était vieux. Il avait les yeux enfoncés, les joues creuses. Son épaisse barbe grise et ses cheveux clairsemés étaient noircis par des années de crasse. Il leva un sourcil hirsute.

– M'intéresseraient ? dit-il. Oui, Xanth, je suppose que c'est le cas.

Il jeta un coup d'œil sur sa cellule et secoua la tête avec lassitude. Le rebord exigu qui s'avançait au-dessus du puits profond, plein d'échos, n'avait pas de murs ; néanmoins, il était impossible de s'échapper. Hormis la porte, soigneusement verrouillée de l'extérieur, la seule issue était le vide – le vide jusqu'à une mort certaine sur le sol, loin en contrebas. Le prisonnier se retourna vers le judas.

– Mais j'éprouve aussi une jalousie indicible.

Xanth avala sa salive, embarrassé. Ici, au cœur des entrailles nauséabondes du puits, la cellule n'aurait pu être pire. Il y avait une table à laquelle le prisonnier, en sa qualité d'érudit, était obligé de travailler pour les gardiens, et un matelas de paille crasseux. Rien d'autre. Depuis que Xanth avait vu le jour, et même depuis de longues, longues années avant sa naissance, la cellule constituait tout l'univers du détenu.

– Je… je suis désolé, bredouilla Xanth. Je n'avais pas réfléchi.

– Tu n'avais pas réfléchi, murmura le prisonnier. Comme c'est ironique, Xanth : moi, je ne fais presque rien sinon réfléchir. Je réfléchis à tout ce qui s'est passé ; je pense à ce que j'ai perdu, à ce qui m'a été volé…

Il se tut et, lorsqu'il releva les yeux, il souriait.

– Tu aimeras les Grands Bois, Xanth. Je sais que tu les aimeras. C'est un lieu périlleux, bien sûr, plus truffé de dangers que tu ne pourrais l'imaginer. Il n'empêche, quel endroit merveilleux : beau, exaltant…

Xanth hocha la tête, enthousiaste. En réalité, c'étaient leurs longues conversations à propos de l'immense forêt qui avaient suscité sa curiosité pour les Grands Bois. Ils avaient parlé des sentiers des trolls, des nids de vermillules, du pays des écoutinals et – sujet préféré de Xanth – de la Fontaline sacrée, là-haut dans les montagnes lointaines. Pourtant, le prisonnier ne les reverrait plus qu'en souvenir, car, Xanth le savait, le Gardien suprême le considérait comme un personnage bien trop éminent pour le libérer un jour, et personne ne s'était jamais enfui d'un cachot de la tour de la Nuit.

À cet instant, deux oisorats malpropres se posèrent au coin de la couche du prisonnier. Il agita ses mains maigres et crasseuses dans leur direction et les envoya pousser ailleurs leurs cris stridents.

– N'y revenez plus ! leur cria-t-il. Je ne suis pas encore mort. Vous aurez tout le loisir de me nettoyer les os à ce moment-là. Hein, Xanth ?

Le jeune apprenti grimaça, mal à l'aise.

– Je vous en supplie, ne parlez pas comme ça, répondit-il. Quelque chose va se présenter. J'en suis convaincu…

– Chut, Xanth ! le mit en garde le prisonnier. De telles paroles sont trahison. Si tu ne veux pas finir confiné sur ton propre rebord, tu devrais être prudent. Je penserai à toi, dit-il avant de se replonger dans son rouleau d'écorce.

Le lendemain matin, dans le dortoir froid et humide, Rémiz Gueulardeau entassa toutes ses affaires (il en avait peu) dans un sac à dos. Il dénoua et renoua le foulard noir autour de son cou. Il inspecta l'amulette. Il frotta les deux cristaux du ciel l'un contre l'autre et regarda les étincelles tomber en pluie sur le sol, où elles pétillèrent puis s'éteignirent.

– Où est Félix ? s'interrogeait-il.

Il ne l'avait pas revu depuis l'annonce de son propre nom sur le pont en ricanier. Il avait trouvé la chambre de son ami déserte, le hamac intact, et aucun des grands apprentis ne semblait l'avoir aperçu. Rémiz était perplexe. Tout de même, malgré sa terrible déception, Félix n'allait pas le laisser partir sans lui dire au revoir.

Si ?

Poussant un soupir triste, Rémiz fourra le restant de ses maigres effets dans le sac et tira le cordon. Un bruit lui parvint à l'autre bout de la longue pièce étroite, et la porte s'ouvrit à la volée. Rémiz virevolta.

– Félix ! s'écria-t-il comme quelqu'un entrait. Enfin ! Je commençais à me dire...

Il s'interrompit. Ce n'était pas Félix.

– Allons, Rémiz, dit Boris Lummus d'un ton impatient. N'es-tu toujours pas prêt ?

– Nous attendons depuis une éternité, ajouta Magda Burlix avec une petite moue guindée. Nous avons encore tellement à faire avant de pouvoir nous mettre en route !

Rémiz ferma le sac à dos et le hissa sur son épaule. C'est alors qu'il remarqua, au fond du hamac, un objet brillant, dissimulé jusque-là sous le sac. Il retint une exclamation. C'était l'épée de cérémonie de son ami.

– Merci, Félix, chuchota-t-il tandis qu'il la passait à sa ceinture et trottait à la suite des autres. Et porte-toi bien, où que tu sois.

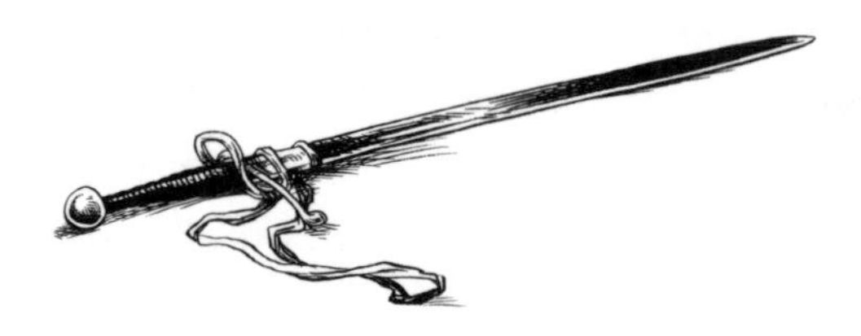

Chapitre 4

La Grand-Route du Bourbier

L'après-midi tirait à sa fin lorsque les trois jeunes chevaliers bibliothécaires furent prêts. D'abord, ils durent recevoir leurs équipements respectifs. Pour Magda Burlix, une longue cape flottante, de petits ballots de tissus vifs réunis en bouquets, des grappes d'épingles, des dés à coudre brillants de toutes tailles.

– Les plus belles soies des ateliers d'Infraville, sourit-elle, pivotant vers le miroir. De quoi satisfaire toutes nos distinguées pies-grièches. Et pour vous, madame ? Puis-je vous proposer vingt rouleaux de cette soie d'araignée délicate ?

Rémiz sourit, mais Boris Lummus, l'autre bibliothécaire, se détourna.

– Ce sera moins drôle quand tu te trouveras sur la route du Bourbier, entourée par les gardes pies-grièches, Magda, la houspilla-t-il.

Boris ajusta son grand chapeau conique de négociant en bois et revêtit un manteau de tilde plutôt mité par-dessus son lourd gilet chargé d'échantillons.

– Quant à toi, lança-t-il à l'adresse de Rémiz, avec un franc mépris dans ses yeux marron sombre et sur sa lèvre supérieure boudeuse, ne l'encourage pas, sous-bibliothécaire !

Rémiz regarda ailleurs, le visage en feu, et tripota les sangles de son harnachement d'outils.

– Quel rémouleur né tu fais ! ricana Boris. C'est sûrement de famille.

Rémiz ne mordit pas à l'hameçon. Comme Félix le lui avait répété : « Tu vaux autant que les autres, et même plus que la majorité d'entre eux. » Bon vieux Félix !

Rémiz soupira en pensant à son ami de toujours. Il ne comptait plus le nombre de fois où Félix avait volé à son secours, au fil des années, pour le défendre contre les professeurs arrogants et les apprentis agressifs, car il existait toutes sortes de tyrans.

– Fin prêts ?

C'était le professeur d'Obscurité. Il paraissait tendu et fatigué.

– Voici vos papiers. Boris, tu es un négociant en bois de la Clairière des fonderies. Magda, tu es une marchande de soie qui apporte des coupons au Perchoir est. Et toi, mon garçon, dit le professeur en posant une main sur l'épaule de Rémiz, tu es un modeste rémouleur et réparateur d'outils. Bien, sortez discrètement, et cherchez les pendentifs en dents de carnasse. Ceux qui les portent sont amis des chevaliers bibliothécaires, ils vous protégeront et vous guideront. Votre premier contact se fera connaître au portail douanier à l'entrée de la Grand-Route du Bourbier. Que la vitesse du ciel vous accompagne et que la terre vous protège !

Boris s'avança.

– Non, le retint le professeur. Rémiz, passe en tête. Tu connais les tunnels mieux que quiconque.

Boris décocha un regard noir à Rémiz.

– C'est par ici, indiqua ce dernier un moment après, alors qu'il les guidait dans le labyrinthe des souterrains.

Il se dirigeait vers un trop-plein des docks flottants qui, en cas de fortes pluies, s'écoulait directement dans l'Orée. Ce n'était pas la sortie la plus proche du portail douanier donnant accès à la Grand-Route, mais elle était si bien cachée par les jetées aériennes que le professeur d'Obscurité l'avait jugée la plus sûre.

Tour à tour, les trois chevaliers émergèrent dans le demi-jour étrange où se mêlaient ombres et soleil couchant. L'air froid étonna Rémiz. Il respira à grosses goulées gourmandes. Comparée à la tiédeur et au renfermé des égouts qu'ils laissaient derrière eux, l'atmosphère avait une fraîcheur merveilleuse – même ici, sur la rive boueuse de la rivière alanguie.

À leur droite se dressait un grand pilier. Un unique carré de tissu, cloué sur le côté, flottait dans la brise qui se levait.

– Regardez, murmura Rémiz.

Boris fronça les sourcils.

– Je crois que c'est un poteau d'affichage, dit-il. J'ai lu quelque part une description de ces poteaux. Avant que la Falaise soit frappée par la maladie de la pierre, les capitaines des navires du ciel ayant des couchettes libres annonçaient…

– Non, pas ça ! l'interrompit Rémiz, et il indiqua, au-delà du pilier, l'énorme soleil qui palpitait, cramoisi. Ce spectacle, souffla-t-il, admiratif. Il y a si longtemps…

Magda, pétrifiée elle aussi, secoua la tête.

– C'est incroyable, hein ? dit-elle. Je savais bien que le soleil était en permanence au-dessus de nous, mais le voir réellement... le sentir...

– Il ne faut pas le regarder en face ! la coupa sèchement Boris. Jamais. J'ai lu qu'il rend aveugle si on le fixe trop longtemps, même quand il est bas sur l'horizon...

– La couleur des nuages, chuchota Rémiz, impressionné. Comme ils rougeoient ! Ils sont si beaux.

– Mes coupons de soie d'araignée paraissent ternes en comparaison, renchérit Magda.

– Quelles niaiseries ! grommela Boris. Les couchers de soleil ne sont que des particules de poussière dans les hauteurs de l'atmosphère...

– Je me trompe, ou tu as lu ça quelque part ? demanda Magda d'un ton léger.

Boris confirma :

– Si tu veux savoir, c'est dans le vieux manuscrit d'un érudit céleste que je l'ai appris…

Entendant le soupir irrité de Magda, il se retint.

– Nous devrions nous mettre en route, déclara-t-il.

Et il s'éloigna à grandes enjambées, sans se retourner.

Magda lui emboîta le pas.

– Viens, Rémiz, appela-t-elle gentiment. Il ne faut pas nous séparer.

– J'arrive, répondit Rémiz, et, à regret, il s'arracha à la contemplation du crépuscule éblouissant.

Ses sens étaient en feu ; et, tandis que, à la suite des deux autres, il gravissait un escalier de bois pourrissant jusqu'à la promenade des quais, parcourait une ruelle tortueuse et s'engageait dans l'artère principale menant à la Grand-Route du Bourbier, les images, les sons, les odeurs l'assaillaient – et de lointains souvenirs chargés d'émotions. La fraîche caresse de l'air nocturne venu du ciel immense. Le flou et le scintillement des premières étoiles. Le parfum de viandes rôties et d'épices curieuses s'échappant des boutiques branlantes qu'ils longeaient. Des gobelins disputaient des troglos ploucs au passage, des chariots en bois grinçaient dans les ruelles étroites, des bottes claquaient sur les pavés. Lorsque les massives tours éclairées du portail douanier apparurent, Boris, Magda et Rémiz marchaient au milieu d'une vaste foule de plus en plus compacte, qui affluait dans les deux sens par la grande entrée.

– C'est la cohue ici ce soir, hein, Matt ? dit une voix derrière eux.

– À qui le dis-tu ! répondit une autre.

– C'est à toi que je le dis, Matt.

– Oh, quel farceur tu fais, Solvel !

Rémiz se retourna et découvrit deux nabotons souriants, qui les doublaient en hâte, le bras gauche couvert d'une pile de costumes, de toges et de redingotes sur des cintres. À leur gauche, un rôdailleur chevauché par un gobelinet tirait une charrette basse, où s'amoncelaient des caisses étiquetées « couverts d'étain de qualité ». Derrière eux, un tractotroll trop zélé hurlait des ordres à une demi-douzaine de troglos ploucs qui avançaient, vacillant sous le poids d'un long rouleau de tapisserie rouge et violet. Puis venait un bataillon de gobelins de brassin portant sur la tête des plateaux de bonbonnes, de gobelets et de vases étincelants…

Personne ne remarquait le négociant en bois renfrogné, la jeune vendeuse de soie et l'humble rémouleur qui marchaient tout près. Au cœur de cette activité fourmillante, Rémiz se sentait submergé, mais aussi exalté. Des quatre coins d'Infraville, les marchands et les fournisseurs convergeaient vers la Grand-Route du Bourbier. Car, si certaines industries lourdes s'étaient implantées dans la Clairière des fonderies, où le bois de combustion n'était pas cher (et la main-d'œuvre encore moins), la plupart des produits manufacturés sortaient toujours des ateliers traditionnels et des usines d'Infraville. À l'autre bout de la chaîne, le troc et la vente des marchandises auraient lieu dans le Perchoir est.

– Garez-vous ! rugit une voix bourrue près du portail. Nous passons.

Et Rémiz vit la foule s'écarter devant un chariot traîné par des hammels à cornes. Il était long et plat ; deux chariots identiques le suivaient. À l'avant de chacun, deux ligueurs occupaient la banquette, et, au poste du cocher, un gobelin à tête plate bistré tenait les rênes d'une main et agitait un fouet de l'autre. Rémiz tendit le cou afin de voir quelle énorme cargaison dissimulaient les immenses bâches. Un matériau brut, en tout cas : pour le moindre objet fabriqué à Infraville, des briques aux bracelets, on utilisait en effet de la matière première importée.

– C'est du bois, entendit-il Boris indiquer à Magda, de sa voix péremptoire, assez hautaine. Du bois de fer, vu son aspect. Sûrement destiné à la forêt de Sanctaphrax, continua-t-il. Une pure folie, si tu veux mon avis… mais, acheva-t-il dans un murmure discret, on reconnaît bien là les gardiens de la Nuit.

– Chut ! le réprimanda Magda. Il y a des espions partout, souffla-t-elle.

Boris grimaça. Il savait bien qu'elle avait raison, mais il détestait se l'entendre dire. Et, alors que le troisième chargement de bois de fer passait dans un grand vacarme et que la foule se ruait de nouveau, Boris fila en tête, obligeant ses compagnons à se presser.

Magda regarda Rémiz, roula les yeux et sourit d'un air conspirateur. Rémiz allongea le pas pour éviter de se laisser distancer.

– Les gardiens… chuchota-t-il. Crois-tu qu'ils savent ce que nous faisons ?

– Ça ne m'étonnerait pas, répliqua Magda. Mais entre le savoir et le constater, il y a une différence ! ajouta-t-elle, féroce.

– Et le Dignitaire suprême ? demanda Rémiz. Il aurait une armée de gobelins mercenaires en action jour et nuit, à seule fin de traquer les chevaliers bibliothécaires…

Magda renversa la tête avec mépris.

– Le Dignitaire suprême, Vox Verlix, cette grosse outre de vin de chêne ! Pouah ! Il est fichu… Bien sûr, reprit-elle après un silence, tu n'ignores pas qu'il est à l'origine de ça.

Elle indiqua les hautes tours de la route qui se dessinaient devant eux.

– De cet ouvrage ? s'exclama Rémiz, stupéfait.

– Eh oui, confirma Magda. Après la disparition du commerce aérien, condamné par la maladie de la pierre, Verlix a imaginé et supervisé l'édification de la Grand-Route du Bourbier pour que nous, humbles marchands d'Infraville, puissions traiter avec les Grands Bois. Rusé, le vieux Vox. Du moins l'était-il autrefois. Trop rusé ! La mère Sale-Bec et les sœurs coquelles se sont emparées du marché, sans qu'il réussisse à les en empêcher.

– Pas même grâce à ses gobelins mercenaires ? demanda Rémiz.

– Eux ? Ils sont pires que les pies-grièches. Vox les a recrutés pour surveiller les esclaves employés à la construction de la Grand-Route, et ils se sont arrangés pour le rançonner. Il doit sans cesse leur verser de l'argent. Sinon, ils le chasseraient de son palais luxueux ; il le sait très bien. Les gobelins et les pies-grièches ont conclu une alliance pour contrôler le commerce entre Infraville et les Grands Bois ; Vox Verlix, le prétendu Dignitaire suprême, n'est qu'une marionnette entre leurs mains. N'importe comment, ce n'est pas lui qui nous menace, ajouta Magda d'un air sombre. Le véritable danger, ce sont les gardiens de la Nuit.

Rémiz frissonna et réajusta le harnachement sur son dos. Le fardeau semblait très lourd tout à coup.

– C'est aussi Vox Verlix qui a conçu la tour de la Nuit pour les gardiens, compléta Magda. L'édifice devait exploiter la puissance d'une tempête lors de son passage et guérir ainsi le gros rocher flottant.

Elle s'arrêta et regarda par-dessus son épaule.

– On la distingue, là-bas, dans le fond. Une monstruosité hideuse.

Rémiz hocha la tête et jeta un coup d'œil en arrière. Au loin, immense et inquiétante, la grande structure de bois dominait largement tous les toits d'Infraville, y compris les plus hauts. Sa flèche effilée, la pointe de Minuit, se dressait vers le ciel, accusatrice.

– Et lorsque le rocher en question a commencé à s'effriter et à perdre de l'altitude, continua Magda après s'être retournée, les gardiens ont forcé Vox à l'étayer par des troncs. Des centaines, des milliers de troncs. La forêt de Sanctaphrax.

– Oui, je suis au courant, répondit Rémiz, se rappelant avoir étudié le sujet. C'est ce vaste assemblage de piliers et de traverses qui empêche le rocher flottant de s'enfoncer dans le sol, non ?

– Exactement, dit Magda. Selon beaucoup d'universitaires, prévenir un tel événement est capital. Car, affirment-ils, si le rocher flottant touche le sol, la puissance de la tempête le traversera tout droit pour se perdre dans la terre et ne le guérira pas. D'où la « forêt », dont la construction (contrairement à la tour de la Nuit et à la route du Bourbier) ne se terminera jamais : plus le rocher descend, plus il faut de bois pour le soutenir. Boris a raison. C'est de la folie... Attention, Rémiz !

Trop tard. Rémiz heurta de plein fouet un gobelin huppé qui arrivait en sens inverse. Boum, bang, et patatras ! Une cascade d'objets ronds résonna sur les pavés, un chapelet de jurons furieux retentit. Rémiz, les yeux fixés sur la tour qui se découpait sur le ciel crépusculaire, se retourna.

Le gobelin était allongé sur le dos, étourdi, des malédictions à la bouche, et Magda accroupie près de lui. Le cageot qu'il avait lâché s'était renversé, son contenu (une livraison de pommes des bois de première qualité) roulait çà et là sur la chaussée. Quant à Boris, il avait disparu.

Rémiz sentit son cœur battre la chamade. La consigne était de voyager dans la plus grande discrétion, et voilà qu'il attirait l'attention, non seulement sur lui, mais aussi sur Magda. Un petit attroupement s'était formé autour du gobelin furibond. Si les gardes avaient écho de l'incident, toute l'aventure risquait de capoter alors qu'elle commençait à peine.

– Je suis navré, dit-il en courant d'un côté et de l'autre pour ramasser les pommes. C'est entièrement ma faute. Je ne regardais pas où j'allais.

– Ouais, grommela le gobelin huppé, qui enfonça le doigt avec ostentation dans la chair rouge et tendre d'une pomme éclatée. C'est bien beau, tout ça, mais les fruits écrasés ? Je ne suis qu'un pauvre marchand des quatre saisons...

Il laissa la phrase en suspens.

– Je... je vais vous rembourser les pertes, bien sûr, dit Rémiz, mal à l'aise.

Il regarda Magda.

– Pas vrai ?

Sans répondre, celle-ci fouilla dans sa cape et en sortit une bourse de cuir. Elle desserra le cordon.

– Voici, dit-elle en glissant une petite pièce d'argent au gobelin. Pour les fruits abîmés.

Le gobelin hocha la tête, et ses yeux brillèrent, rusés.

– Et, continua-t-elle en ajoutant une seconde pièce, pour les bosses et les plaies éventuelles.

Elle se leva, remit le gobelin sur ses pieds d'une main énergique et lança un sourire féroce.

– Le problème est réglé, j'espère, déclara-t-elle.

– O-oui, je crois, bredouilla le gobelin. Excepté…

– Parfait ! conclut Magda.

Elle se tourna et, Rémiz dans son sillage, se volatilisa dans la foule.

– Tu as tout arrangé avec une grande… assurance, observa Rémiz.

Magda rejeta ses tresses en riant.

– J'ai trois frères aînés, expliqua-t-elle. J'ai dû apprendre à tenir bon.

Rémiz sourit. Cette compagne de voyage lui devenait sympathique. Au début, elle lui avait semblé intimidante, brusque, voire caustique, mais il la découvrait peu à peu sous un jour différent. Elle avait l'esprit pratique, elle était directe, elle disait ce qu'elle pensait et elle agissait sans hésitation. Rémiz comprenait à présent pourquoi le Conseil l'avait sélectionnée. En comparaison, Boris paraissait froid, distant, scolaire... Rémiz fronça les sourcils.

– Où est Boris ? s'interrogea-t-il tout haut.

Magda secoua la tête.

– Je me posais justement la question, dit-elle, et elle jeta un regard à la ronde. Nous devons rester groupés.

Ils avaient presque atteint l'entrée de la Grand-Route du Bourbier, dont les tours s'élançaient très haut dans le ciel. Si tout se déroulait comme prévu, quelqu'un allait se manifester : quelqu'un qui leur permettrait de passer sans encombre le portail douanier. Rémiz tripota sa dent de carnasse et chercha dans la foule un pendentif identique.

Boris demeurait invisible, or la vaste place devant le portail douanier grouillait de monde. Le bruit était assourdissant, et quelles odeurs ! Tout un éventail, depuis la puanteur aigre des tonneaux de tigelles au vinaigre jusqu'à la suavité suffocante des cuves emplies de musc de cascarachat. Ici, à ce carrefour, se côtoyaient négociants et colporteurs, cavaliers sur leurs rôdailleurs et conducteurs de hammels, chariots, charrettes et chargements de toutes sortes.

Il y avait des gardes armés et des pies-grièches compteuses, des contrebandiers et des marchands d'esclaves, des vendeurs de nourriture, des serveurs de taverne, des entrepreneurs et des prêteurs sur gages. Il y avait des créatures et des personnages des quatre coins de la Falaise : tractotrolls, trolls jacteuses et trolls des bois, troglos ploucs et harpies troglos, nocturnals et vampirinals, gobelins en tous genres. Et là, planté à l'ombre d'un grand mât de charge, le dos à demi tourné, se tenait Boris Lummus en personne.

– Il parle à quelqu'un, chuchota Rémiz. Ça doit être notre contact, poursuivit-il encore plus bas.

À l'instant où il esquissait un pas en avant, il sentit Magda le retenir d'une main ferme.

– Je n'en suis pas certaine, dit-elle. Écoute.

Rémiz tendit l'oreille et se concentra sur la voix bourrue qui sortait des profondeurs de l'ombre.

– Comment ? Quelle est cette histoire de carnasse ? se plaignait-elle, grincheuse. Parlez plus fort !

– Je disais, entendit-il Boris répondre dans un chuchotement sifflant, que vous portez une amulette intéressante. Une dent de carnasse, si je ne me trompe pas…

– Quoi ? rétorqua la voix, et Rémiz entraperçut l'éclat d'un objet métallique. Et quel rapport avec vous ?

Magda secoua la tête.

– Ce n'est certainement pas notre contact, déclara-t-elle.

– Non, en effet, ma petite demoiselle, psalmodia une voix derrière elle. Votre contact, c'est moi.

Magda et Rémiz firent tous deux volte-face et découvrirent une gobelinette courtaude, vêtue d'une longue cape et coiffée d'un foulard, un panier recouvert oscillant à l'un de ses bras potelés. À son cou brillait un pendentif orné, au centre duquel étincelait une dent rouge.

– Je m'appelle Tigane, annonça-t-elle. Votre ami a commis une erreur malheureuse, pour ne pas dire stupide…

– Il n'est pas mon ami, intervint Magda, tranchante.

– Ami, camarade, compagnon de voyage, reprit Tigane, peu importe la nature précise de votre lien. Tout ce qui compte, c'est qu'il est en danger. Cette bévue pourrait être grave, déplora-t-elle, soucieuse. Très grave. Il faut que vous le rameniez avant qu'il ne nous trahisse tous. Allons, vite.

Ni Magda ni Rémiz n'eurent besoin de se le faire répéter. Ils se précipitèrent sur la place, louvoyèrent parmi la foule et pénétrèrent dans la zone d'ombre au pied du mât.

– Te voici, Boris ! s'écria Rémiz, et il lui saisit un bras.

– Nous t'avons cherché partout, ajouta Magda, lui empoignant l'autre. En route !

– Non, non, pressa Boris, et il essaya de se dégager. J'ai trouvé notre premier contact, expliqua-t-il dans un chuchotement de conspirateur.

Rémiz et Magda embrassèrent d'un coup d'œil le vieux troll des bois debout près d'eux. Replet, les jambes arquées, une barbe tressée devenue blanche. Il tenait un cornet acoustique en cuivre contre une oreille tandis que des grappes de breloques et des porte-bonheur de toute taille et de toute forme pendaient à son cou. Un croc marron terne, au bout d'une lanière de cuir, se nichait dans la blancheur de la barbe.

– Mais non ! répliqua Magda.

– Le problème, s'acharna Boris, c'est qu'il est un peu sourd.

– Ça, je l'ai entendu ! s'indigna le troll des bois.

– Tu es sourd aussi, Boris ! chuchota Magda d'un ton sec. Je te dis qu'il n'est pas notre contact. Allons, viens.

Sur ce, elle et Rémiz resserrèrent leur étau et entraînèrent de force l'entêté.

– Hé ! cria le troll dans leur dos. Que signifie ce discours ?

Magda se tourna vers Boris d'un air interrogateur. Ce dernier haussa les épaules.

– Ne l'as-tu pas vu ? demanda-t-il. Le pendentif : une dent de carnasse au bout d'une lanière de cuir…

– Ce n'était pas une dent de carnasse, corrigea Magda, mais un croc de loup à collier blanc. Et tu te prétends érudit bibliothécaire ! pesta-t-elle.

Au moment où il entendait ces paroles accusatrices, Rémiz se dit qu'il aurait bien pu se fourvoyer aussi aisément. Dans la cohue, si l'on n'y regardait pas de près, on pouvait facilement confondre le croc de loup avec une dent de carnasse. La grosse maladresse de Boris avait été d'aborder le vieux troll au lieu d'attendre que quelqu'un l'aborde.

– Vous avez réussi, alors, constata la gobelinette à leur retour. Bravo. Je commençais à m'inquiéter.

– Oui, dit Magda. Mais pas de remerciements à...

– Qui est-ce ? intervint Boris, qui se sentait à la fois ridicule et vexé. Pouvons-nous nous fier à elle ?

– Vous avez raison d'être soupçonneux, approuva Tigane, solennelle. Car « ne te fie à personne » est la meilleure devise que vous puissiez adopter durant votre long voyage.

– Quelle bonne raison avons-nous donc de vous faire confiance ? insista Boris, impoli.

Sans souffler mot, la gobelinette s'avança, tripota la dent de carnasse sculptée autour du cou de Boris, puis désigna les deux autres du menton.

– Curieuse coïncidence que trois voyageurs arborent le même talisman des études terrestres, non ? À moins que Fortunat Lodd ne les distribue désormais à n'importe qui.

– Non, concéda Boris. Autant que je le sache, il les donne uniquement aux chevaliers bibliothécaires et à leurs partisans.

– Alors, rien n'a changé, dit Tigane.

Elle ouvrit sa cape pour révéler son propre talisman orné.

– Vous ? s'étonna Boris. Vous êtes notre contact ?

– Vous paraissez surpris, remarqua la gobelinette. Depuis des années, je fais de mon mieux pour rendre service aux érudits et aux universitaires de tous bords. Je suis leur conseillère ici, leur guide là... Tout, termina-t-elle d'une voix devenue glaciale, plutôt que laisser la Falaise sombrer dans les ténèbres d'oubli où ces cohortes de gardiens voudraient la jeter.

– Bien dit, approuva Magda.

La gobelinette regarda autour d'elle, anxieuse.

– Nous nous sommes déjà trop attardés ici. Ce n'est pas sans risque.

Elle se retourna vers eux et son visage s'éclaira.

– Un voyage long et difficile s'annonce pour vous trois, mais avec un peu de chance et beaucoup de persévérance, je suis convaincue que vous triompherez.

Rémiz se sentit soudain stimulé par la confiance de la gobelinette, et il sourit jusqu'aux oreilles. Il lui tardait de se mettre en route.

– Très bien, dit Tigane. Il est grand temps de nous occuper de vos disques de contrôle. Restez groupés, et laissez-moi parler.

Alors qu'ils approchaient de la Grand-Route du Bourbier, Rémiz découvrit une succession de contrôleries et de barrières qui s'alignaient entre les deux immenses tours. Des files séparées conduisaient à chacune d'elles. La gobelinette les orienta aussitôt vers la contrôlerie la plus proche de la tour gauche.

Sur un trône très ciselé était installée une grosse pie-grièche parée de bijoux et d'étoffes somptueuses. De part et d'autre du trône, d'énormes griffes sculptées barraient le passage. De ses yeux jaunes qui ne cillaient jamais, la pie-grièche examinait chaque négociant avant d'inspecter les papiers froissés, cornés, qu'il lui tendait.

– Passez ! criait-elle d'une voix rauque tout en actionnant, d'une serre aiguë, un levier à côté d'elle.

Un cliquetis, les griffes sculptées pivotaient et le négociant traversait.

– Suivant !... Passez !

Clic.

– Suivant !... Passez !

Clic.

– Suivant !

Rémiz sursauta. Il s'aperçut, étonné, que Boris et Magda avaient traversé. C'était son tour. Son cœur battit à tout rompre.

– Souviens-toi, lui chuchota Tigane à l'oreille. Laisse-moi parler.

– Suivant ! répéta, d'une voix perçante, la pie-grièche irritée.

Tigane poussa Rémiz, qui parvint tant bien que mal à faire un pas en avant. D'une main tremblante, il présenta ses faux papiers et s'efforça d'éviter les yeux jaunes qui semblaient lui sonder le crâne. Et s'il y avait une erreur dans les documents ? Et si la pie-grièche l'interrogeait sur son prétendu métier ? Que savait-il de l'aiguisage ? Un affolement glacé se répandit au creux de son ventre.

– Rémouleur ?

La pie-grièche pencha sa grosse tête. Les plumes de son cou se gonflèrent, les bijoux tintèrent, son terrible bec crochu frôla le visage baissé de Rémiz.

– Pas l'air assez grand pour jouer avec des couteaux, si ? caqueta-t-elle, malveillante. Hein, fiston ? Un gobelin t'a mangé ta langue ?

Tigane intervint.

– C'est sa première fois, sourit-elle. De toute évidence, la beauté de votre plumage le pétrifie, sœur Roselière.

– Tigane, vieille charmeuse, rit la pie-grièche. Est-il avec vous ?

– Oui, répondit la gobelinette.

– J'aurais dû le savoir. Circulez !

La serre poussa le levier. Rémiz prit ses papiers et son disque de contrôle puis franchit, les jambes en coton, le tourniquet griffu. Magda et Boris patientaient de l'autre côté.

– Pourquoi ce retard ? s'alarma Magda.

– Peuh ! Il s'est arrêté pour tailler la bavette, lança Boris d'un ton supérieur.

– Tais-toi, Boris, coupa Magda.

Elle serra la main de Rémiz.

– Comment te sens-tu ? Tu es tout pâle.

– Ça va, répondit Rémiz d'une voix chevrotante. C'est juste que je n'avais jamais vu de pies-grièches. Elles sont tellement… tellement…

– Vous en verrez bien d'autres sur la route du Bourbier, dit Tigane en leur faisant signe d'avancer.

– « Vous » ? Vous voulez dire « nous », corrigea Magda.

– Oui, je croyais que vous alliez nous accompagner, dit Boris.

– Ma place est ici, expliqua Tigane. Permettre aux voyageurs de passer sans encombre les contrôleries du portail douanier et de s'engager sur la Grand-Route du Bourbier, voilà en quoi consiste mon rôle. D'autres contacts se manifesteront en chemin.

Elle les embrassa tour à tour ; une étreinte brève, mais sincère.

LA GRAND-ROUTE DU BOURBIER

– Prenez soin de vous, soyez prudents et bonne chance, mes petits, souhaita-t-elle.

Sur ces paroles, elle s'éloigna.

Une impression de solitude s'empara des trois jeunes chevaliers bibliothécaires. Derrière eux retentit un tintamarre mêlant fracas métallique et jacasseries : un contingent de nabotons chahuteurs, qui transportaient un large choix de ferronnerie (seaux, soufflets ou encore balustrades en fer forgé), s'approcha et les doubla. Sans échanger un mot, mais avec l'intuition que le nombre les protégerait, Boris et Magda se joignirent au groupe, et Rémiz ferma la marche.

Depuis l'instant où son nom avait résonné sous le haut plafond voûté de la grande salle pluviale, Rémiz Gueulardeau avait le sentiment de vivre un rêve et toutes les peines du monde à croire aux événements qui se déroulaient sous ses yeux. Maintenant qu'il regardait devant lui la magnifique route surélevée, avec ses pylônes en bois de fer posés sur d'énormes barges flottantes en ricanier, ses postes de guet, ses tours douanières et ses fanaux flamboyants qui serpentaient à perte de vue, la tête lui tournait et l'exaltation lui donnait des ailes.

– M'y voici, chuchota-t-il doucement. Plus question de revenir en arrière. La plus grande aventure de ma vie a déjà commencé.

À la contrôlerie, il y eut un léger cliquetis lorsque le tourniquet griffu pivota une nouvelle fois. Un personnage anguleux en robe noire le franchit. Lorsqu'il rejeta son capuchon, la lune brilla sur ses hautes pommettes et ses cheveux coupés en brosse.

Chapitre 5

Tonnerre Cisailleur

Ils marchaient depuis des heures sur la voie aux planches glissantes. Tout autour, négociants, marchands et travailleurs itinérants cheminaient comme eux, le dos courbé sous de lourds fardeaux, les yeux braqués sur le sol. Peu parlaient, et lorsqu'ils s'y hasardaient, c'était dans des murmures. Il était dangereux d'attirer l'attention sur la Grand-Route du Bourbier.

Rémiz leva les yeux un instant. Devant lui, la chaussée en bois serpentait à perte de vue, tel un aérover gigantesque. À gauche et à droite, le Bourbier étincelait dans la lumière déclinante.

– Garde les yeux baissés ! chuchota Boris d'une voix pressante chargée de menace.

– Souviens-toi, dit doucement Magda, posant une main sur l'épaule de Rémiz. Celui qui croise le regard d'un garde pie-grièche encourt la peine de mort.

Rémiz frissonna. Il entendit alors, devant eux, le cliquetis de pattes griffues et le claquement sec d'un fléau d'armes. Des gardes venaient dans leur direction.

Rémiz eut un coup au cœur.

– Du calme, siffla Boris. Il faut que nous passions inaperçus. Continuons à marcher. Et toi, lança-t-il avec une méchante bourrade dans le dos de Rémiz, ne promène pas tes yeux partout !

– Tout va bien, chuchota Magda. Tiens, prends-moi la main, Rémiz.

Celui-ci obéit avec reconnaissance et réprima son envie de tourner les talons et de s'enfuir.

Les cliquetis se rapprochèrent. Au loin, la lente foule mouvante semblait se confondre avec les ombres portées par les fanaux enflammés qui s'échelonnaient, bien haut le long de la voie, à cent foulées d'intervalle. Rémiz ne put se retenir. Il leva les yeux.

Là, devant lui, dardant un cruel regard jaune inébranlable, se dressait un grand garde pie-grièche bigarré, resplendissant dans son plastron de métal poli et son casque au long protège-bec recourbé. Une serre tranchante comme un rasoir se déplaça vers son flanc, contre lequel pendait le terrible fléau. Dans un froufrou de plumes, le garde brandit son arme. Rémiz était pétrifié de peur. Il baissa aussitôt les yeux et serra de toutes ses forces la main de Magda. Il entendit cette dernière étouffer un cri.

– Comment oses-tu !

L'exclamation stridente du garde perça l'air comme une flèche.

Rémiz ferma les paupières et arrondit les épaules en prévision du coup qui ne pouvait pas manquer de tomber.

– Pitié, pitié ! implora la voix terrorisée d'un gobelin. Je ne voulais pas... Je vous en supplie. Je...

Le fléau siffla dans l'air du soir et le bruit d'un crâne qui se fracassait retentit. Rémiz ouvrit un œil. Devant lui, dans la lumière crue d'un fanal, un petit gobelin gisait aux pieds de la pie-grièche. Une flaque de sang se répandait sur les planches voisines.

– Rebut de gobelin ! gloussa le garde, et, derrière lui, ses deux compagnons claquèrent du bec, amusés.

Dans un moulinet, la pie-grièche cala le fléau sur son épaule, et tous trois reprirent leur route. Magda poussa Rémiz sur le côté lorsque le trio passa. Le garçon se sentit vaciller. Il avait déjà été témoin, et victime, d'actes de violence : la brutalité d'un professeur furieux, la sauvagerie des bagarres qui avaient parfois éclaté entre apprentis et sous-bibliothécaires…

Mais là… Là, c'était autre chose. Une violence froide, dure, détachée – d'autant plus révoltante.

– Nous avons frisé la catastrophe, dit calmement Boris derrière eux. Venez, à présent. Il faut avancer, sinon nous n'arriverons jamais à la tour douanière… Il y a une plate-forme de repos là-bas, ajouta-t-il.

Rémiz glissa un regard au cadavre sur la chaussée : il eut un choc lorsqu'il reconnut le sac sur le dos du malheureux gobelin. Celui-ci avait été rémouleur comme lui. Des mains saisirent le corps, le tirèrent dans l'obscurité. Il y eut le son mat, assourdi, d'une chute lointaine dans la boue molle du Bourbier. Il ne resta plus du gobelin qu'une petite tache de sang sur le bois, seul indice du drame. Rémiz se rendit compte alors que, tout au long de la

Grand-Route, il avait vu de nombreuses taches semblables.

Il se tourna vers Magda.

– Cet endroit est affreux, geignit-il.

– Courage, Rémiz, dit gentiment Magda. Nous ferons halte pour la nuit à la plate-forme de repos. Quelqu'un nous y attend sûrement.

Rémiz s'arrêta.

– Ne pourrions-nous pas rester ici ? La nuit tombe, la route paraît de plus en plus glissante, et j'ai tellement faim !

– Nous atteindrons la tour douanière, rétorqua fermement Boris. Et ensuite, nous prendrons le temps de manger. Rémiz ! appela-t-il. Suis-nous.

Mais Rémiz était immobile, figé. Il avait les yeux écarquillés, la bouche ouverte, le visage livide. Il avait vu quelque chose qui pendait au grand mât d'un fanal, juste au-dessus de sa tête.

– Que se passe-t-il ? demanda Magda. Rémiz, qu'y a-t-il ?

Le garçon pointa le doigt. Magda se retourna... et faillit hurler. Elle plaqua une main contre sa bouche.

– Par la terre et le ciel, gémit Boris lorsqu'il vit, lui aussi, ce que Rémiz avait vu. C'est... abominable, murmura-t-il.

– Pourquoi commettent-ils de tels actes ? frémit Rémiz. Qu'est-ce qui peut bien justifier cela ?

Il ne pouvait détacher son regard de la cage suspendue. C'était un enchevêtrement de barreaux en forme de sphère, accroché à une grue fixée en haut du grand mât strié. Il y avait un cadavre à l'intérieur, les membres tordus, la tête dans l'ombre. Des corbeaux blancs de plus en plus nombreux volaient alentour, se posaient sur les barreaux et lançaient des coups de bec féroces par les interstices.

Tout à coup, le corps s'affaissa en avant. Le plus gros corbeau poussa un cri sonore, chassa les autres oiseaux et piqua la tête une fois, deux fois.

Rémiz ferma les paupières aussi fort qu'il le put, mais trop tard pour ne pas voir le volatile arracher les yeux de l'infortunée créature. Un. Deux. Les brusques saccades... Un lambeau de quelque chose brilla dans la lumière jaune. Rémiz se plia soudain en deux, comme s'il avait reçu un coup au ventre, et des nausées le secouèrent tandis qu'il vacillait sur les planches sanglantes.

– Allons, viens, dit Magda avec douceur. Reprends-toi.

Elle le soutint du bras et lui tendit sa gourde.

– Bois une gorgée, dit-elle. Très bien. Maintenant, respire à fond. Aspire, souffle. Aspire, souffle...

Peu à peu, les jambes de Rémiz cessèrent de trembler, son cœur se calma et les nausées suffocantes s'atténuèrent.

– Tu avais raison, Rémiz, admit Magda d'une voix tremblante. Cet endroit est affreux.

Ils rejoignirent la lente file des voyageurs et continuèrent leur route en silence.

La tour douanière n'était plus qu'à une centaine de foulées, le vent venait de l'ouest et la fumée âcre du fanal à son sommet (alimenté par de la graisse de tilde) leur giflait le visage. Les yeux de Rémiz se mirent à larmoyer. Son cœur se mit à cogner. Car si personne n'apparaissait bientôt pour les aider dans cette nouvelle épreuve, ils devraient affronter seuls les pies-grièches douanières. Et ayant découvert à l'instant ce dont elles étaient capables…

– Je suis rémouleur, ne vous déplaise, s'exerçait-il, haletant. Un rémouleur des Clairières gobelines… pardon, des Nations gobelines. Oui, des Nations gobelines. C'est ça. Je suis un rémouleur des Nations gobelines.

En réalité, l'imposante pie-grièche assise au guichet prit leur argent, tamponna leurs papiers et leur fit signe de passer sans même lever sa tête crêtée. Rémiz garda les yeux résolument fixés sur ses pieds, endoloris après tant d'heures de marche. La présentation des papiers se résumait à une simple formalité, comprit-il, formalité néanmoins nécessaire : en effet, si les gardes pies-grièches constataient, au cours de leurs inspections menées au hasard, qu'un négociant ou un marchand n'avait pas les tampons les plus récents, les sanctions étaient immédiates et sévères.

Rémiz préférait ne pas y penser. Il suivit ses compagnons jusqu'à une large plate-forme en planches de ricanier. Elle était couverte d'une foule d'éventaires tenus par des nabotons et des trolls jacteuses, des égorgeurs, des trolls des bois et des gobelinets ; chacun disputait à son voisin ou à sa voisine les clients de passage.

Des porte-bonheur étaient à vendre : talismans, amulettes et pierreries. Des arcs et des arbalètes, des poignards et des gourdins. Des bourses, des paniers et des sacs. Des potions et des cataplasmes, des teintures et des baumes. Des plans de rues pour les arrivants à Infraville et des cartes de la forêt infinie (souvent très inexactes, mais aucun acheteur ne retrouverait jamais le chemin pour venir se plaindre) destinées à ceux qui espéraient voyager dans les Grands Bois.

Et il y avait des étals de nourriture. Nombreux, chargés de mets délicats représentant toutes les régions de la Falaise. Les gobelinets proposaient leurs pâtés à la viande, les trolls des bois leurs saucisses de tilde, les troglos ploucs leur ris de veau traditionnel. Il y avait des quiches et des feuilletés, des tourtes et des tartes ; des flans nappés de miel et des tranches de sève de chêne confite. Bref, chacun y trouvait son bonheur, quels que soient ses goûts, et il flottait mille parfums enivrants (sucrés, riches, juteux, crémeux, puissants) qui se mêlaient dans l'air tiédi par la brise.

Pourtant, Rémiz n'avait plus faim. Son appétit s'était envolé au souvenir de ce prisonnier mort dans sa cage, la chair en lambeaux et les yeux arrachés.

– Il faut que tu essaies de manger, lui conseilla Magda.

Rémiz secoua la tête sans mot dire.

– Dans ce cas, je vais t'acheter quelque chose, déclara-t-elle. Pour plus tard.

– Comme tu veux, répondit Rémiz d'un ton las.

C'était dormir, non pas manger, dont il avait envie.

– Il y a des lits de toile et des banquettes de couchage non loin d'ici, dit une voix douce mais pénétrante, à son côté. Si besoin est, je peux t'y conduire.

Rémiz baissa les yeux et découvrit à ses pieds un petit écoutinal maigre. Avec sa peau laiteuse, presque phosphorescente, et ses immenses oreilles de chauve-souris, il ressemblait à un grinal, ou peut-être à un nocturnal…

– Un nocturnal, confirma celui-ci. Les grinals sont généralement plus gros et (il montra le coin de sa bouche) ils ont ces filaments caoutchouteux qui leur pendent ici…

Il fronça les sourcils.

– Mais tu as raison, Rémiz. Et je m'excuse. Je m'appelle Partifule.

Rémiz grogna. Il avait toujours trouvé très dérangeante la capacité des écoutinals (quelle que soit leur variété) à lire dans les esprits. Il se sentait aussitôt mis à nu, vulnérable ; dès lors, comment accorder sa confiance à une telle créature ?

– C'est notre malédiction, soupira Partifule. Au pays des écoutinals, lire dans l'esprit de nos semblables est essentiel à notre survie ; ce don nous permet de voir au cœur des ténèbres. Ici, en revanche, c'est une malédiction qui gâche toute amitié et transforme une multitude d'entre nous en espions, prêts à vendre leurs services au plus offrant.

Et toi ? s'interrogea Rémiz avec un frisson. Combien as-tu reçu pour nous espionner ?

Partifule poussa un second soupir.

– Je ne fais pas payer mes services, assura-t-il. Et je ne suis pas un espion. Peut-être que ceci t'aidera à m'accorder ta confiance.

Il écarta sa cape et, nichée dans les plis de la chemise au-dessous, une dent de carnasse rouge apparut, accrochée à une fine chaîne d'argent.

– J'ai pour tâche de veiller sur toi et tes compagnons pendant que vous dormirez cette première nuit. Vous devrez être frais et dispos pour ce qui vous attend.

Et il ajouta, en réponse à la question muette de Rémiz :

– Les Grands Bois.

Rémiz sourit. Pour la première fois de la journée, il se sentait détendu. Boris et Magda revinrent des étals, leur repas enveloppé dans de petits paquets soignés. Magda en tendit un à Rémiz, qui le glissa dans sa poche.

– Qui est-ce ? voulut savoir Boris, distant et impérieux.

– Partifule, à votre service, lui répondit le nocturnal, et il montra de nouveau la dent de carnasse.

– Il va nous indiquer l'endroit où nous pourrons coucher cette nuit, expliqua Rémiz, et il montera la garde pendant notre sommeil.

– Vraiment ? rétorqua Boris. Et il nous tranchera la gorge dès que nous ronflerons, hum ?

– Boris ! intervint Magda, d'une voix furieuse et gênée. Il porte la dent.

Elle se tourna vers le nocturnal.

– Salutations, Partifule, dit-elle en serrant la main humide et noueuse de la créature. Et pardon pour l'impolitesse de notre camarade.

– On n'est jamais trop prudent, marmonna Boris.

– En effet, approuva Partifule. Et bien sûr, Boris, tu peux veiller avec moi cette nuit, proposa-t-il. Je serai heureux d'avoir de la compagnie.

Boris ne répondit pas tout haut, mais à l'expression amusée qui se peignit sur les traits du nocturnal, Rémiz sut qu'il avait répliqué en pensée.

– Allons, venez ! les invita Partifule. Restons groupés. C'est à deux pas d'ici.

Ils se frayèrent un passage dans la foule massée autour des éventaires et gagnèrent l'extrémité de la plate-forme. Arrivé là, Partifule désigna une longue remise couverte et des hamacs pendus entre ses poutres. Sur la droite s'alignaient des banquettes de couchage, toutes garnies d'une épaisse paillasse.

– Lit de toile ou banquette de couchage ? demanda Magda à Rémiz.

– Oh, une banquette, sans hésitation ! répondit Rémiz, le regard fixé sur la sombre voûte piquetée. Il y a si longtemps que je rêve de dormir à la belle étoile...

– Profite donc de l'occasion, interrompit Partifule. En fait, vous devriez tous vous coucher. Il est presque minuit et demain sera une grosse journée.

Les trois jeunes chevaliers bibliothécaires n'avaient guère besoin d'être convaincus. Cette journée-ci s'était révélée longue, épuisante. Avant même que Partifule ait pris son poste de guet au bout de sa banquette, Boris, Magda et Rémiz se mettaient au lit.

Rémiz s'assoupissait lorsqu'il entendit, au-dessus des toussotements et des ronflements des dormeurs alentour, une voix.

– À boire... soufflait-elle, rauque. À boooiiire...

Rémiz se leva lentement et se faufila entre les banquettes jusqu'à la limite de la plate-forme. Devant lui apparurent deux cages voisines suspendues. Son sang se glaça. L'une contenait un squelette blanchi, une main osseuse tendue hors de la cage, implorante, le crâne appuyé contre les barreaux, les mâchoires fixées dans une grimace définitive. L'autre semblait vide.

– À boire.

La même voix, mais plus faible. Rémiz s'approcha avec précaution. Le squelette n'avait pas pu parler, ce qui signifiait… Il scruta les ombres de la seconde cage et réprima un cri. Elle n'était pas vide, en réalité.

– À boire, répéta la voix.

Rémiz se hâta de décrocher l'outre en cuir de sa ceinture et de la tendre ; mais il eut beau se hausser sur la pointe des pieds, il n'atteignait pas les barreaux.

– Tenez, appela-t-il. Voici à boire.

– À boire ? demanda la voix.

– Oui, là, au-dessous de vous, répondit Rémiz.

Pendant une minute, il ne se passa rien. Puis une grande main charnue surgit du bas de la cage et s'empara de la gourde.

– Je vous en prie, dit Rémiz, qui regarda la main et l'outre disparaître à l'intérieur de la cage.

Il y eut des glouglous, des bruits de déglutition, puis une éructation sonore. La gourde vide tomba de la cage et atterrit aux pieds de Rémiz. Il se baissa pour la ramasser.

– Pardonnez-moi, dit la voix au-dessus de sa tête, toujours faible, mais moins rauque. J'en avais grand besoin.

La main réapparut.

– N'auriez-vous pas aussi un petit quelque chose à manger ?…

Rémiz fouilla ses poches et trouva le paquet que lui avait donné Magda. Il avait même oublié de l'ouvrir. Il déposa le sachet tiède dans la main en attente. Des bruits de mâchonnement et de mastication affamés emplirent l'air.

– Mmm... Miam... Délicieux. Même si c'est à peine assez salé.

L'inconnu dévisagea Rémiz et lui lança un clin d'œil.

– Tu m'as sauvé la vie, jeune homme. Je n'avais pas envie de finir comme mon voisin, ajouta-t-il en montrant le squelette dans l'autre cage.

Rémiz remarqua ses intonations cassantes. C'était quelqu'un qui avait l'habitude de commander. Il explora du regard la cage obscure. Derrière les barreaux, enveloppé par les ombres épaisses et la lumière vacillante, se profilait un grand personnage massif, tellement immense qu'il était obligé de se recroqueviller dans sa prison. Vêtu d'une redingote, d'une culotte et coiffé d'un tricorne miteux, il avait des cheveux bruns bouclés, des sourcils broussailleux et une barbe noire et drue dans laquelle (s'aperçut Rémiz, le souffle coupé) des crânes d'oisorats semblaient tressés. Des yeux globuleux brillaient dans le nid de la chevelure emmêlée, tels deux œufs d'oiseaux des neiges.

Une vive émotion envahit Rémiz.

– Êtes-vous... êtes-vous un pirate du ciel ? demanda-t-il, hésitant.

Un rire guttural retentit.

– Oui, mon garçon. Autrefois. Un capitaine pirate du ciel, s'il vous plaît ! Mais aujourd'hui, continua-t-il après un silence, cela ne signifie plus rien ; rien, depuis que la maladie de la pierre a frappé la Falaise.

– Un capitaine pirate du ciel, chuchota Rémiz avec respect, et des picotements d'exaltation lui parcoururent l'échine.

Quelles sensations avait pu éprouver le prisonnier, s'interrogea-t-il, quand il volait sur son navire du ciel, le soleil sur le visage et le vent dans les cheveux ? Il avait souvent lu, tard dans la nuit, perché sur les lutrins de la bibliothèque souterraine, les récits de vastes explorations au plus sombre des Grands Bois, truffés de dangers effroyables ; la série des vols magnifiques dans le ciel infini lui-même ; et, bien sûr, la moindre description des batailles terribles, impitoyables, que les pirates du ciel avaient livrées contre les ligueurs mal intentionnés, dans leur détermination à préserver la liberté du commerce aérien.

Des navires qui s'appelaient *Le Cavalier de la tourmente, Le Chasseur de tempête, Le Fendeur de vent, Le Voltigeur de la Falaise* et *Le Grand Cachalot du ciel*, commandés par des capitaines pirates légendaires. Le Renard des glaces, le Chacal des vents, le Loup des nues.

Et le plus célèbre d'entre eux, peut-être : l'immense capitaine Spic en personne.

Rémiz observa de plus près le capitaine encagé. L'inconnu pouvait-il être le fameux Spic ? Le jeune capitaine renommé à propos duquel il avait tant lu était-il devenu ce colosse chevelu massif ?

– Êtes-vous le capitaine… commença-t-il.

– Cisailleur, termina le pirate du ciel d'une voix basse, étouffée. Tonnerre Cisailleur. Mais ne le dis à personne.

Rémiz fronça les sourcils. Cisailleur. Voilà qui lui rappelait quelque chose.

Un petit sourire flotta dans les yeux du capitaine.

– Je vois que tu reconnais mon nom, dit-il, incapable de masquer la fierté dans sa voix. Les boules de plumes infestées de puces qui m'ont capturé, chuchota-t-il, ne soupçonnaient pas la taille du poisson qu'elles avaient dans leurs filets. Sinon, je ne te parlerais pas en ce moment. Car si elles savaient, rit le capitaine pirate, que cette cage nauséabonde contenait Tonnerre Cisailleur, les pies-grièches me transporteraient jusqu'à l'Arène aux tignasses, dans le Perchoir est, à l'allure d'un trois-mâts pris dans une tempête du ciel.

Il tripota l'un des crânes pendus dans sa barbe épaisse.

– Au lieu de quoi, elles me laissent dépérir comme un vulgaire flibustier du Bourbier.

– Puis-je vous aider ? offrit Rémiz.

– Merci, mon garçon, de ta proposition, répondit le pirate, mais à moins que tu ne possèdes la clé d'une sœur fauchard, je n'ai pas plus de chances de m'en tirer qu'un limonard sur un banc de vase.

Il se caressa la barbe.

– Il y a une chose…

– Dites, encouragea Rémiz.

– Tu pourrais rester à bavarder un peu. Trois jours et trois nuits que je suis ici, et personne avant toi n'avait osé s'approcher de la cage, par peur des pies-grièches… La dernière voix aimable que j'entendrai, ajouta-t-il après un silence, sera sans doute la tienne.

– Bien sûr, répondit Rémiz. Ce serait un honneur.

Il regagna la zone d'ombre voisine et s'y tapit.

– Alors, comment était-ce ? demanda-t-il. La navigation aérienne ?

– La navigation aérienne ? dit Cisailleur, qui poussa un soupir d'extrême nostalgie. Tout simplement l'expérience la plus incroyable du monde, mon garçon. Rien ne vaut la sensation de prendre son essor et de filer dans le ciel tandis que les voiles déployées claquent, que les poids de la coque sifflent et que la roche de vol, sensible à la moindre variation de température, tantôt monte, tantôt descend.

Il marqua une pause.

– Cela, avant que la maladie de la pierre attaque les roches de vol.

Rémiz braqua les yeux sur le visage abattu du capitaine.

– Terrible, cette période, continua-t-il. Bien sûr, nous savions ce qui arrivait depuis quelque temps au nouveau rocher de Sanctaphrax. Sa perte de flottabilité. Sa désagrégation progressive… Mais nous n'avions pas fait le rapport entre le désastre du rocher de Sanctaphrax et nos précieuses roches de vol. Cette situation ne dura pas. On apprit d'abord que de grands cargos lourds s'écrasaient au sol. Les gros remorqueurs suivirent, les bateaux des ligueurs et les patrouilleurs devinrent bientôt inutiles. Les ligues déclinèrent et le ciel au-dessus d'Infraville se vida. Une époque terrible, mon garçon. Terrible.

« Au début, nous autres, pirates du ciel, nous en sommes très bien sortis. Nuit après nuit, nous menions des attaques sur la Grand-Route du Bourbier, sachant que personne ne serait capable de nous suivre. Nous devenions, en outre, le principal moyen de locomotion pour les Infravillois en fuite… (il frotta son pouce contre son index) à prix d'argent.

Il poussa un bruyant soupir.

– Et alors la catastrophe est arrivée.

Rémiz attendit, brûlant d'impatience. Cisailleur se gratta le menton.

– Nous nous croyions astucieux, dit-il. Nous étions convaincus que, à condition de garder nos distances avec Sanctaphrax, nous échapperions à la maladie. Mais nous avions tort. Le vent l'a-t-elle transportée ? Incubait-elle dans la pierre ? Nous ne le saurons jamais… Le troisième jour du dernier quartier, *Le Perceur de nuages* (l'un des plus vieux et des plus beaux deux-mâts jamais construits, une vraie splendeur) est tombé du ciel comme un oisorat perforé et s'est écrasé dans les Grands Bois. La maladie de la pierre avait fini par nous rattraper.

« Il fallait réagir si nous ne voulions pas tous subir le même sort, les uns après les autres. Nous devions nous réunir pour délibérer. J'ai envoyé un vol d'oisorats annoncer qu'une assemblée se tiendrait lors de la pleine lune suivante à la Tanière sauvage. Et c'est là, soupira-t-il, accrochés sous l'éperon rocheux de la Lande, comme une colonie de patelles, que nous avons décidé de saborder ensemble la totalité de la flotte…

– L'Armada des morts, souffla Rémiz.

– Tu en as donc entendu parler ? demanda Cisailleur.

– Bien sûr, affirma Rémiz. Tout le monde en a entendu parler.

Il se garda de révéler en quels termes : selon la rumeur, elle était devenue une horde de renégats qui attirait tous les dissidents, les fugitifs et les brigands du Bourbier.

Cisailleur hochait la tête d'un air grave.

– Quelle nuit ce fut ! murmura-t-il. Nous avons volé à l'unisson dans le ciel, cette ultime fois, depuis la Lande brumeuse jusqu'à la désolation du Bourbier. Arrivés là, dans un accord parfait, nous sommes descendus. Autour de nous, un vol de corbeaux blancs battaient des ailes et lançaient des cris stridents à ces intrus gigantesques. Nous avons atterri dans la boue molle, spongieuse…

Il leva les yeux.

– C'était il y a presque trente-cinq ans… et nous sommes toujours là.

Rémiz promena son regard sur les étendues de limon du Bourbier.

– Ce paysage semble tellement austère, dit-il.

– On se débrouille, affirma Cisailleur. Une flotte de navires pirates constituait une assez bonne base pour une cité. Ce que nous ne trouvons pas sur place, nous partons le chercher.

Le large sourire qui s'épanouit jusqu'à ses oreilles révéla des gencives où les trous étaient plus nombreux que les dents.

– Une attaque par-ci sur la Grand-Route du Bourbier. Une escarmouche par-là avec les pies-grièches… Ils sont

bien peu, glousса-t-il, à ne pas connaître le nom du capitaine Tonnerre Cisaill…

– Éclair ! lâcha Rémiz. Éclair Cisailleur ! Voilà le nom que j'essayais de me rappeler.

– C'était mon père, déclara le capitaine pirate d'une voix calme. Exécuté de sang-froid par les pies-grièches, ces créatures meurtrières, pouilleuses, pestilentielles. Par le ciel, comme j'aimerais leur tordre à toutes leur cou décharné !

– Les pies-grièches l'ont tué, murmura Rémiz.

– Oui, mon garçon, dans leur funeste Arène aux tignasses. Pourtant, ce fut une mort noble, une mort honorable ; car il a péri pour qu'un autre soit sauvé.

– Vraiment ?

Tonnerre Cisailleur confirma et essuya une larme au coin de son œil.

– Tu ne le connais peut-être pas, mais c'était un certain capitaine Spic qu'elles traquaient, en fait.

– Oh, mais si, je le connais ! dit Rémiz. Le jeune enfant trouvé, élevé par des trolls des Grands Bois, destiné à devenir le plus célèbre capitaine pirate de tous les temps. Qui ne le connaît pas ?

– Hum, objecta Cisailleur en bombant le torse (dans la mesure où la cage exiguë le lui permettait), peut-être pas le plus célèbre… Quoi qu'il en soit, reprit-il au bout d'un instant, Spic avait été condamné à mort par les pies-grièches en raison d'un crime atroce, oui, condamné à mort. Elles s'apprêtaient à le jeter en pâture aux tignasses assoiffées de sang lorsque mon père est intervenu… et s'est sacrifié pour lui.

– Il devait être très courageux, observa Rémiz.

Tonnerre Cisailleur renifla et essuya le coin de son autre œil.

– Oh, oui, assura-t-il. C'est certain.

Il se tut quelques secondes.

– Si seulement il y avait eu une dépouille à enterrer, un souvenir de lui. Mais… je suis sûr qu'il est superflu de te parler des tignasses. Après leur passage, il ne restait absolument plus rien.

Rémiz hocha la tête, compatissant, et garda un silence respectueux avant de poser la question qui lui importait.

– Et ce capitaine Spic ? Que lui est-il arrivé ? Vous a-t-il rejoints dans l'Armada des morts ? Ou bien…

– Ou bien ? demanda Cisailleur.

– Les histoires qui courent sur lui peuvent-elles être véridiques ? Lui seul aurait refusé de saborder son navire. Il aurait volé jusqu'aux Grands Bois. Et il y demeurerait encore, seul, négligé, dans un mutisme complet, errant sans fin la journée, dormant dans un cocon d'oisoveille la nuit.

– Il a en effet volé jusqu'aux Grands Bois, certifia Cisailleur d'un ton bourru. Quant au reste, je n'en sais rien. J'ai eu vent des rumeurs, naturellement. Quelques-uns l'ont vu. Entendu, même : ils ont raconté, à leur retour, qu'il chantait à la lune. La plupart de ces récits sont à prendre avec des pincettes, estima-t-il en haussant les épaules.

Il leva la tête. Et plissa les yeux.

– Des pies-grièches, chuchota-t-il, pressant. Il vaudrait mieux que tu t'éclipses.

– Des pies-grièches ! sursauta Rémiz.

Il virevolta et en aperçut trois, couvertes de parures tape-à-l'œil, qui traversaient la plate-forme à grandes enjambées dans leur direction. Il recula dans l'ombre.

L'une d'elles fit claquer un fléau menaçant. Trois paires d'yeux jaunes semblèrent forer les ténèbres et plonger dans le regard de Rémiz. Celui-ci retint son souffle.

– Tu n'en as plus pour longtemps, rebut du Bourbier ! railla la meneuse. Où sont tes amis à présent ?

Elle rejeta la tête en arrière et lança un rire cruel, strident. Puis toutes trois firent volte-face et rebroussèrent chemin dans des cliquetis.

– Ouf ! murmura Rémiz. J'ai cru…

– Tu as eu de la chance cette fois-ci, dit Tonnerre Cisailleur. Mais tu dois t'en aller immédiatement. Merci pour le repas et l'eau, chuchota-t-il. Et pour ton attention.

– Ce n'était rien du tout, répondit Rémiz. Bonne chance, murmura-t-il, maladroit.

Tandis qu'il regagnait les banquettes de couchage, le cœur lourd, ses paroles d'adieu incongrues revinrent le narguer. « Bonne chance », ah, bravo ! Où avait-il donc la tête ? Magda se retourna et marmonna dans son sommeil ; près d'elle, Boris ronflait bruyamment. Rémiz posa la joue sur la couche de paille moelleuse et, réconforté, s'endormit.

CHAPITRE 6

L'attaque des pirates du ciel

LE SOMMEIL DE RÉMIZ FUT D'ABORD PROFOND, SANS RÊVE. Le dormeur avait chaud sous les couvertures épaisses et la paille était d'une douceur merveilleuse. Plus tard, cependant, un vent froid se leva. Il agita la literie et précipita de sombres nuages devant la lune. La lumière sembla clignoter : s'allumer, s'éteindre, s'allumer, s'éteindre ; tantôt le visage de Rémiz baignait dans une lueur argentée, tantôt il était plongé dans l'obscurité. Ses paupières cillèrent.

Il était sur un navire du ciel, un énorme vaisseau doté de deux mâts et d'un grand harpon de cuivre à la proue. Campé à la barre, il avait le vent dans les cheveux et le soleil dans les yeux.

– Augmentez la portance, monsieur l'aspirant ! lança une voix.

C'était le capitaine, un dandy aux vêtements ornés de pierreries et à longue moustache cirée. Rémiz comprit soudain que l'ordre s'adressait à lui.

– Oui, mon capitaine, répondit-il.

Ses doigts agiles jouèrent sur les rangées de leviers à manches d'os, il leva les poids suspendus et régla les voiles avec l'expertise de quelqu'un qui avait le doigté.

– Trente-cinq degrés par tribord ! aboya le capitaine.

Le navire du ciel monta en flèche et, autour de Rémiz, les hommes de l'équipage applaudirent et se hélèrent. Rémiz sentit un élan d'exaltation. Les appels et les cris des pirates enflèrent, s'amplifièrent de plus en plus...

– Réveillez-vous ! pressa une voix.

Rémiz remua. L'illusion du rêve commençait à faiblir. Non, songea-t-il confusément, il ne voulait pas s'y arracher. Il éprouvait un tel plaisir : la sensation du vol, sa soudaine expertise avec les leviers de commande...

– Réveillez-vous tous ! insista la voix.

Rémiz ouvrit brusquement les yeux. Le navire du ciel disparut ; pourtant, la clameur de son équipage semblait plus forte que jamais. Le garçon se tourna vers Partifule, qui secouait avec rudesse l'épaule de Boris le ronfleur.

– Que... que se passe-t-il ? murmura-t-il.

– C'est une attaque, répondit le nocturnal dans un chuchotement. Une attaque des pirates du ciel.

Rémiz bondit sur ses pieds.

– Vraiment ?

Il scruta les ténèbres. Des silhouettes portant des torches enflammées grimpaient bel et bien à des cordes terminées par des grappins et fourmillaient sur la plateforme près des cages.

– Mais c'est fantastique ! s'exclama Rémiz. Ils sont venus au secours de Tonnerre Cisailleur.

– Fantastique pour ton ami Cisailleur s'il réussit à s'évader, dit Partifule. Beaucoup moins formidable pour nous tous, si les pies-grièches entrent dans l'une de leurs colères frénétiques. Telles des créatures possédées, elles se mettent alors à crier, couiner, cracher, cravacher tout ce qui bouge… Rémiz ! appela-t-il tandis que le garçon filait. Reviens !

– Je dois les aider ! répliqua-t-il.

– Rémiz ! hurla Magda au moment où il disparaissait dans les ombres confuses du côté des cages suspendues.

Boris se dressa sur sa couche et regarda autour de lui, les yeux troubles, l'air ahuri.

– Quoi ? Quoi ? dit-il.

– Oh, rien, répondit Magda. Rien du tout. Sauf que nous sommes au milieu d'une attaque des pirates du ciel. Et que les pies-grièches ne vont pas tarder à se déchaîner. Oh, et puis que Rémiz a décidé d'aller voir les opérations de plus près.

Boris sauta de sa banquette.

– Pourquoi est-ce que personne ne m'a réveillé avant ? s'offusqua-t-il.

Magda roula des yeux excédés.

– Aucune importance à présent, intervint Partifule. Nous devons nous éloigner d'ici autant que possible. Nous tous, précisa-t-il, et il braqua son regard sur les cages, les oreilles frémissantes. Je… J'entends Rémiz, annonça-t-il.

– Continuons sans lui, décréta Boris. Je ne comprends pas pourquoi un sous-bibliothécaire a été sélectionné, pour commencer. Insolent, débraillé, indocile…

– Boris, tais-toi ! interrompit Magda d'un ton sec. Je vais le chercher.

Et avant que quiconque puisse l'arrêter, elle se précipita.

Sans se douter de la discorde qu'il semait parmi ses compagnons de voyage, Rémiz s'élançait de zone d'ombre

en zone d'ombre. Alentour, les pirates du ciel se dirigeaient en rugissant vers la cage où était emprisonné Tonnerre Cisailleur. L'un d'eux avait déjà escaladé la colonne cannelée et utilisé un long bâton ferré pour coincer la chaîne afin qu'elle cesse de se balancer. Un autre, au sommet, faisait le guet. Pendant ce temps, deux de leurs camarades – un géant musclé aux cheveux épais, emmêlés, avec un bandeau sur l'œil, et un grand maigre (juché sur ses épaules) portant des lunettes en demi-lunes à monture métallique – se tenaient juste au-dessous de la cage. Une douzaine de pirates formaient autour d'eux un cercle protecteur, et leurs armes étincelaient sous le clair de lune intermittent comme les cornes d'une troupe de hammels. Ils avaient dû préparer l'attaque avec soin.

Rémiz écouta, envoûté, le pirate à lunettes triturer la serrure avec la longue lame mince de son couteau dans un flot de jurons sourds. Tout à coup, il y eut un cliquetis.

– Enfin ! s'exclama le pirate, mais son cri de triomphe fut noyé par la plainte d'une sirène qui déchira l'air, puis par l'avertissement énergique de la sentinelle.

– Pies-grièches !

Ce simple mot eut sur la scène un effet immédiat et radical. Les badauds et les curieux de la plate-forme désertèrent le spectacle de l'évasion, soit pour se cacher, soit pour se ruer dans telle ou telle direction, voulant s'échapper à tout prix, mais redoutant de heurter de plein fouet les pies-grièches qui approchaient. Quant aux dormeurs acharnés, ils ramassaient maintenant leur literie et fuyaient pour sauver leur peau.

Là-bas sur la route, une soudaine agitation s'empara des vendeurs et des négociants qui avaient décidé de voyager de nuit. Les piétons couraient se tapir dans l'ombre avec leurs marchandises, les conducteurs de chariots et de charrettes pressaient à grands cris leurs hammels et leurs rôdailleurs, le claquement des fouets s'élevait au-dessus du mugissement de la sirène et des hurlements affolés. C'étaient des accidents et des collisions, des vociférations furieuses et des gémissements consternés alors que les chariots se renversaient et perdaient leur cargaison. Et, en fond sonore, il y avait l'avancée rythmée des pies-grièches sur la Grand-Route du Bourbier.

– Cinquante foulées, compte à rebours lancé ! cria la sentinelle avant d'ajouter : je décampe d'ici.

Rémiz restait cloué sur place. Il regarda, bouche bée, yeux écarquillés, la porte de la cage s'ouvrir à la volée, Tonnerre Cisailleur lui-même glisser sa grande carcasse par l'ouverture et se laisser tomber lourdement sur les planches en contrebas. Il était libre, se dit Rémiz, le cœur battant. Le vieux pirate du ciel était libre !

Tout à coup, une plainte douloureuse retentit. Elle couvrit la sirène, couvrit le tumulte de la foule, couvrit même les cris perçants des pies-grièches.

– Sam ! rugit la voix.

C'était le gigantesque pirate au bandeau. Il s'accroupit auprès du compagnon qui, un instant auparavant, était encore juché sur ses épaules. Il était mort à présent. Une unique flèche d'arbalète avait fracassé l'un de ses verres de lunettes et s'était logée dans son œil.

– Oh, Sam, mon ami ! gémit-il. Sam !

– Viens, Bob, l'invita le capitaine en personne, lui posant une main sur le bras. Nous ne pouvons plus rien pour lui. Il faut partir avant que les pies-grièches ne s'abattent sur le restant de nous.

– Je refuse de laisser Sam ici, rétorqua le colosse, et il hissa le corps flasque sur ses épaules massives. Il mérite une vraie sépulture, il la mérite bien.

– Comme tu voudras, répondit Cisailleur.

Il leva la tête et promena les yeux sur les pirates, tous immobiles dans l'attente de ses ordres.

– Que lanternez-vous donc, rats galeux du Bourbier ? Filons d'ici !

Comme un seul homme, les pirates pivotèrent sur leurs talons… mais découvrirent que toute issue était bloquée. Les gardes pies-grièches avaient cerné la plateforme et marchaient sur eux. Ils étaient acculés au combat.

– Oubliez ce que j'ai dit ! rugit Cisailleur. À l'assaut !

Un brusque fracas ébranla l'atmosphère lorsque les pies-grièches et les pirates se jetèrent les uns contre les autres. Les premières brandissaient leurs fléaux, lacéraient à coups de bec et de serres, maniaient arbalètes et terribles faux dentées. Les seconds ripostaient à l'aide de sabres, de piques, de frondes dont les projectiles de boue durcie fendaient l'air en sifflant comme des aérovers furieux.

La bataille fut courte et féroce.

Une flèche d'arbalète frôla l'oreille de Rémiz. Il se ressaisit, et son exaltation débordante se changea en une terreur glacée qui lui noua le ventre. Il s'élança derrière un chariot renversé, dont le chargement de lourds pots en pierre était éparpillé alentour.

Devant lui, deux pirates, un grand mince et un petit replet, ferraillaient dos à dos contre deux pies-grièches. Les épées des pirates luisaient, résonnaient. Les pies-grièches dardaient leurs serres étincelantes et grinçaient du bec. Les pirates semblaient faiblir lorsque, comme à un signal muet, ils allongèrent en chœur une botte. Leurs ennemies furent transpercées au même instant. Ils retirèrent leur épée avant de se tourner pour affronter de nouvelles assaillantes.

Il y avait des cadavres de pies-grièches partout, mais les mortes étaient aussitôt remplacées par d'autres oiselles en furie, qui répondaient à l'appel de la sirène et affluaient par la Grand-Route du Bourbier.

– Prenez les balustrades ! brailla Cisailleur.

À sa voix, Rémiz regarda autour de lui : le pirate du ciel repoussait deux pies-grièches à la fois.

– Et ne les lâchez pas, grogna-t-il, tandis que la première, puis la seconde pie-grièche s'affalaient sans vie sur le sol. Nous partirons tous ensemble, cria Cisailleur. Lorsque j'en donnerai l'ordre.

À cet instant, Rémiz aperçut un tourbillon de plumes cramoisies et jaunes : une grande pie-grièche, tout en muscles, surgit de l'ombre derrière Cisailleur. Elle portait un plastron brillant et un casque emplumé. Une faux dentée oscillait au-dessus de sa tête.

– Capitaine ! hurla Rémiz, qui sauta sur ses pieds.

Juste à temps, le pirate esquiva d'un bond sur sa gauche. La faux frappa les planches et se coinça. Cisailleur fit tournoyer son sabre lourd. Dans un hurlement à percer les tympans, la pie-grièche se racla la gorge et cracha. Un flot brillant de salive jaillit et vint éclabousser le visage de Cisailleur. Poussant un cri de dégoût, celui-ci chancela en arrière du côté du chariot.

Rémiz retint une exclamation de surprise. Ce n'était pas, comprit-il, un garde ordinaire. Étant donné son plumage vif et sa stature, cette pie-grièche devait appartenir à l'élite des sœurs fauchard.

– Tonnerre Cisailleur ! hurla-t-elle comme elle fondait sur lui dans un bruissement sifflant de serres dénudées. Le grand Tonnerre Cisailleur ! Voyons quelle est ta grandeur à présent !

Cisailleur était tout étourdi et à moitié aveugle. D'un coup méprisant, la sœur fauchard écarta l'épée du pirate. Puis elle se campa sur une patte griffue et, de l'autre, lui lacéra le bras.

– Je vais t'arracher le cœur ! clama-t-elle. Et je le dévorerai !

Du sang traversait la manche de la veste de Cisailleur et ruisselait sur la main qui serrait l'épée. Le pirate tomba à genoux devant le chariot retourné.

C'était presque la fin.

L'épée de Cisailleur était inutile. Les yeux flamboyants et fixes, la pie-grièche s'approcha, ses serres aiguës déployées.

– Imbécile ! ricana-t-elle. Croyais-tu vraiment que nous ignorions ton identité ? Vraiment ? Toi, le grand capitaine, tu étais l'appât pour les attirer ici.

Elle désigna les combattants qui continuaient à se disputer la balustrade derrière eux.

– Toi mort, ils renonceront, et j'aurai débarrassé la Falaise, une bonne fois pour toutes, de toi et de tes rebuts du ciel.

Cisailleur ne répondit rien. Il était incapable de se défendre. La pie-grièche semblait prendre un immense plaisir à jouer avec lui.

– Je ne serai plus une simple sœur fauchard, affirma-t-elle. Je rentrerai victorieuse au Perchoir est et je réclamerai ma récompense.

Elle se tut un instant.

– Mère Griffedebardot du Perchoir est. Voilà qui sonne bien, n'est-ce pas ? lui demanda-t-elle, et elle éclata d'un rire rauque. Un seul obstacle me sépare de mon but, ajouta-t-elle.

Son regard devint dur et se posa sur Cisailleur. Elle leva ses serres, prête à frapper.

– Toi.

– Erreur ! s'écria Rémiz, qui bondit, serrant un énorme pot à bout de bras entre ses mains tremblantes.

La pie-grièche jeta un coup d'œil sur le chariot et resta stupéfaite une fraction de seconde... Il n'en fallut pas plus. Avec un grognement d'effort, Rémiz projeta l'énorme pot sur la tête de l'assaillante. Le récipient percuta le casque et se brisa, des éclats volèrent en tous sens, et la pie-grièche tituba en arrière.

Cisailleur saisit son épée. Dans un même mouvement gracieux, il se redressa et dessina une courbe ascendante avec son arme, qui décapita net la créature. Le casque à plume résonna sur le sol tandis que la tête qu'il avait protégée rebondissait sur la plateforme, bec béant, yeux exorbités sous l'effet de la surprise.

Cisailleur se retourna. Il demeura bouche bée.

– Toi, dit-il. De nouveau.

À cet instant, une deuxième voix appela :

– Rémiz ! Vite !

C'était Magda.

– Viens, murmura-t-elle entre ses dents. Nous devons partir sans plus tarder.

– Tu m'as sauvé la vie à deux reprises, dit Cisailleur. Comment t'appelles-tu, déjà ?

– Rémiz Gueulardeau, ne vous déplaise, répondit le jeune garçon.

– Ton nom est loin de me déplaire ! assura le capitaine pirate. Rémiz Gueulardeau. Je n'oublierai jamais ce que tu as fait pour moi cette nuit.

Il pointa le menton vers Magda.

– Mais ton amie a raison. Il faut que tu partes sans plus tarder.

– Capitaine, gronda une voix derrière lui, et un personnage basané lui empoigna le bras. La balustrade est dégagée. Venez vite avant que de nouvelles pies-grièches n'arrivent en renfort.

Alors que le pirate du ciel tirait Cisailleur dans une direction et que Magda entraînait Rémiz dans l'autre, leurs regards se croisèrent une dernière fois.

– Bonne route, Rémiz Gueulardeau ! cria le capitaine.

– Au revoir, capitaine, cria Rémiz en réponse.

Revenus en hâte sur le lieu de couchage, lui et Magda découvrirent Boris et Partifule installés sur le siège avant d'un solide chariot tiré par un hammel.

– Où l'avez-vous obtenu ? demanda Magda.

– Nous l'avons trouvé abandonné, expliqua Boris. Renversé sur le côté...

– Allez, montez, cria Partifule d'un ton pressant.

Magda et Rémiz bondirent à l'arrière du chariot. Boris fit claquer le fouet et le hammel fila d'un trot lourd sur la chaussée, laissant les pirates du ciel et les gardes pies-grièches loin derrière. Les piétons fatigués se bousculaient pour leur livrer précipitamment passage, mais

les pies-grièches, qui accouraient vers la plate-forme où la bataille semblait toujours faire rage, ne leur prêtaient pas attention.

Tandis que les roues vrombissaient sur les planches, la clameur s'atténua et la plainte de la sirène finit par s'évanouir. Ils continuèrent pourtant d'avancer dans l'obscurité, kilomètre après kilomètre. Ils durent ralentir lorsqu'ils rattrapèrent un convoi de chariots pesants. L'heure la plus sombre s'écoula. Des rubans de lumière douce montèrent à l'horizon alors que l'aube pointait.

Rémiz avait le vertige. La journée précédente avait été plus riche en événements que douze mois ordinaires. Néanmoins, ils avaient réussi. Il sourit à Magda.

– Le pire est-il derrière nous, selon toi ? demanda-t-il.

Boris lui jeta un coup d'œil.

– Voilà qui prouve ton ignorance, sous-bibliothécaire, gronda-t-il méchamment.

Il se retourna et pointa le menton devant lui.

– Regarde.

Rémiz se leva pour mieux voir. Les ténèbres épaisses enveloppaient encore une grande partie du ciel, mais un curieux demi-jour doré flottait droit devant eux, comme la lueur d'une gigantesque lampe à huile de tilde.

– De quoi s'agit-il ? demanda Rémiz.

– La question est-elle nécessaire ? dit Boris.

– Nous approchons de la forêt du Clair-Obscur, annonça Partifule d'une voix sourde et respectueuse. À savoir, mes jeunes amis, l'endroit le plus trompeur et le plus dangereux de toute la Falaise.

Chapitre 7

La forêt du Clair-Obscur

L'ÉCOUTINAL RAMENA DOUCEMENT LES RÊNES À LUI, ET LE grand hammel lourd renâcla avant de s'immobiliser. L'animal secoua sa tête hirsute aux immenses cornes recourbées et attendit patiemment. Partifule descendit du chariot.

Rémiz se dressa sur son séant, bien réveillé tout à coup, et regarda autour de lui. Une lumière étrange, inquiétante, inondait le paysage de son éclat doré. Une file de gobelinets tirant des charrettes à bras passa dans un fracas, le front baissé, le visage sombre.

– Pourquoi nous sommes-nous arrêtés ? demanda Rémiz.

– Je n'en ai aucune idée ! répondit Boris à côté de lui, et il étouffa un bâillement.

– Le moment est venu pour moi de vous quitter, annonça Partifule.

Magda retint une exclamation. Le nocturnal se tourna vers elle, lui prit la main et plongea le regard dans ses yeux, afin d'écouter ses pensées.

– Vous atteindrez le Débarcadère du lac, dit-il. J'en suis convaincu. Durant le peu de temps que j'ai passé avec vous, j'ai été impressionné par votre détermination, votre bravoure et, ajouta-t-il à l'adresse de Rémiz, votre compassion.

– Et nous par les vôtres, dit gentiment Magda.

Partifule acquiesça puis baissa la tête.

– Je me suis déjà trop approché de la forêt du Clair-Obscur à mon goût.

Il jeta un coup d'œil sur la ligne des arbres, baignée dans le demi-jour charmeur, qui marquait la fin du Bourbier et le début des bois trompeurs.

– Même à cette distance, le clair-obscur remplit mon esprit de visions très bizarres… et de voix…

Il secoua la tête.

– Pour un écoutinal, cet endroit est vraiment dangereux.

– Alors, partez, dit Magda. Et merci.

– Oui, merci, Partifule, dit Rémiz.

Tous deux dévisagèrent Boris.

– Merci, marmonna ce dernier.

Partifule les salua chacun à son tour.

– Un immense péril vous guette. Mais vous ne serez pas seuls. Un guide vous attend au Perchoir est. C'est l'un des plus nobles et des plus courageux de nous tous. Vous serez en bonnes mains, croyez-moi.

Il se détourna et des larmes perlèrent dans ses yeux sombres. Ses oreilles frémirent.

– La terre et le ciel vous accompagnent, souffla-t-il. Bon voyage.

Alors qu'ils approchaient de la compterie, Rémiz voyait la route qui s'enfonçait dans la forêt du Clair-

Obscur. Elle miroitait et tanguait, comme submergée, avant de se perdre dans la pénombre nébuleuse. À cet endroit, Rémiz remarqua que la structure même de la route changeait.

Elle rétrécissait. Les balustrades semblaient se resserrer, s'incurver comme les barreaux d'une cage. En hauteur, deux câbles, le long desquels coulissaient de gros crochets de suspension, bordaient chacune des voies et serpentaient dans le lointain.

Les gobelinets sortirent de la compterie, chargés de cordes qu'ils enfilèrent sur les crochets du câble au-dessus de leur tête. Puis ils attachèrent les deux bouts à leur ceinture.

– Nouez-les solidement ! les incita un garde pie-grièche qui assistait aux préparatifs. Et avancez sans relâche, si vous avez le moindre bon sens.

Parmi les créatures de la Falaise, les pies-grièches étaient les seules à ne pas subir les effets de la forêt traîtresse. Grâce à leurs doubles paupières, elles restaient inaccessibles à ses visions séductrices. Ainsi immunisées, elles avaient pu bâtir la Grand-Route du Bourbier : par conséquent, tous ceux qui traversaient la forêt du Clair-Obscur dépendaient désormais des oiselles cruelles, imprévisibles, pour un passage sans risque.

– Suivant ! lança la voix rauque d'une poule compteuse.

Rémiz, Boris et Magda descendirent du chariot et entrèrent dans la compterie. Une grosse poule tachetée était assise dans la lumière tamisée, derrière un lutrin richement sculpté. Elle leva les yeux.

– Trois, c'est ça ? gloussa-t-elle. Neuf pièces d'or pour les cordes, trois autres pour le chariot. Dépêchons, dépêchons ! Nous n'avons pas toute la journée…

Magda paya, la poule compteuse leur tendit à chacun une corde tirée d'un sac pendu au lutrin, puis un billet d'écorce portant un symbole griffonné à l'encre marron.

– Pour le chariot ! lança-t-elle au moment où Rémiz le lui retirait des serres avec précaution.

Dehors, le garde pie-grièche vint à leur rencontre et arracha le billet d'écorce à Rémiz. Il l'examina de ses yeux jaunes qui ne cillaient pas, le lui rendit et fit claquer son fléau. Une autre pie-grièche apparut, grimpa sur le siège du cocher. Elle imprima une secousse brutale aux rênes et le hammel repartit. Le chariot s'éloigna bruyamment sur la chaussée en planches et pénétra dans la forêt, au milieu d'un nuage de poussière étincelante.

– Marché central, Enclos temporaires, indiqua le garde. Vous retrouverez le chariot là-bas.

Il inclina la tête avec brusquerie.

– Eh bien, qu'attendez-vous ?

Magda s'avança. Elle lança sa corde en l'air et la passa dans le crochet. Boris et Rémiz l'imitèrent. Le second rougit comme une pivoine tandis qu'il s'empêtrait dans la corde et serrait au mieux les nœuds autour de sa taille.

– Attachez-les solidement ! ordonna le guide. Et avancez sans relâche.

Rémiz prit une profonde inspiration et s'immergea, à la suite des autres, dans le clair-obscur ondulant. Il sentit la corde se raidir et le retenir. Peinant sous l'effort, il entraîna le crochet qui grinçait sur le câble, telle une ancre en plombinier, et le ramenait en arrière. Chaque mouvement était une lutte. Chaque pas était une prouesse.

Il s'appliqua sur les talons de ses compagnons. Devant, les gobelinets peinaient avec leurs charrettes à bras, leurs cordes oscillaient tandis qu'ils tiraient dessus. Derrière, Rémiz distinguait un petit groupe de troglos ploucs qui fourmillaient autour de la compterie.

– Avancez ! hurla le garde. Si l'un de vous s'arrête, vous vous arrêterez tous ! En cas d'embouteillage, nous vous couperons les amarres ! Ne l'oubliez pas !

Rémiz continua résolument son chemin. Bientôt, il eut les poumons en feu, les jambes douloureuses, et respira l'air lourd, humide, à un rythme précipité. La tête lui tournait, tout tanguait et tournoyait devant ses yeux. Je n'en peux plus ! songea-t-il, la peur tapie au creux du ventre.

Derrière lui, les troglos ploucs haletaient et gémissaient. À l'avant, le dos de Boris miroitait, tantôt proche, tantôt incroyablement lointain. Puis, à la seconde même où il pensait s'évanouir d'épuisement et être piétiné par les troglos ploucs, la terreur et la fatigue de Rémiz semblèrent soudain s'envoler. Des forces lui revinrent. La corde lui fit moins l'effet d'une ancre que d'une ficelle retenant un ballon de baudruche. Un sentiment d'allégresse se répandit en lui.

Il avait la sensation d'être plongé dans un bassin d'eau tiède, dorée, qui tourbillonnait autour de son corps et lui donnait la curieuse impression de flotter. Ses oreilles, ses yeux, son nez étaient envahis, les grognements et les gémissements des troglos ploucs n'existaient plus, l'air au parfum d'amande grillée se changeait en liquide miroitant. Et lorsqu'il tenta de parler, sa bouche s'emplit des saveurs oubliées de sa petite enfance, avant que les preneurs d'esclaves emportent ses parents : biscuits aux flocons de chêne, miel d'abeille fumé, sirop de délise…

Des voix aussi lui parvenaient, le hélaient depuis les profondeurs sombres.

– Viens, appelaient-elles d'un ton mielleux en harmonie avec la lumière dense, moirée. Rémiz. Rémiz !

Rémiz frémit. Cette voix, si familière… Il sentit le chagrin, la nostalgie lui serrer la gorge.

– Mère ? demanda-t-il timidement. Est-ce toi ?

Les bois noyèrent ses paroles. Il distingua confusément devant lui Boris qui remuait les bras dans des rires convulsifs, et Magda secouée de sanglots.

– Avance ! s'ordonna-t-il. Avance sans relâche.

Il essaya de s'éclaircir les idées, d'ignorer les voix et de regarder uniquement la chaussée, mais la forêt du Clair-Obscur paraissait exercer sur lui une emprise hypnotique dont il ne pouvait se libérer.

Il se surprit à contempler l'étendue sans fin de la forêt dorée. Les arbres, scintillant d'une étrange poussière sépia, grinçaient et gémissaient de vieillesse sous la douce brise tiède qui agitait leurs branches. L'air se tordait et soupirait. Quelque chose, ou quelqu'un, voleta entre les troncs obscurs.

Tout à coup, une étrange silhouette spectrale émergea de l'ombre. Rémiz la regarda, dans une horreur fascinée, s'approcher de la route. Juchée sur un rôdailleur, l'apparition portait l'antique armure polie des anciens chevaliers de l'Académie. L'illustration d'un manuscrit de la bibliothèque semblait avoir pris vie. Jauges et tubes,

boulons et leviers, pas un ne manquait sur l'armure rouillée : même dans le clair-obscur, Rémiz les discernait parfaitement. Il tendit le bras et tapota l'épaule de Boris.

– Le vois-tu ? demanda-t-il.

Boris continua d'avancer sans répondre. Rémiz accéléra.

– Un chevalier de l'Académie ! Boris ! Là-bas dans les bois ! Il s'approche !

– Tais-toi et marche ! grogna Boris. Sinon un garde pie-grièche te coupera les amarres. Tu as entendu l'avertissement.

– Il a raison, Rémiz, lança Magda d'une voix encore chargée de pleurs. Ce sera bientôt fini si nous continuons à marcher sans perdre la tête.

Rémiz jeta un regard en arrière : le chevalier avait disparu. Il entendait des soupirs étouffés, des chuchotements railleurs, et apercevait du coin de l'œil, dans toutes les directions, des mouvements qui cessaient aussitôt qu'il voulait les observer.

Y avait-il ici quelque chose de réel ? s'interrogea-t-il. Ou la forêt du Clair-Obscur était-elle peuplée uniquement de fantômes et de spectres, esprits de ceux qui avaient succombé à ses charmes enjôleurs ?

À cet instant, un énorme fracas retentit. Une charrette à bras s'était retournée, son chargement de pots métalliques roulait et boulait sur la route étroite. Les gobelinets s'arrêtèrent, se tortillèrent au bout de leurs cordes en tentant de redresser la charrette et de rassembler son contenu épars. Ce fut très vite un enchevêtrement irrémédiable… et la dispute.

– Tourne dans ce sens, Bufalon ! siffla leur vieux chef. Toi, Picpil ! Aide-le… Non, pas comme ça !

Magda, Boris et Rémiz s'immobilisèrent à quelques foulées. Derrière eux, les troglos ploucs se rapprochèrent.

– Avancez ! braillèrent-ils.

– Impossible ! répliqua Rémiz. Sinon, toutes nos cordes vont s'emmêler, dit-il en désignant l'embrouillamini de gobelinets.

Une autre charrette à bras versa.

– Que quelqu'un fasse quelque chose ! cria Boris au-dessus du vacarme.

– Ah, belle efficacité ! persifla Magda. Que suggères-tu ?

Autour d'eux, la forêt du Clair-Obscur semblait à l'écoute. Rémiz perçut du mouvement dans l'ombre. Le chevalier de l'Académie réapparut.

– Regardez ! chuchota le jeune garçon, fébrile, à ses compagnons. Le revoici.

Ils suivirent les yeux de Rémiz.

– Il n'est pas le seul, dit Boris.

Assurément, d'autres silhouettes émergeaient de l'obscurité opaque, comme alertées par le tapage des gobelinets. Rémiz frissonna. C'étaient des troglos en haillons, à demi morts, des ligueurs squelettiques, des gobelins à l'air désespéré, certains ayant perdu des membres, beaucoup portant de terribles blessures. Ils se plantèrent tout autour d'eux, les yeux caves, le regard fixe, muets.

Voyant la foule spectrale qu'ils avaient attirée, les gobelinets se turent. Les deux groupes se dévisagèrent dans un silence absolu, les vivants et les non-morts.

Malgré la chaleur moite, Rémiz sentit une sueur glacée lui inonder le visage, les yeux, le dos.

– C'est un endroit épouvantable, chuchota-t-il.

Soudain, des cris de fureur sifflants, stridents, retentirent, et une escouade de gardes pies-grièches se détacha de la pénombre, un nuage de poussière scintillante dans son sillage. Aussi soudainement, les fantômes s'évanouirent dans la forêt.

– Que se passe-t-il ? gloussa la chef, une imposante pie-grièche au plumage jaune vif et à la crête violette. Pourquoi personne n'avance-t-il ?

Tous se mirent à parler en même temps.

– Silence ! rugit la pie-grièche, et sa collerette de plumes se hérissa, menaçante. Désaxés par le clair-obscur, tous autant que vous êtes !

Elle se tourna vers son adjointe.

– Débarrassez ma route de cette vermine sans plumes, Magriffe, et faites avancer les autres !

– Vous avez entendu les instructions de sœur Trancheplume ! grinça Magriffe, et son fléau claqua. Coupez-leur les amarres ! Immédiatement !

Les gobelinets commencèrent à gémir, et Rémiz frémit lorsque les pies-grièches entreprirent de sectionner les cordes emmêlées à coups de faux. Les cordes tombèrent à terre. Les gardes chassèrent vers les bois les gobelinets en pleurs.

– Avancez, vous autres ! ordonna la sœur Trancheplume. Je suis sûre que vous avez tous des affaires essentielles à traiter dans le magnifique Perchoir est ! Si vous y parvenez un jour, caqueta-t-elle, odieuse.

Magda, Boris et Rémiz s'empressèrent de repartir.

– Qu'importe le Perchoir est, rien ne peut être pire que cette forêt, déclara Magda. Ne croyez-vous pas ?

– Marche simplement, dit Boris. Et tâche de ne pas y penser.

Rémiz regarda par-dessus son épaule. Dans l'étrange lumière moirée, le vieux gobelinet, assis sur une racine, remuait les bras et protestait à grand bruit, dans le vide.

Chapitre 8

Le Perchoir est

Des tourbillons du Clair-Obscur émergea un ricanier au tronc si énorme qu'on avait pu y percer une ouverture. Enjambant la route, l'arbre marquait la frontière entre la forêt du Clair-Obscur et le Perchoir est. Au-dessus de la voûte d'entrée, le câble qui soutenait les cordes se terminait.

Deux gardes pies-grièches étaient en faction de part et d'autre de la porte.

– Dénouez vos cordes ! ordonna sévèrement le premier alors que Magda, Boris et Rémiz approchaient.

Ils s'empressèrent d'obéir. Déjà, les troglos ploucs arrivaient sur leurs talons.

– Passez par les niveaux inférieurs pour gagner le Marché central ! cria le second. Les perchoirs supérieurs sont réservés aux pies-grièches. Vous êtes avertis ! conclut-il, une lueur menaçante dans ses yeux jaunes.

Comme l'atmosphère étrange et pénétrante de la forêt relâchait son emprise, l'esprit de Rémiz s'éclaircit peu à peu. Il scruta la pénombre au-delà de la porte du ricanier.

Avant tout, ce fut l'odeur qui le frappa. Derrière l'arôme du café de pignon grillé, des saucisses de tilde grésillantes, derrière les parfums et les senteurs du cuir, de l'encens, et les vapeurs grasses des lampes à huile, il y avait une autre odeur. Une odeur rance, fétide. Une odeur qui, selon le vent, devenait tantôt plus âcre, tantôt moins... sans jamais disparaître complètement.

Rémiz frissonna.

– Tout ira bien, chuchota Magda, et elle lui pressa la main pour le rassurer. À condition de rester groupés. Nous devons nous diriger vers le Marché central.

Rémiz hocha la tête. Son odorat n'était pas le seul à être devenu si fin. La forêt avait brouillé, paralysé ses sens : maintenant, tous retrouvaient leur acuité. L'air semblait gras, sale. Il en avait le goût dans la bouche. Ses oreilles percevaient les moindres injonctions et vociférations ; les moindres commandements et claquements de fouet ; le moindre cri de désespoir déchirant. Quant à ses yeux...

– Je n'ai jamais rien vu de tel, murmura Rémiz.

Tous trois suivaient l'une des séries de passages jetés entre les arbres, qui s'enfonçaient vers le cœur de la ville grouillante. Des lumières. Des couleurs. Des visages. Du mouvement... Partout où il regardait, Rémiz était assailli par une multitude déconcertante de spectacles curieux et troublants. Il avait l'impression de marcher sur une grande couverture en patchwork, qui lui offrait image après image.

Un ours bandar encagé. Un cisailleur enchaîné. Des pourrivores attachés. Des boutiques de paris et des tables de jeu. Des colporteurs d'amulettes. Deux pies-grièches aux fléaux cinglants. Deux autres encore, dont l'une armée d'un grand gourdin clouté. Une discussion animée entre un gobelinet et un troglo plouc. Un petit troll des bois égaré, qui réclamait sa maman. Des maroquiniers, des vendeurs de journaux, des marchands de bougies et des tonneliers. Des buvettes qui proposaient des casse-croûte et des breuvages dont Rémiz ne soupçonnait même pas l'existence. Qu'était donc une bavotine fouettée ? Un croque-messire ? Et quel goût pouvait bien avoir la tisane de luminard ?

Il entendit Boris indiquer :

– C'est par ici.

Le chevalier bibliothécaire pointait le doigt vers un panneau peint, au-dessus de leurs têtes.

Ils descendirent trois volées de marches vermoulues, en zigzag, et débouchèrent sur un passage plein d'animation, dans les arbres. Chargé d'une foule de négociants et de commerçants forains, de gobelins, de troglos et de trolls qui affluaient dans les deux sens, le passage s'inclinait et tressautait, oscillait dans des grincements de mauvais augure. Anxieux, Rémiz empoigna le garde-corps.

– Ne regarde pas en bas, chuchota Magda, qui sentait la nervosité de son ami.

Mais Rémiz ne put s'en empêcher. Il plongea les yeux vers les profondeurs. Trois étages au-dessous de lui, dans la pénombre âcre, c'était le sol de la forêt. Il miroitait et frémissait, comme si la terre elle-même avait pris vie. Soudain, Rémiz comprit que c'était exactement cela : le sol de la forêt était une masse vivante de minuscules créatures orange.

– Des tignasses, marmonna-t-il, inquiet.

Bien qu'il n'en ait jamais vu auparavant, Rémiz les avait découvertes dans le traité de Violetta Lodd sur les

ours bandars. Elles chassaient en troupeaux immenses et pouvaient dévorer en un clin d'œil une créature aussi énorme qu'un ours bandar : poils, chair, os, défenses, absolument tout. Rémiz se mit à trembler. Cette vaste cité suspendue dans les arbres, le Perchoir est, devait fournir une abondance de nourriture, pour avoir attiré autant de prédateurs assoiffés de sang. Un pressentiment lui donna le vertige, et il se cramponna au garde-corps.

– Viens donc, rémouleur, dit Boris d'une voix méchante. Nous n'avons pas le temps d'admirer le paysage.

Il lui envoya une bourrade dans le dos et s'éloigna à grandes enjambées. Magda et Rémiz, qui chancelait, lui emboîtèrent le pas.

À mesure qu'ils s'approchaient du Marché central, la chaussée s'élargissait, mais n'en demeurait pas moins encombrée. Le vacarme augmentait et, dans ce fourmillement incessant d'allées et venues, les trois chevaliers bibliothécaires avaient beaucoup de mal à se frayer un chemin.

– Restons groupés, lança Boris au moment où il atteignait l'entrée étroite du marché.

– Plus facile à dire qu'à faire, grommela Magda.

Le flot menaçait de les séparer.

– Prends-moi la main, Boris, ordonna-t-elle. Et toi aussi, Rémiz.

Boris en tête, tous trois avancèrent. Le portail n'était plus qu'à quelques foulées. Ils progressaient à grand-peine, pressés de toutes parts au cœur de la cohue. Ils franchirent l'arcade... Ils y étaient !

Rémiz respira à pleins poumons lorsque la foule relâcha sa pression. Il regarda ses compagnons et sourit. Ils étaient arrivés au Marché central.

Celui-ci occupait une plate-forme ouverte, soutenue par une forêt d'arbres écimés sur pied. Les étoiles qui scintillaient sous la voûte du ciel, dans la chaleur dégagée par les torches et les broches, semblaient presque à portée de main.

Rémiz sortit le billet d'écorce que leur avait donné la pie-grièche et l'examina.

– Et maintenant ? demanda Boris en regardant autour de lui.

– Nous récupérons le chariot, répondit Magda. Ensuite...

– Oui ? insista Boris avec malveillance.

– Une chose à la fois, rétorqua Magda, les sourcils froncés. Par là-bas, je pense, dit-elle après avoir jeté un coup d'œil à la ronde.

Ils s'engagèrent dans le marché plein d'animation. On y trouvait de tout, de toutes sortes : denrées farcies, marinées, rôties ; articles tannés, tissés, dorés, sculptés. Ils passèrent devant des égorgeurs, leurs parcs à hammels et leurs étals débordant de maroquinerie ; devant des trolls et leurs éventaires d'objets en bois, des gobelins rétameurs et quincailliers, qui marchandaient, troquaient et vantaient leurs productions. À proximité des Enclos temporaires, ils se rendirent compte aussi du flot continu de lourds chariots, conduits par des pies-grièches, en provenance de la forêt du Clair-Obscur. Les cochers agitaient leur torche enflammée, pour éloigner les tignasses, avant de gravir la rampe oscillante qui serpentait vers la plateforme du Marché central, où les propriétaires des charrettes languissaient, anxieux, près des étalages.

Stupéfait, Rémiz contempla l'immensité des Enclos temporaires. L'atmosphère était tendue, et nauséabonde. Un océan de chariots et de charrettes, de bêtes de somme tirant sur leur longe, surveillées par des pies-grièches solides et maussades, attendaient qu'on vienne les réclamer. Des cris discordants résonnaient dans l'air, des voix s'élevaient pour protester.

LE MARCHÉ CENTRAL DU PERCHOIR EST

– Mais il manque la moitié de ma cargaison ! s'indignait un gobelinet.

– J'ai perdu deux hammels ! se plaignait un troglo plouc.

– Notre taxe ! rit l'un des gardes. Peut-être que, la prochaine fois, vous préférerez mener votre charrette vous-même à travers la forêt. Non ? Oh, quelle surprise ! gloussa-t-il, déplaisant.

– Escroquerie typique des pies-grièches, maugréa un gobelin, qui bouscula Rémiz. Elles se croient en droit de tout nous voler, pour la simple raison que la forêt du Clair-Obscur n'a aucun effet sur elles !

Sur une pancarte au-dessus d'un enclos, Magda découvrit un signe identique à celui du billet d'écorce.

– Ici ! cria-t-elle avec enthousiasme à ses compagnons. Par ici !

Lorsque Boris et Rémiz la rejoignirent, elle présentait le billet à une pie-grièche en guenilles qui, appuyée contre un poteau de la clôture, avait l'air de s'ennuyer.

– Voilà, dit la gardienne de l'enclos, agitant une serre.

Les voyageurs aperçurent, dans un coin, un petit chariot abîmé auquel était attelé un rôdailleur maigre, souffreteux.

– Mais ce n'est pas notre chariot, protesta Magda. Le nôtre avait quatre places, il était tiré par un hammel…

– C'est à prendre ou à laisser, ricana la pie-grièche, avant de bâiller et d'inspecter ses serres.

– Ils vont le prendre, noble dame. Mille mercis, déclara une voix aiguë.

Un petit mâle pie-grièche défraîchi s'avança et saisit le bras de Magda.

– Mais… s'opposa la jeune fille.

– Pas de « mais », mon enfant, piaula l'oiseau. Nous avons une affaire urgente à régler et nous ne devons pas faire perdre davantage de son précieux temps à cette généreuse dame.

Il s'inclina très bas devant la gardienne et entraîna Magda. Les deux autres suivirent.

– Mais quelle idée ! se fâcha Boris, qui empoigna l'aile chétive de la pie-grièche et l'obligea à lâcher le bras de Magda.

L'oiseau recula.

– Mille excuses, chuchota-t-il, mais nous ne pouvons pas discuter ici. C'est trop dangereux. Venez.

Il plongea ses serres dans sa tunique crasseuse, mit une dent de carnasse en pendentif sous le nez de Boris, puis il se retourna et fendit la foule.

– Attendez-nous ! cria Boris. Allons, vous deux. Plus d'hésitation. Vous avez entendu ce qu'il a dit.

Magda et Rémiz échangèrent un regard perplexe avant de filer derrière Boris, qui tentait de rester dans le sillage du petit inconnu dépenaillé.

Ils le rattrapèrent devant un étal dans la zone des égorgeurs. Tout, depuis les amulettes ouvragées, les plastrons et les gantelets de cuir jusqu'aux grandes carcasses suspendues de hammels, de vorissons et de tildes, était à vendre. Boris, planté au beau milieu, se grattait la tête et promenait les yeux autour de lui.

– Il était encore ici il y a une seconde, marmonna-t-il, irrité.

Un égorgeur trapu aux cheveux flamboyants disposait des jambons de tilde fumés sur une table voisine.

– Hé, vous là ! lui lança Boris. L'avez-vous vu ? Un petit mâle pie-grièche miteux...

L'égorgeur tourna le dos à Boris et jeta un coup d'œil furtif à droite puis à gauche.

– J'ai dit... répéta Boris d'une voix tonnant de fureur.

– J'ai entendu, répondit doucement l'égorgeur, sans se retourner. Vous trouverez Plumel au fond, derrière le rideau. Et ne vous fiez pas aux apparences.

Boris, grossier, bouscula l'égorgeur, écarta le rideau de cuir à l'arrière de l'étal et révéla une petite chambre dissimulée. Magda et Rémiz s'approchèrent.

– Merci, chuchota Rémiz lorsqu'ils passèrent près de l'égorgeur.

– Bonne chance, lui répondit une voix bourrue.

Assis sur un tapis en peau de tilde, près d'un petit poêle où brûlait du ricanier, se trouvait l'inconnu. Dès que le rideau retomba, les flammes du ricanier illuminèrent la pièce d'une douce lueur violette.

– Je vous en prie, mes braves amis intrépides, invita l'oiseau, installez-vous. Nous devons nous hâter car, à chaque instant passé ici dans le Perchoir est, vous êtes en danger de mort.

– Hum, votre refuge paraît bien douillet, dit Boris.

Sans-gêne, il tendit la main pour caresser une tenture en peau de hammel. À peine ses doigts l'effleurèrent-ils que la fourrure se hérissa et devint aussi piquante que des aiguilles.

– Aïe ! cria-t-il, effarouché.

– Ne vous y trompez pas, répliqua l'oiseau. Nous sommes environnés de gardes pies-grièches, qui ratissent en permanence le Perchoir est, à la recherche de contrebandiers ou… d'espions, termina-t-il après une seconde d'hésitation.

La gorge de Rémiz se serra. Ces terrifiantes créatures à plumes les considéraient donc ainsi ? Il se rappela les affreuses cages sur la route du Bourbier, et une grande faiblesse l'envahit soudain.

– Êtes-vous le guide qu'on nous avait promis ? demanda Magda.

Boris, qui suçotait son doigt, regarda l'inconnu avec un mépris affiché.

– C'est moi en effet, très gentille maîtresse, c'est bien moi, confirma l'oiseau. Je m'appelle Plumel, et vous me faites mille honneurs en me permettant de vous servir.

– Oui, oui, intervint Boris. Mais si nous sommes en danger, pourquoi rester dans les parages ?

– Patience, brave maître, répondit Plumel, occupé à fouiller un grand tronc dans l'angle, je vais tout vous expliquer.

Rémiz s'affaissa sur les genoux. Il éprouvait un étrange vertige, et la lueur du ricanier l'endormait.

– Le Perchoir est une ville fermée, mes braves amis, déclara Plumel, tirant du tronc une panoplie de robes noires, qu'il étala. Les visiteurs disposent d'une unique voie d'accès et de sortie ; il s'agit, comme vous l'avez constaté, de la porte du ricanier, à l'est. Les marchands d'Infraville (dont vous portez le costume) arrivent par là, vendent leur cargaison et repartent en sens inverse par la Grand-Route du Bourbier, chargés de denrées des Grands Bois achetées sur le Marché central.

– Alors, comment sortirons-nous de cette maudite ville et entrerons-nous dans les Grands Bois ? questionna Boris, impatient.

– Seules les pies-grièches peuvent circuler d'une zone à l'autre, continua Plumel. Par ce biais, gentil maître, les sœurs fauchard contrôlent tout le commerce entre Infraville et les cités des Grands Bois. C'est d'une simplicité admirable. Les pies-grièches s'approvisionnent dans les Grands Bois, transportent ces denrées jusqu'au Perchoir, où elles les troquent contre des produits d'Infraville, qu'elles utilisent ensuite pour acheter des stocks de denrées plus importants ; elles en tirent ainsi un double bénéfice. Voilà pourquoi traverser le Perchoir est un privilège de pies-grièches.

– Voulez-vous dire que nous sommes coincés ici ? demanda Magda, une pointe d'affolement dans la voix. Que rebrousser chemin vers Infraville constitue la seule issue ?

– Non, pas tout à fait, gentille maîtresse, répondit Plumel, qui reprit sa fouille du tronc.

– Mais alors, comment quitter le Perchoir et pénétrer dans les Grands Bois ? persista Boris.

– Ce n'est pas compliqué, affirma Plumel, pivotant vers eux. Puisque seules les pies-grièches peuvent emprunter le portail ouest des Grands Bois, eh bien, il faut que vous vous transformiez en pies-grièches !

Il leva trois masques emplumés rudimentaires, au bec recourbé et dentelé, aux orbites noires fixes.

– Quelle plaisanterie ! railla Boris. Le stratagème ne marchera jamais.

– Oh, mais il a déjà fonctionné ! rétorqua Plumel d'une voix soudain grave, aux inflexions cassantes et dures. Et il fonctionnera encore.

Il regarda les trois visages sérieux face à lui et, subitement, éclata de rire.

– Mes braves amis, vous serez les sœurs sibylles, prêtresses vénérées du Nid doré. Voici vos robes.

Il leur présenta les lourdes tenues noires, sobres et ternes comparées aux toilettes tapageuses que la plupart des pies-grièches affectionnaient.

– Et voici vos masques.

Il leur tendit à chacun une coiffure emplumée.

– Dépêchez-vous ! Le temps nous est compté.

Ils enfilèrent l'habit par-dessus leur costume de marchand, fermèrent le devant et enfoncèrent bien le masque sur leur tête. Plumel s'éclipsa et revint une minute plus tard avec un miroir poli en lactibois.

Rémiz se tourna pour se regarder. La lourde robe, le masque orné : le déguisement était parfait… à un détail prêt.

– Mais, Plumel, commença-t-il d'une voix étouffée par le bec, les yeux. Nos yeux ne manqueront pas de nous trahir. Voyez. Ils ne sont ni jaunes, ni féroces, ni…

– Ô gentil maître, quel idiot je suis ! rit Plumel. J'oubliais. Tenez, prenez ceci. Aucune sœur sibylle qui se respecte n'oserait se montrer en public sans elles.

Il donna au garçon une paire de lunettes noires, épaisses. Rémiz les plaça tant bien que mal par-dessus son masque et les ajusta sur le faux bec.

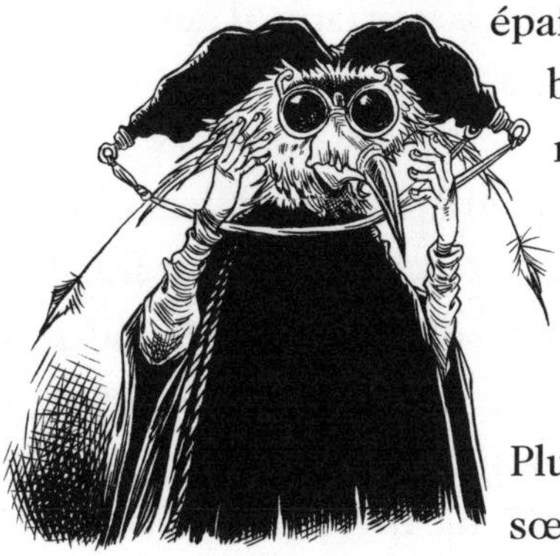

– Mais je ne vois rien ! protesta-t-il.

– Bien sûr que non, gloussa Plumel avec indulgence. Les sœurs sibylles ne s'autorisent qu'un seul spectacle : les couvées d'œufs du Nid doré, pondus par la mère coquelle en personne. Le reste du temps, elles portent des verres fumés pour voiler toute vision impure.

– Mais si nous ne voyons rien… hasarda Rémiz.

– C'est la raison de ma présence, répondit Plumel, et il s'inclina profondément. Je serai votre guide. Toutes les sœurs sibylles en ont un, au bout d'une chaîne dorée. Mais je dois vous prévenir, continua-t-il d'un ton redevenu grave, aux inflexions dures. Sous aucun prétexte vous ne devrez ôter vos lunettes. Gardez le silence et faites-moi confiance. Car, si nous étions pris, ce déguisement de pie-grièche (et plus encore de sœur sibylle) vous vaudrait un supplice effroyable, mes braves amis.

– C'est-à-dire ? demanda Boris en essayant de cacher sa nervosité.

– Le gril, répondit Plumel. Condamnés à rôtir vifs sur le gril du Marché central. Allons, en route.

Par la suite, chaque fois qu'il repensait au trajet terrifiant jusqu'au portail ouest des Grands Bois, Rémiz avait peine à croire qu'il en était réchappé. Son propre souffle à l'intérieur du masque, l'écran noir des verres fumés et les bruits des perchoirs supérieurs, d'autant plus sinistres qu'ils étaient inconnus, hantèrent ses rêves des mois durant.

Ils montaient, montaient, montaient encore et toujours. Même sous son masque, Rémiz sentait l'air fraîchir au fur et à mesure de l'ascension. La cacophonie des niveaux inférieurs diminuait, remplacée par les appels étranges, inquiétants, des pies-grièches qui se promenaient sur les passages en hauteur. Il y avait des roucoulements, des cris stridents, des vibrations de gorge saccadées, couronnées par de brusques ululements.

– Du calme, chuchota Plumel, qui les guidait au bout de sa chaîne dorée, tel un minaki apprivoisé. Les sœurs chantent entre elles, c'est tout. Pas de quoi s'alarmer.

N'empêche, leur concert glaçait le sang de Rémiz. Depuis combien de temps marchaient-ils ? Depuis des heures, lui soufflait sa terreur croissante ; pourtant, il ne pouvait s'agir que de minutes, d'une demi-heure au maximum. Il aurait voulu poser la question à Plumel, mais il savait qu'articuler un seul mot serait une pure folie. Dans son dos, Boris lui écrasa le talon, et Rémiz se mordit violemment la lèvre.

À cet instant, Plumel roucoula avec force :

– Doucement, vos gracieuses seigneuries. Laissez passer les sœurs sibylles ! Laissez passer !

Rémiz perçut des cliquetis de serres sur la chaussée en bois tandis que les pies-grièches s'écartaient, respectueuses.

– Donnez notre bénédiction au Nid doré, lança une pie-grièche de sa voix dure.

– Prospérité à la couvée, mes sœurs ! ajouta une autre.

– Que l'éclosion soit féconde !

Les souhaits résonnaient tout autour. Rémiz sentait son cœur marteler. Il s'efforçait de maîtriser son estomac retourné et l'effroi qui lui nouait la gorge.

– Les sœurs sibylles vous bénissent, psalmodiait Plumel. Les sœurs sibylles vous bénissent.

Puis, en aparté, il chuchota d'un ton pressant :

– Nous y sommes presque. Restons groupés. Encore un passage et nous arriverons au corral des rôdailleurs, près du portail des Grands Bois.

Boris heurta de nouveau le talon de Rémiz. Celui-ci trébucha, et la secousse faillit déloger ses lourdes lunettes fumées. Il plissa l'œil gauche alors que la lumière entrait par une fente apparue entre le masque et le bord du verre. Il sentit les montures vaciller sur son bec.

– Attention, ma sœur ! prévint une voix perçante.

Rémiz entraperçut, du coin de l'œil, une grande pie-grièche imposante parée de beaux atours, assise sur un banc élevé, flanquée de deux compagnes plus petites, mais tout aussi voyantes. Il flaira soudain une puanteur suffocante bien connue. Le plumage de la pie-grièche se hérissa, et elle émit un cri de satisfaction rauque lorsque la fiente blanche et âcre tomba par le trou au-dessous d'elle en direction des perchoirs inférieurs.

– Me voilà soulagée, annonça-t-elle à sa compagne. Tu disais donc, Griffule…

– Oh, oui, répondit la pie-grièche à côté d'elle, lâchant à son tour une série de fientes nauséabondes. Le pirate du ciel l'a décapitée net. Du moins, c'est ce qu'on m'a raconté.

– Venez, mes sœurs, exhorta Plumel.

Son intonation était dure. Il tira sur la robe de Rémiz.

– Nous devons rejoindre les corrals des rôdailleurs. N'oubliez pas qu'il nous faut récolter dans les Grands Bois des matériaux pour le nid, ajouta-t-il.

Rémiz s'obligea à avancer. Il rentra la tête dans les épaules, persuadé que les yeux jaunes et pénétrants de l'oiselle assise sur les latrines décorées allaient le démasquer d'une seconde à l'autre.

– Attendez !

Lorsque l'appel rauque de la pie-grièche retentit, Rémiz se figea. Les lunettes tremblèrent sur son bec. L'oiselle se leva et rajusta ses jupes. Rémiz osait à peine respirer. Derrière lui, ses camarades étaient cloués sur place. La pie-grièche s'approcha et Rémiz ferma les paupières de toutes ses forces.

– Que votre nidification soit bénie ! déclara-t-elle en s'inclinant.

Rémiz lui rendit son salut avec précaution, priant pour que les lunettes ne glissent pas. La pie-grièche fit demi-tour et ses serres cliquetèrent sur les planches tandis qu'elle s'éloignait avec ses compagnes.

– Allons, vite ! chuchota Plumel, pressant, à l'oreille de Rémiz. Avant qu'elles ne reviennent !

Ils se hâtèrent dans un tourbillon cauchemardesque de tension et d'incertitude. Au passage, Rémiz entrevoyait les mines malveillantes des pies-grièches, et la peur de perdre ses lunettes ne le quittait pas. La puanteur âcre des fientes disparut, et l'odeur de moisi tiède des rôdailleurs se répandit. À l'approche des corrals, Rémiz entendit leur ronronnement doux, guttural… et curieusement rassurant.

Plumel les guida au bas d'une passerelle, et Rémiz sentit la chaleur dégagée par les animaux. Il glissa un regard au coin de ses lunettes. Tout autour d'eux, perchées sur de grosses branches, les créatures fixaient les nouveaux venus de leurs yeux tristes et mornes. Plumel leva le bras et en détacha une. Il tendit la longe à Magda.

– Grimpez, dit-il. Et prenez les rênes. Votre monture ne bougera pas tant que vous ne l'aurez pas talonnée.

Avec l'aide de Plumel, Magda se hissa timidement sur le dos du rôdailleur, attentive à garder son masque de pie-grièche. Elle tendit la main vers le harnais et empoigna fermement les rênes. De chaque côté, Rémiz et Boris l'imitèrent. Enfin, Plumel bondit sur sa propre monture et fit pivoter le grand animal.

– En route ! cria-t-il.

Tous quatre enfoncèrent leurs talons dans les flancs des rôdailleurs. Les animaux s'ébranlèrent : de leurs pattes postérieures, ils repoussèrent le large perchoir et se cramponnèrent de leurs griffes antérieures à la branche suivante. Dans le sillage du rôdailleur de Plumel, ils descendirent sur un passage. Rémiz aperçut un grand portail au loin.

– Nous approchons de la tour de garde, annonça Plumel, qui serra la bride de sa monture.

Les chevaliers bibliothécaires firent de même. Les quatre rôdailleurs adoptèrent un rythme tranquille, posant leurs pattes antérieures et lançant leurs pattes postérieures en avant. Au bout du long passage, la tour n'était plus qu'à quelques foulées.

– Qu'allons-nous faire ? demanda Magda.

– Rien, répondit Plumel. N'oubliez pas que vous êtes des sœurs sibylles. Inutile de vous adresser à de simples gardes. Je parlerai pour vous.

À la hauteur de la tour, une pie-grièche fauve, armée d'une lance rouillée, vint à leur rencontre. Plumel s'avança. Rémiz, Magda et Boris demeurèrent à distance, le bec dressé d'un air impérieux, aveugles derrière leurs lunettes.

Une minute plus tard, Rémiz entendit Plumel déclarer sévèrement :

– Je vous l'ai déjà dit. Nous allons récolter des matériaux pour le Nid doré. Oseriez-vous, demanda-t-il d'une voix plus basse, barrer le chemin aux sœurs sibylles ?

– Non, non, capitula le garde. Passez.

Il mit sa lance à son côté, claqua des talons et courba la tête. Plumel pressa son rôdailleur. Les trois chevaliers le suivirent, s'efforçant de rester droits malgré les embardées de leurs montures. Rémiz retint son souffle. Pourvu que le garde ne distingue rien derrière ses lunettes et ne remarque pas les martèlements de son cœur !

À pas chancelants, ils quittèrent le Perchoir est et pénétrèrent dans les Grands Bois. Dès la frontière franchie, Plumel activa son rôdailleur d'un coup de talon. Ses compagnons prirent modèle sur lui, et tous quatre filèrent de branche en branche vers les profondeurs de la forêt.

– Youpi ! hurla Rémiz, dans un mélange d'allégresse et de délivrance. Youpiii !

– Bravo, mes amis ! se réjouit Plumel. Vous avez dominé la situation.

– Vous êtes un guide courageux, répondit Rémiz.

Il jeta un regard par-dessus son épaule. La tour de garde était désormais invisible.

– Nous avons réussi ! murmura-t-il.

Il arracha masque de pie-grièche, lunettes, lourde robe, et les lança au loin. Magda l'imita.

– Enfin ! soupira-t-elle, et des larmes de soulagement lui montèrent aux yeux.

Boris retira son masque et le tint devant lui.

– Je crois que je faisais une sœur sibylle assez convaincante, déclara-t-il. Même si c'est moi qui le dis... Ouh là ! s'écria-t-il alors que son rôdailleur trébuchait et que lui-même manquait lâcher prise.

Il agrippa les rênes à deux mains. Le masque de pie-grièche lui échappa et chuta dans les branches jusqu'au sol de la forêt. Il remarqua les regards braqués sur lui.

– Quoi ? se révolta-t-il. Quoi donc ?

À la tour de garde, la pie-grièche en faction recevait un autre visiteur, un novice aux cheveux noirs très courts, chevauchant un rôdailleur. Il avait ôté sa capuche et agitait un laissez-passer sous le bec du garde.

– Voyez ici, indiqua-t-il tranquillement. Le sceau de luminard du Gardien suprême. Ici, l'empreinte digitale de Vox Verlix. Et là, les plumes croisées, cachet des sœurs fauchard. Ces accréditations vous suffiront, j'espère. Est-ce le cas ?

– Oui, monsieur. Désolé, monsieur, s'excusa le garde.

Il gratta du pied, furieux. Ce n'était décidément pas son jour.

– Que vouliez-vous savoir ? reprit-il.

Xanth effleura de la main son crâne rasé.

– Je me demandais si d'autres voyageurs étaient passés par ici récemment.

– Trois sœurs sibylles, répondit le garde, sous la conduite de leur guide.

– Hum, fit le garçon. Et ont-elles précisé leur but ?

– Une expédition de cueillette pour le Nid doré, répondit aussitôt le garde.

– Une expédition pour les Clairières franches, plutôt, ricana Xanth.

Le garde pencha la tête, perplexe.

– Mais les pies-grièches ne fréquentent pas les Clairières franches, objecta-t-il.

– Justement ! rétorqua Xanth.

Il s'écarta et tira sur les rênes. Le rôdailleur grogna, huma l'air et décampa, bondissant de branche en branche.

Xanth se cramponna. Il ne se retourna pas.

CHAPITRE 9

Les Grands Bois

LES QUATRE VOYAGEURS S'ENFONCÈRENT À VIVE ALLURE dans les Grands Bois, laissant le Perchoir loin derrière eux. Le vent dans les cheveux, la peur au ventre, Boris, Magda et Rémiz s'accrochaient désespérément aux rênes tandis que leurs rôdailleurs, avec une grande assurance et une rapidité fulgurante, s'élançaient de branche en branche. Ils chevauchèrent ainsi pendant plus d'une heure, sans s'arrêter pour reprendre leur souffle ni descendre sur le sol de la forêt. L'après-midi était déjà bien avancé lorsque Plumel déclara enfin que, à son avis, quitter les arbres ne comportait plus aucun risque.

– En êtes-vous sûr ? demanda Boris, inquiet. Et les tignasses ?

– Il est rare qu'elles s'aventurent aussi loin des perchoirs, le rassura Plumel. En outre, la fatigue doit devenir pesante. Chevaucher sur le sol est beaucoup moins pénible.

Ni Magda ni Rémiz ne se firent prier. La course sinueuse et saccadée les avait tous deux épuisés. Ils donnèrent un bon coup de talon, une secousse aux rênes, et commencèrent une longue descente. Plumel les suivit. Voyant qu'il n'était pas arrivé malheur à ses compagnons et ne voulant pas se faire distancer, Boris lui emboîta le pas.

Rémiz apprit vite à épouser le rythme bondissant de sa monture.

– J'ai du mal à en croire mes yeux, dit-il à Magda. Après ces années interminables passées sous terre... Tu sais, je rêvais des Grands Bois presque chaque nuit. Et maintenant, j'y suis. C'est encore plus merveilleux que je ne l'imaginais, soupira-t-il.

Massifs, très anciens, les arbres se dressaient tels d'imposants piliers. Les uns étaient striés, les autres cannelés, certains couverts de nœuds et de grosses bosses bulbeuses ; de grande hauteur, tous montaient dans l'ombre verte en direction de la lumière, au-dessus du feuillage touffu. Aux endroits où ils étaient moins denses, des rayons de soleil éblouissants parvenaient à percer et à favoriser la pousse d'arbustes et de buissons. Il y avait des peignées fredonnant sous la brise légère, des palourdiers dont les fleurs-coquillages claquaient, du lierre velu s'enroulant autour des troncs épais et scintillant comme des guirlandes lumineuses. Tandis que la chevauchée continuait, Rémiz distingua la lueur turquoise engageante d'une clairière d'arbres aux berceuses, loin sur sa gauche.

– Tout est si beau ! s'écria-t-il.

– ... si beau ! lui répondit l'écho.

Il y eut un bruissement fébrile dans un buisson voisin et, du coin de l'œil, Rémiz entrevit une forme qui s'échappait. Il virevolta : une petite bête à fourrure bleu foncé, aux immenses yeux effarouchés, se précipita sur le sol feuillu en direction d'un grand ricanier, qu'elle escalada.

– Un minaki sauvage ! s'exclama Magda. Oh, comme il est mignon !

Des grelots-chênes et des tintinabulles emplirent l'air d'une douce mélodie cliquetante. Une odoriboule éclata : ses spores, en se répandant, diffusèrent un parfum suave et fleuri. Une colonie de pépieurs prit son vol dans des battements d'ailes et s'éloigna.

– Merveilleux ! brailla Rémiz. Tout est merveilleux !

– … merveilleeeuuux… veilleeeuuux…

– Oui, merveilleux, brave maître, confirma Plumel à son côté. Mais les Grands Bois sont aussi perfides. Plus perfides qu'on pourrait le penser. Il est imprudent d'attirer l'attention sur nous. Nous devons nous déplacer discrètement, sans bruit, et rester vigilants à chaque seconde…

Rémiz hocha la tête, distrait. Ils traversaient une clairière chatoyante plantée d'arbres plus petits : des roséperlés, dont les feuilles en forme de perles brillaient dans la lumière jaune ; des saulichênes pleureurs et des pins fougères. Et là, sur le sol devant lui, une famille comique de kéçakos trottait en longue file, du plus gros jusqu'au plus petit, tous accrochés les uns aux autres par la queue.

– Et ne jamais nous séparer, poursuivait Plumel.

Rémiz se retourna vers lui.

– Sous aucun prétexte, vous ne devez vous écarter seul, comprenez-vous ?

– Oui, répondit Rémiz. Oui, j'ai compris.

– J'espère pour vous, brave maître, que c'est vraiment le cas, conclut Plumel.

Il serra les rênes de son rôdailleur et fit halte près d'un vieil arbre souffreteux, au feuillage rare, à l'écorce effritée, très marqué par les orages et les tempêtes.

– Tenez-moi mon rôdailleur, demanda-t-il à Rémiz.

Ce dernier obéit. Magda et Boris le rejoignirent, et tous trois regardèrent Plumel ôter son sac, grimper sur le dos de sa monture et se hausser vers un trou pourri dans le tronc. Il y plongea une serre.

Nul ne parlait. Nul ne bougeait. Durant leur trajet dans les Grands Bois, Plumel s'était arrêté ainsi à d'innombrables reprises, et ses compagnons avaient appris à ne pas le déranger.

Il s'était posté près de rondins ou de branches cassées puis, après avoir écouté avec attention (la tête dressée, les plumes frémissantes), il avait arraché l'écorce : en dessous se tortillaient des vers pâles et dodus. Il s'était arrêté pour remuer les feuilles sous ses pieds, et avait découvert un nid de vers rouges frétillants. Il avait enfoncé son bec dans le bois tendre, friable, d'un arbre aux berceuses pourrissant, et en avait extirpé une grosse chenille. Chaque trouvaille avait fini dans le sac à provisions.

Boris se pencha en avant.

– Que fait-il à présent ? chuchota-t-il à l'oreille de Magda, qui haussa les épaules.

Depuis qu'il s'était juché sur le dos du rôdailleur, Plumel n'avait plus bougé, hormis sa serre. Scritch scritch scritch. Pointue comme une aiguille, l'extrémité raclait légèrement l'écorce enflée autour de l'orifice. Scritch scritch scritch.

Boris secoua la tête avec impatience. Rémiz tendit le cou pour mieux voir.

Scritch scritch...

Tout à coup, un grand remue-ménage se fit entendre à l'intérieur du tronc, un éclair orange pâle surgit par l'orifice et, à la stupéfaction de Rémiz, de brutales mandibules étincelantes se refermèrent sur la serre recourbée. Plumel ne cilla pas. Le garçon tint solidement le harnais du rôdailleur et regarda de tous ses yeux le guide pie-grièche retirer sa serre du trou dans un mouvement lent, régulier.

La créature apparut. Luisante, elle avait une cuirasse vernie et un corps divisé en une quantité de segments, comme un collier de perles du Bourbier. Sur chaque segment s'agitait une paire de délicates pattes blanches. Soudain, sentant peut-être le danger, désireux de regagner la pénombre, l'animal se tordit et lâcha prise. Mais Plumel fut plus rapide que lui. Plantant son bec dans le trou, il en sortit la créature entière (elle semblait démesurément longue) et la secoua jusqu'au moment où elle fut flasque. Puis il sauta de son perchoir, desserra le cordon de son sac et lâcha sa victime au milieu du reste.

– Un multipattes tacheté, dit-il. Délicieux...

– Délicieux ? répéta Boris. Vous voulez dire que vous les mangez ?

– Bien sûr, brave maître, confirma Plumel. La forêt abonde en nourriture. Il suffit de savoir où chercher.

Rémiz blêmit. Il avait supposé que Plumel recueillait des spécimens intéressants, peut-être pour les vendre à des érudits des Clairières franches.

– Avez-vous l'intention de manger le contenu de ce sac ? demanda-t-il.

– Bien sûr, brave maître, répondit Plumel avec un petit rire guttural.

Il remit le sac sur son épaule et enfourcha son rôdailleur.

– Le soleil baisse, dit-il. Nous devons établir notre camp avant la nuit. Ne vous éloignez pas et ouvrez l'œil. Il nous faut trouver un arbre particulièrement robuste pour dormir. Et ensuite, nous nous occuperons de ce dîner.

– Je meurs d'impatience, murmura faiblement Rémiz.

– Toi d'abord, lança Boris d'une voix méchante, et il fourra sous le nez de Rémiz la brochette où était planté l'asticrevisse.

Rémiz frissonna, mal à l'aise. Il était certain d'avoir vu l'animal gigoter.

– Il n'est pas obligé s'il n'en a pas envie, le défendit Magda. Oh, j'ai tellement faim !

– Mangez ! glousa Plumel. Mangez ! Je les préfère crus, mais ils sont très bons aussi cuits. Allez, ils ne vous mordront pas !

– Je n'en suis pas si sûr, répondit Rémiz en soulevant l'asticot charnu rouge vif.

Il ferma les yeux, ouvrit la bouche et croqua…

– Je ne l'aurais jamais pensé, dit Rémiz, mais c'était délicieux.

– Même le multipattes ? demanda Plumel.

– Surtout le multipattes ! répliqua Rémiz en se léchant les doigts. À propos, est-ce qu'il en reste ?

Plumel fouilla l'intérieur du poêle suspendu.

– Non, finit-il par répondre. Il n'y en a plus. Plus un seul.

– Dommage, déplorèrent en chœur Rémiz et Boris, avant d'éclater de rire.

Ils avaient découvert l'arbre au moment précis où les derniers rayons du soleil s'éteignaient sur le sol de la forêt. C'était un énorme plombinier à large ramure, avec un tronc gris noueux et de vastes branches horizontales. Les rôdailleurs les avaient transportés vers la cime, tantôt bondissant, tantôt s'accrochant, et le soleil était réapparu, jaune sirupeux, d'une chaleur réconfortante.

Dans les hauteurs de l'arbre, les quatre compagnons étaient descendus de leur monture et Plumel avait attaché les animaux. Fatigués par la journée de voyage, ils n'avaient pas tardé à s'endormir. Plumel avait conduit les trois jeunes bibliothécaires au-dessus des rôdailleurs, et leur avait distribué les tâches qui, au fil des jours, deviendraient habituelles.

Magda et Rémiz rassemblaient du petit bois et des bûches. Plumel suspendait à une branche supérieure le poêle de métal qu'il avait transporté sur son dos. Boris nouait les trois hamacs. Puis, une fois revenus, Rémiz préparait un feu dans le poêle arrondi, et Magda l'allumait à l'aide de ses cristaux du ciel. Pendant ce temps, Plumel apprêtait le contenu de son sac en vue du repas : il lavait, coupait en rondelles, assaisonnait et, pour finir, dès que le feu était assez chaud, confectionnait des brochettes qu'il glissait dans le poêle rougeoyant.

À présent, il n'y avait plus de flammes, les braises des différents bois prenaient des couleurs variées – rouge, violet, turquoise – et dégageaient de doux parfums aromatiques tout en susurrant des berceuses apaisantes.

– Je vais bien dormir cette nuit, bâilla Magda.

– Il est temps pour vous tous d'aller vous coucher, déclara Plumel. Installez-vous dans vos hamacs, braves maîtres et maîtresse. Je me percherai au-dessus de vos têtes et ne dormirai que d'un œil. Nous partirons tôt demain matin.

Boris, Magda et Rémiz se hissèrent dans les hamacs oscillants et allongèrent leur corps fatigué. La tiédeur du poêle rougeoyant atténuait la fraîcheur de l'air.

– N'avez-vous pas oublié quelque chose ? demanda Plumel lorsqu'il les observa du haut de son perchoir. Les voiles d'obscurité vous protégeront des yeux inquisiteurs.

Les trois chevaliers bibliothécaires se souvinrent au même instant du cadeau que leur avait fait le professeur d'Obscurité. Ils s'assirent sur leur séant et dénouèrent le foulard enroulé autour de leur cou. Rémiz vit Boris et Magda déployer le tissu mince, le draper autour d'eux et de leur hamac… et devenir invisibles. Avec maladresse, il étala son propre foulard. La soie d'araignée nocturne était aussi douce et fine que de la gaze, presque immatérielle. Lorsqu'il voulut s'en envelopper, le vent s'y engouffra et la fit danser dans l'air comme une ombre.

– Attachez-le à la corde près de votre tête, lui conseilla Plumel. Très bien.

Rémiz se rallongea dans le hamac moelleux, les bras sous la nuque, et regarda en l'air. L'étoffe le cachait totalement, mais elle était transparente, et Rémiz contempla la voûte de feuilles anguleuses qui se découpait, là-haut, sur le ciel éclairé par la lune laiteuse. Alentour, de curieux bruits emplissaient l'atmosphère. Le hululement des hiboux sylvestres et le crissement des filelames. Le toussotement des fromps et le piaillement des quarels. Et très, très loin, le cri modulé d'un ours bandar qui appelait un congénère. Rémiz se sentait au chaud, bien en sécurité ; il sourit, heureux.

– Plumel a dit que la forêt peut être perfide, je le sais bien, souffla-t-il, mais les Grands Bois me semblent toujours un endroit merveilleux, magique…

– Surtout après les horreurs du terrible Perchoir est, ajouta Magda d'une voix somnolente.

– Imagine, continua Rémiz. Un jour, lorsque nous aurons achevé notre formation et que nous entreprendrons notre voyage d'études, nous volerons au-dessus de ces bois.

Magda étouffa un bâillement las.

– J'envisage de me pencher sur le cycle de vie du papillon des bois, murmura-t-elle.

– Du papillon des bois ? dit Rémiz. Moi, je vais étudier les ours bandars.

Le curieux appel modulé retentit de nouveau, plus faible et plus distant.

– Je brûle d'impatience…

– Dors ! commanda Boris.

– Bien dit, maître Boris, approuva Plumel. Une longue journée nous attend.

Comme le vent se levait, il ébouriffa ses plumes.

– Bonne nuit, braves maîtres, bonne nuit, brave maîtresse, souhaita-t-il. Dormez bien.

– Bonne nuit, répondit Boris d'une voix endormie.

– Bonne nuit, Plumel, dit Rémiz.

Magda, déjà assoupie, murmura doucement et se retourna.

Six journées durant, ils voyagèrent ; six longues et dures journées à chevaucher. Passé l'émotion première au cœur de la sombre forêt mystérieuse, l'enthousiasme de Rémiz lui-même déclina. La progression se révélait pénible et, quand il pleuvait au cours de la nuit, ils sortaient de leurs hamacs plus las et plus courbatus qu'au moment du coucher. Mais le terme de l'expédition était encore loin, et ils devaient continuer, quelle que soit leur fatigue.

Plumel les stimulait de son mieux : il les encourageait et les rassurait, leur servait soir après soir des mets délicieux et les félicitait pour leur participation croissante à la cueillette. Cependant, la difficulté du trajet les soumettait à une pression constante, qui commençait à laisser des traces. Boris et Magda se chamaillaient en permanence, et le sommeil de Rémiz était de plus en plus agité.

Le sixième soir, ils dînèrent d'asticots et de champignons dans une atmosphère oppressante. Boris était d'humeur massacrante, Magda prête à pleurer; quant à Rémiz, qui s'était endormi en route et avait glissé de son rôdailleur plus tôt dans la journée, il soignait un genou très meurtri.

– Quelqu'un en veut-il encore ? proposa Plumel, tendant un plateau de ronge-bois grillés.

Les jeunes bibliothécaires refusèrent tous. Plumel posa sur eux un regard plein d'affection.

– Vous êtes si admirables, leur dit-il.

Boris grogna.

– Croyez-moi, affirma Plumel. Je n'ai jamais conduit un groupe aussi courageux et déterminé que vous. Nous avons avancé à un rythme prodigieux. Au point que...

Il claqua du bec.

– Vous serez heureux d'apprendre que notre trajet touche à sa fin.

– Vraiment ? s'enflamma Rémiz.

– Oui, confirma Plumel. Nous approchons des Prés d'argent. Mais je dois vous prévenir... ajouta-t-il, le visage grave, de cette voix aux inflexions rudes qu'ils lui connaissaient bien désormais. C'est la partie la plus périlleuse de notre expédition.

Magda renifla pitoyablement.

– Bien sûr, marmonna Boris, renfrogné.

– Cette zone attire les créatures les plus dangereuses, expliqua leur guide. Les prés, ainsi que les Clairières franches très peuplées, offrent une abondance de proies. Dès le lever du soleil, demain matin, nous devrons être d'une vigilance extrême. Mais ne craignez rien. Nous n'échouerons pas, plus maintenant.

Cette nuit-là, Rémiz dormit plus mal que jamais. Le moindre gloussement, le moindre crissement, le moindre froufrou du vent filtrait dans son sommeil troublé, et ses rêves laissaient la place à des cauchemars – au cauchemar.

– Mère ! Père ! criait-il, mais sa voix se perdait, inaudible, tandis que les preneurs d'esclaves entraînaient ses parents.

Les loups à collier blanc grondaient et hurlaient. Les ravisseurs riaient. Rémiz se détournait, essayait de chasser de sa tête les atrocités qui venaient d'avoir lieu, lorsque...

– Non ! hurla-t-il.

Elle était revenue. Sortie de l'ombre, la créature énorme, terrifiante. Qui s'approchait de lui. De plus en plus près...

– Non ! hurla-t-il de nouveau.

Rémiz ouvrit brusquement les yeux. Il se dressa sur son séant.

– Tout va bien, brave maître, le rassura Plumel.

Le guide pie-grièche, perché au-dessus du hamac, regardait le jeune garçon avec bienveillance.

– P-Plumel, souffla Rémiz. Vous ai-je réveillé ?

– Non, brave maître, répondit Plumel. Les ronflements de Boris s'en sont chargés il y a des heures. Debout, préparez-vous, dit-il avec un gentil sourire. Nous touchons presque au but.

Malgré les paroles de Plumel, l'atmosphère demeura tendue. Ils firent leurs bagages au plus vite et en silence, et se mirent en route alors que le soleil ne frappait pas encore le sol de la forêt. Ils chevauchèrent toute la matinée, puis durant l'après-midi, sans une seule halte.

– Et le sac à provisions ? demanda Rémiz.

– Ce soir, vous vous délecterez de mets plus raffinés, sourit Plumel. De hammel, peut-être. Ou, si vous avez de la chance, de cerf des chênes.

Rémiz scruta les ombres devant eux et secoua la tête.

– Le paysage n'a pas changé, dit-il. Comment savez-vous que les Prés d'argent sont proches ?

Plumel plissa les yeux et son aigrette frémit.

– Je le sens, maître Rémiz, dit-il avec douceur.

Un frisson le parcourut.

– Croyez-moi, ils sont tout près maintenant.

Alors qu'ils continuaient leur chemin, les rôdailleurs devinrent nerveux. Ils s'ébrouaient ; ils roulaient les yeux. Ils piaffaient et agitaient la tête. À un moment donné, la monture de Rémiz s'emballa et, sans la réaction rapide de Plumel, le garçon aurait été emporté seul dans l'immensité de la forêt.

Un peu plus tard, Magda déclara :

– J'ai cru voir quelque chose là-bas. Quelque chose qui nous épiait...

Plumel serra les rênes de son rôdailleur et ouvrit grand les oreilles.

– Courage, maîtresse Magda, dit-il enfin. Ce ne sont probablement que des vorissons en quête de truffes du chêne. Mais nous ferions bien de nous hâter, au cas où.

Magda s'efforça de sourire bravement. Ses camarades l'imitèrent. Mais lorsque des nuages noirs, à frange violette, masquèrent le soleil bas et plongèrent la forêt dans la pénombre, leurs cœurs battirent la chamade.

Il y eut un sifflement puissant, un éclair vert et jaune : un aérover surgit du sous-bois sur leur gauche et traversa devant eux. Les rôdailleurs se cabrèrent, affolés.

– Du calme, dit Plumel. Gardez votre sang-froid.

Rémiz jetait sans cesse des coups d'œil à la ronde, tendait le cou d'un côté, de l'autre, cherchant à saisir ce qu'il entrevoyait rôder dans le demi-jour. Ses yeux distinguèrent une forme sombre qui se glissait derrière un arbre. Il trembla.

Crac.

– Qu'est-ce que c'était ? souffla Boris.

– Ne vous alarmez pas, brave maître, le pria Plumel. La peur amplifie les bruits les plus légers.

Crac.

– Encore, dit Boris, qui regarda autour de lui, nerveux. Par là-bas.

Plumel hocha la tête.

– Restons groupés, chuchota-t-il.

Il talonna son rôdailleur, qui bondit au petit galop. Ses compagnons firent de même.

Crac.

Le son était derrière eux désormais, affaibli.

– Je crois que nous l'avons semé, dit Plumel, plus détendu. Mais, par précaution, nous devons rester silencieux jusqu'à notre arrivée dans les Prés d'argent…

Subitement, quelque chose siffla au-dessus de leurs têtes. Il y eut un bruit sourd, du bois vola en éclats. À quelques centimètres de Magda et de son rôdailleur effarouché, une lance à pointe de silex s'était plantée dans le tronc d'un grand ricanier.

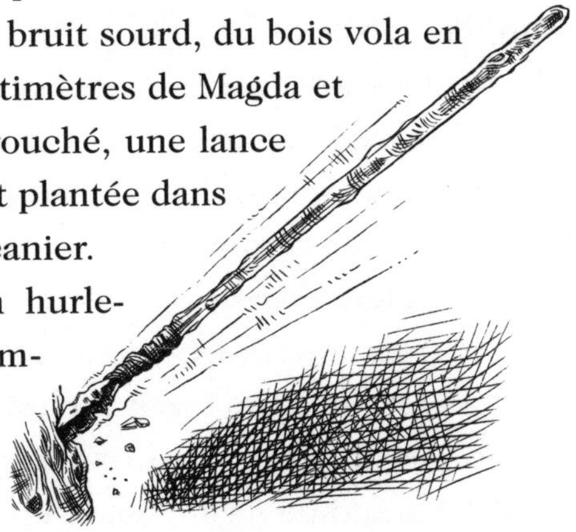

Magda poussa un hurlement. Boris se cramponna de toutes ses forces à sa monture, qui se cabra dans un cri perçant. Une seconde lance siffla, heurta le sol et dispersa les cônes d'arbre de fer qui se trouvaient là.

– Montez dans les arbres ! cria Plumel. Et tentez de ne pas vous séparer !

Mais c'était peine perdue. Alentour, l'air vibra soudain : des voix graves, gutturales, grognant à l'unisson, épouvantèrent les rôdailleurs.

– *Urrgh. Aargh. Urrgh. Aargh. Urrgh. Aargh.*

Les montures terrifiées caracolaient en tous sens, et leurs cavaliers ne parvenaient plus à les maîtriser. Une nouvelle volée de lances jaillit.

– *Urrgh. Aargh. Urrgh. Aargh. Urrgh. Aargh.*

– Rémiz ! Boris ! cria Magda, dont le rôdailleur se démenait et faisait son possible pour la désarçonner. Il ne veut pas grimper ! Je n'arrive pas...

Elle hurla : l'animal s'était emballé.

– À l'aide ! appela-t-elle. À l'aide !

– Tiens bon ! lui répondit Rémiz.

Il tira d'un coup sec sur les rênes et tenta de lancer son rôdailleur à la poursuite de Magda. Mais la bête avait sa propre idée : avant que Rémiz ait pu s'y opposer, elle le jeta à terre et sauta dans les branches basses d'un énorme arbre de fer voisin.

Rémiz entendit leur guide conseiller :

– Restez groupés !

Rémiz se retourna et regarda autour de lui. La voix faible de Magda résonna au loin dans les ombres. Boris et Plumel avaient disparu.

– *Urrgh. Aargh. Urrgh. Aargh. Urrgh. Aargh.*

Le cœur battant à tout rompre, Rémiz leva la tête et vit son rôdailleur perché dans l'arbre de fer. Il se remit debout à grand-peine et poussa un cri lorsqu'une douleur fulgurante transperça son genou blessé. Il retomba sur le sol.

– Viens, mon petit, chuchota-t-il. Viens ici, mon petit.

Du haut de sa branche, le rôdailleur braquait sur lui des yeux écarquillés de terreur. Rémiz serra les dents. Il n'y avait qu'une solution. Puisque le rôdailleur refusait de descendre, il devait se hisser jusqu'à lui.

Le front baissé, il entreprit de se traîner au pied de l'arbre de fer. Il avait l'impression qu'un couteau s'était fiché sous sa rotule et vibrait au moindre mouvement. Plus près. Plus près...

– *Urrgh. Aargh. Urrgh. Aargh. Urrgh. Aargh.*

Brusquement, une nouvelle lance siffla dans l'air. Elle frappa le flanc du rôdailleur. Dans une faible plainte, l'animal tomba comme un cône d'arbre de fer, s'effondra sur le sol et ne bougea plus.

Rémiz se figea. Et maintenant ?

– *Urrgh. Aargh. Urrgh. Aargh. Urrgh. Aargh.*

Les voix scandaient plus fort que jamais. Elles semblaient venir de toutes parts. Rémiz était seul, blessé et tremblant. Il ne pouvait pas courir. Il ne pouvait pas se cacher. Et une créature énorme s'approchait... Dans un élan de panique mêlée de nausée, Rémiz eut le sentiment que son cauchemar devenait réalité.

Alors, il le vit. Grand, brutal, difforme, le monstre rappelait un troglo plouc, mais en plus gros, en plus féroce et en beaucoup, beaucoup plus laid. Sa figure énorme, grossière, était tachée et balafrée. Le nez aplati huma l'air, le front lourd et proéminent se plissa au-dessus des yeux rouges enfoncés qui scrutaient le sol.

Rémiz se recroquevilla sous le tapis de feuilles tendres et retint son souffle. Son seul espoir était que le monstre ne le voie pas.

– *Urrgh !* gronda celui-ci par-dessus son épaule, et un autre troglo apparut.

Le nouveau venu avait des ongles jaunes déchiquetés, de longs cheveux emmêlés.

– *Aargh !* grogna son compagnon, qui tira une lance du gigantesque carquois pendu à son épaule et la brandit. *Aargh !*

Des réponses fusèrent tout autour, et plusieurs autres grands troglos massifs sortirent de l'ombre. Rémiz grelottait de peur. Chaque monstre portait des crânes, des colliers entiers de crânes enfilés sur des lanières de cuir. Mâchoires grimaçantes et orbites vides tournées dans toutes les directions, ils s'entrechoquaient au rythme de la marche des colosses.

– *Aaarrrgh !*

Le premier troglo avait aperçu Rémiz. Leurs yeux se rencontrèrent.

– Non, non, non, murmura le blessé, qui essaya désespérément de fuir sur le derrière, prenant appui sur ses mains tâtonnantes.

Le monstre s'approcha sans se presser. Son bras lourd et musclé recula et l'arme vola.

Rémiz se baissa vivement.

La lance siffla au-dessus de lui et alla se planter dans un fouillis de broussailles. Le monstre prit une autre lance et s'avança à pas lourds, dans les cliquetis de son collier de crânes. Sa bouche s'ouvrit sur des dents longues, dignes de crocs de loup.

– *Aargh !* rugit-il.

Une douleur aiguë monta dans le genou de Rémiz. Il s'écroula. C'était inutile. Il ne pouvait rien faire. Le sol vibrait sous le piétinement lourd, une odeur de graisse

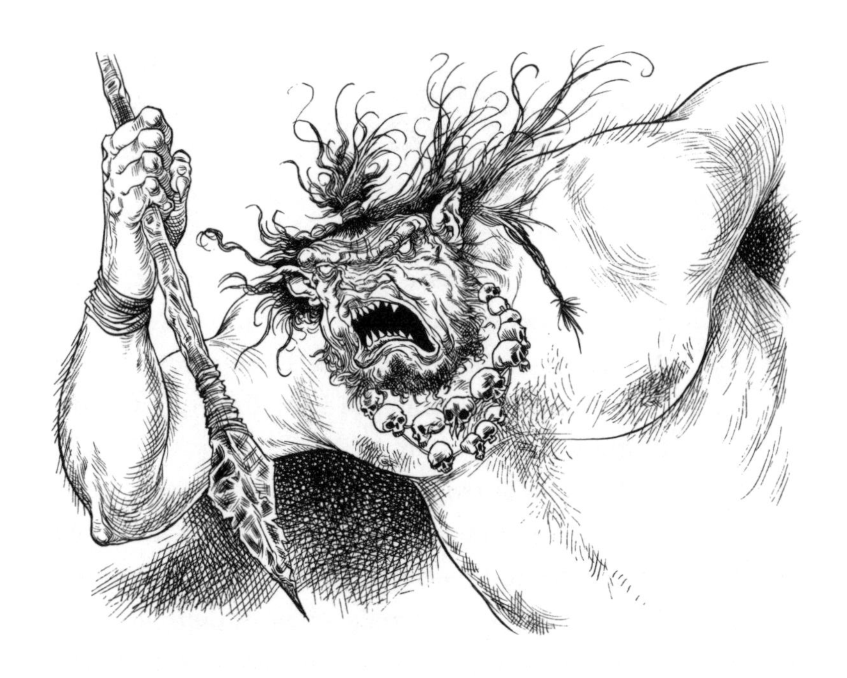

rance flottait. Les facettes du silex brillèrent dans la lumière mouchetée lorsque le troglo leva son arme, prêt à frapper.

– *Aaarrrgh !*

Rémiz ferma les yeux. Son cauchemar se terminait donc ainsi, pensa-t-il amèrement.

À cet instant, il y eut derrière lui des grattements furieux, suivis d'un bruissement sonore. Le troglo laissa échapper un cri.

Rémiz pivota : une nuée de petites créatures anguleuses, d'un noir argenté, sortait des broussailles où avait atterri la lance perdue. Malgré la situation périlleuse, les instincts du véritable érudit terrestre s'éveillèrent en lui. Le long nez pointu et les courtes ailes triangulaires se rattachaient manifestement à la famille des oisorats, qui nichaient autrefois dans les entrailles des grands navires du ciel. Eux aussi volaient en nuées. Mais, contrairement à leurs cousins charognards inoffensifs, ces petites créatures cruelles semblaient bien être des chasseurs.

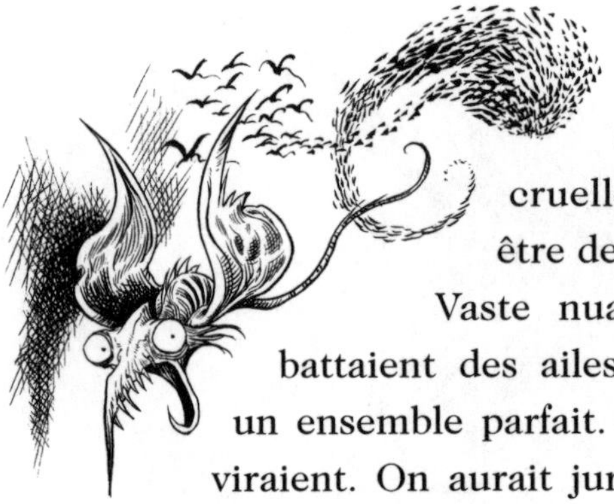

Vaste nuage tournoyant, elles battaient des ailes, innombrables, dans un ensemble parfait. Si l'une virait, toutes viraient. On aurait juré un drap gonflé, qui ballottait et virevoltait au vent.

– *Aargh !* brailla le troglo.

La nuée dévia en plein ciel et fondit sur lui. Le troglo rugit et frappa à toute volée. Plusieurs créatures minuscules tombèrent sur le sol, mais elles étaient si nombreuses que la perte d'une demi-douzaine d'entre elles ne signifiait rien.

– *Arrg...*

Sous les yeux écarquillés de Rémiz, qui oublia sa peur tant il était fasciné, la nuée s'abattit. Elle enveloppa le troglo en un clin d'œil. Des dents claquèrent et broyèrent, mais durant une seconde seulement.

Car, l'instant d'après, les créatures s'envolèrent dans des piaillements sonores.

Rémiz sentit revenir sa peur glacée. Les assaillants avaient dévoré l'infortuné troglo jusqu'à l'os. À l'endroit où il se tenait une minute plus tôt, il n'y avait plus qu'un squelette blanc, surmonté d'un crâne vide et grimaçant, que Rémiz vit se disloquer. L'infâme collier macabre se mêla au reste. La lance tomba par-dessus le tout.

Voyant ce qui était arrivé à leur chef, les autres troglos poussèrent un cri d'alarme.

– *Aargh !* hurlèrent-ils. *Urrgh !*

Ils tournèrent les talons et se ruèrent dans la forêt.

Le nuage de minuscules créatures sanguinaires tourbillonna dans le ciel, tel un immense navire éphémère aux voiles gonflées, puis il vira tout entier pour s'élancer derrière les troglos en fuite.

Durant un moment, Rémiz resta pétrifié, le souffle court et saccadé. Près de lui gisait l'un des cadavres, le cou brisé. Il le ramassa. Il était tout petit, plus petit que la paume de sa main, et couvert d'écailles. Quatre dents, tranchantes comme des rasoirs, pointaient sur les mâchoires flasques.

Rémiz trembla. Seules, ces créatures n'étaient rien ; mais, dès qu'elles se regroupaient, elles se transformaient en un gigantesque prédateur redoutable.

Aussi fasciné que révulsé, Rémiz mémorisa dans les moindres détails la créature minuscule. S'il revenait à la bibliothèque, il la décrirait et la nommerait, et peut-être qu'un jour, un jeune sous-bibliothécaire prendrait son traité, lirait son récit et s'émerveillerait... Il l'appellerait « fluquet ».

Lentement, péniblement, s'appuyant sur l'une des lances abandonnées qui jonchaient le sol, Rémiz se mit debout. Il scruta les ombres lugubres autour de lui. Où qu'il se tourne, la forêt était identique. Il soupira. Il avait échappé aux troglos porteurs de crânes, aux fluquets... mais il se retrouvait seul, perdu dans les profondeurs des Grands Bois.

Durant ses lectures dans la bibliothèque souterraine, il s'était souvent demandé pourquoi tant de voyageurs parlaient de « l'infinité » des Grands Bois. Bien sûr qu'ils n'étaient pas infinis, se disait-il alors. Il suffisait de consulter la carte. Ici, la Lande leur succédait ; là, ils bordaient la forêt du Clair-Obscur... Pourtant, après une semaine de marche au milieu d'eux, le terme «infini» semblait les qualifier à la perfection. Ils étaient si vastes que celui qui s'y égarait pouvait errer éternellement, sans jamais trouver une issue.

Trop effrayé pour appeler ses compagnons, Rémiz se mit en route. Il s'orienta du mieux qu'il pouvait grâce au rougeoiement lointain du soleil. Son genou l'élançait et, les dangers maintenant passés, une faim dévorante l'affaiblissait. Il avançait en trébuchant, jetait des coups d'œil incessants derrière lui, s'efforçait de ne pas crier malgré les bruits de plus en plus sinistres de la forêt.

– Reste calme ! s'ordonna-t-il.

Mais qu'entendait-il ? Un écho de pas... qui progressaient dans sa direction.

– Tout va bien, chuchota-t-il d'une voix étranglée par sa peur envahissante. Ne t'affole pas.

Oui. Oui. C'étaient bel et bien des pas. Lourds, assurés. L'un des terribles troglos porteurs de crânes revenait-il dans l'intention de l'achever ? Il se tapit derrière un large tronc, festonné de lierre velu, et observa anxieusement. Le feuillage s'écarta...

– Plumel ! s'écria Rémiz.

– Maître Rémiz ! s'exclama le guide pie-grièche. Est-il possible que ce soit vous ? Oh, brave maître, le ciel et la terre soient loués !

Rémiz se redressa avec difficulté.

– Mais vous êtes blessé ! Que vous est-il arrivé ?

– C'est mon genou, répondit Rémiz.

Plumel mit pied à terre et se précipita vers le garçon. Il s'accroupit et examina le genou avec attention.

– Il est enflé, déclara-t-il enfin. Mais rien de grave. Asseyez-vous un moment, je vais arranger ça.

Rémiz s'affala lourdement sur le sol. Plumel sortit de son sac un pot de pommade verte, une bande, et entreprit de soigner le genou.

– Avez-vous vu les créatures volantes ? demanda Rémiz. Elles étaient des milliers. Elles ont dévoré le troglo géant jusqu'à l'os en une seconde.

– Pas seulement lui, dit Plumel d'un air sombre, tandis qu'il faisait pénétrer la pommade dans l'articulation.

Rémiz hoqueta de surprise.

– Comment ?... Boris... Magda...

Plumel leva la tête.

– Je parlais des autres troglos, dit-il. Les braves maître et maîtresse sont en sécurité. Ils nous attendent à la lisière des Prés d'argent.

– Le ciel et la terre soient loués, en effet, souffla Rémiz.

– Voilà, dit Plumel, qui noua solidement les extrémités de la bande. Maintenant, je vais vous hisser sur mon rôdailleur.

Ils partirent au petit trot ; Plumel tenait les rênes et Rémiz s'accrochait à la selle derrière lui. À mesure qu'ils avançaient, les arbres s'éclaircissaient autour d'eux. Un vent de face, qui leur fouettait le visage, chassa les nuages noirs et, pour la première fois de la journée, alors que des rayons de soleil chauds illuminaient le sol de la forêt, Rémiz reprit confiance en l'avenir.

– Nous sommes tout près, annonça Plumel, et il montra une rangée de grands ricaniers. Ces arbres marquent la limite des prés.

Rémiz sourit jusqu'aux oreilles. Ils avaient réussi. Un instant plus tard, son bonheur fut complet.

– Regardez ! s'écria-t-il. Magda et Boris !

– Vous avez raison, brave maître, répondit Plumel. Mais… Oh non ! s'exclama-t-il, les plumes hérissées, les yeux presque exorbités. Qu'est-ce donc ?

– Quoi ? Quoi ? dit Rémiz.

Il chercha avec attention l'indice d'un danger, mais n'en vit pas. Boris et Magda avaient mis pied à terre près d'un long rondin, attaché les rôdailleurs à un ricanier voisin et, le dos tourné, ils contemplaient les prés devant eux.

– Qu'y a-t-il ? demanda Rémiz, soudain effrayé.

Plumel secoua les rênes et talonna le rôdailleur.

– Prenez garde, maître Boris ! cria-t-il alors qu'ils s'élançaient à toute vitesse, mais le vent emporta son avertissement. Maîtresse Magda !

– Qu'est-ce que c'était ? dit la jeune fille.

– Je n'ai rien entendu, répondit Boris avec un haussement d'épaules, et il s'assit sur le rondin.

Magda se retourna.

– Regarde ! s'enthousiasma-t-elle. C'est Plumel. Et Rémiz est avec lui !

Boris fronça les sourcils.

– Pourquoi galopent-ils à ce train-là ? Et pourquoi font-ils de grands signes ? Ces horribles troglos trucs ne sont tout de même pas…

Magda sauta sur le rondin pour mieux voir.

– Je ne crois pas, dit-elle. Il n'y a personne à leurs trousses.

Elle mit ses mains en cornet autour de sa bouche.

– Que vous arrive-t-il ? demanda-t-elle. Un problème ?

– Cessez d'agiter les bras, brave maîtresse ! répliqua Plumel. Et fuyez de là ! Tous les deux !

Rémiz connaissait suffisamment Plumel pour comprendre que Magda et Boris couraient un très grave péril.

– Sauvez-vous ! hurla-t-il. Sans délai !

Tout à coup, il y eut un grondement sinistre et un sifflement sonore. Le sol trembla. Les feuilles mortes s'envolèrent. Deux fromps passèrent comme des flèches et disparurent.

Horrifié, incrédule, Rémiz vit le rondin sur lequel se tenaient Magda et Boris frémir, pivoter et se cabrer soudain. Il se tordit. Il oscilla. Il s'ouvrit à une extrémité, des crocs aigus apparurent, ainsi qu'une gorge sombre, profonde… Il mugit et souffla dans une fureur sanguinaire.

– Boris, murmura Rémiz. Magda…

Chapitre 10

Les Prés d'argent

Rémiz regarda, épouvanté, l'énorme créature déchaînée se hausser sur un coussin d'air qui jaillissait d'une série d'orifices, semblables à des nœuds, le long de son corps moussu.

– Un verrondin ! cria Plumel. Filez !

Il talonna sa monture avec vigueur.

Boris tomba lourdement juste derrière le ver pneumatique et demeura inerte. Magda atterrit près des rôdailleurs qui, attachés, se tortillaient et se cabraient de peur tandis que le verrondin virevoltait en plein élan.

– Boris ! appela Magda lorsque l'immense gueule béante dévia vers son compagnon à terre. Attention !

Le verrondin se tourna aussitôt en direction de sa voix. Magda poussa un hurlement. Les rôdailleurs se débattaient, hennissaient et roulaient des yeux terrorisés. Le monstre braqua son anneau d'yeux verts sur les animaux terrifiés.

– Par pitié, Magda ! cria Rémiz en selle derrière Plumel. Va-t'en d'ici...

Un sifflement assourdissant noya ses paroles. L'énorme bouche du verrondin s'était mise à tout aspirer avec une force irrésistible. La créature se baissa, engloutit un tourbillon de feuilles et de cônes, puis fondit sur Magda et les rôdailleurs morts de peur. Dans des cris perçants, ils luttèrent contre la tornade, et la jeune fille agrippa désespérément leurs longes tendues à l'extrême.

– Magda... souffla Rémiz.

Plumel arrêta leur rôdailleur dans un dérapage, bondit sur le sol et s'élança vers elle.

– Brave maîtresse ! s'écria-t-il en la saisissant par le poignet.

La cape de Magda se gonfla dans la spirale tournoyante tandis que le guide l'arrachait au danger, juste à temps.

Il y eut un claquement sec : la première longe avait cassé net sous l'effet de la tension, et l'un des rôdailleurs culbuta en hurlant vers la gueule du verrondin. L'animal disparut à l'intérieur du gouffre. Dans des craquements affreux, le corps du verrondin s'arqua et tressaillit, écrasant sa proie qui continuait à hurler.

Plumel, entraînant Magda, arriva près de Boris et tira sur sa chemise.

– Levez-vous, brave maître, lui dit-il. Debout !

Le chevalier bibliothécaire gémit.

À cet instant, il y eut un nouveau claquement, et le second rôdailleur fut absorbé dans un cri perçant. Le verrondin eut une éructation tonitruante.

Plumel et Magda remirent Boris sur ses pieds, puis ils s'éloignèrent du monstre ondulant à pas mal assurés. Rémiz enfonça les talons dans les flancs de sa monture affolée.

– Allons, mon gars. Ils ont besoin de notre aide. Hop là ! s'exclama-t-il.

Le rôdailleur, terrifié, lança un cri à déchirer les tympans et se cabra. Alors, le verrondin s'en prit à eux, et Rémiz vit par-dessus son épaule la gorge rouge sang de la créature. Le cercle d'yeux verts le fixait avec une intensité malveillante. Le verrondin laissa échapper un sifflement sinistre et, orienté dans leur direction, avala tout ce qui se trouvait sur son passage par énormes bouchées convulsives.

Rémiz sentit le rôdailleur céder à l'aspiration. Il avait l'impression d'être au cœur d'un cyclone. Il tira sur les rênes, farouchement décidé à expulser sa monture de la spirale infernale qui les conduisait toujours plus près de la terrible gueule béante. Soudain, dans un claquement sec, le harnais se rompit. Les rênes lui restèrent dans les mains.

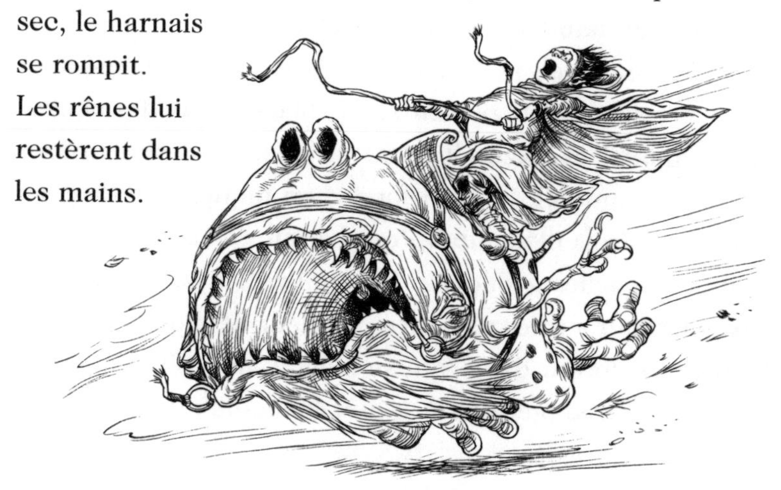

– Non, gémit-il, et il jeta les lanières de cuir désormais inutiles pour s'accrocher de toutes ses forces au cou de sa monture.

– Choisis un adversaire à ta mesure ! hurla Plumel et, se retournant, Rémiz aperçut leur guide chétif, les plumes gonflées, l'œil étincelant, asséner de furieux coups de branche sur le sol.

Hors de lui, le colossal verrondin rugit et pivota pour attaquer la pie-grièche. Brindilles, feuilles, cailloux et terre voltigèrent.

Soudain libéré, le rôdailleur détala aussi vite que ses puissantes pattes le lui permettaient. Rémiz s'accrocha avec l'énergie du désespoir tandis qu'ils se précipitaient avec fracas entre les ricaniers subitement clairsemés, puis débouchaient dans la vaste étendue lumineuse des Prés d'argent eux-mêmes.

Rémiz éprouva un soulagement sans bornes. Immenses, légèrement ondoyants, les prés étaient spectaculaires. D'épaisses rayures noires et brunes striaient leur tapis gris-vert argenté, troupeaux de hammels et de tildes migrateurs s'étirant à perte de vue.

Le large ciel, maintenant dégagé, était parsemé d'oiseaux : une nuée de pépieurs, un vol d'oiseaux des neiges, des milouettes gazouillantes, un faucon des clairières presque immobile, prêt à fondre en piqué, et là-bas, au loin, un oisoveille solitaire qui battait des ailes, paisible. Au-dessous, les troupeaux innombrables se mouvaient avec lenteur sur les pâturages. L'odeur de moisi tiède des fourrures flottait dans l'air, se mêlant au parfum appétissant de l'herbe piétinée. Les meuglements profonds grondaient, sonores…

Un sifflement fendit l'air dans son dos. Le verrondin ! Sans oser se retourner, Rémiz stimula son rôdailleur. L'énorme bête les avait donc suivis sur cette vaste étendue d'herbe. Devant eux, un grand troupeau de hammels hirsutes barrit, fit volte-face et s'enfuit dans un nuage de poussière.

Le verrondin avait presque rattrapé les fuyards. Rémiz sentait la tornade secouer sa cape, son pantalon, ses cheveux, tandis que son rôdailleur haletait, exténué.

– Plus vite ! Plus vite ! le pressa Rémiz, désespéré. Ne t'écroule pas maintenant !

Le rôdailleur s'ébroua, aux abois. Il avait donné tout ce qu'il avait ; il n'en pouvait plus. Se cramponnant à pleines mains, Rémiz se pencha vers lui.

– Tu as fait de ton mieux, lui chuchota-t-il.

Le rôdailleur trébucha. Rémiz lança un cri. Ils percutèrent le sol tapissé d'herbe douce, parfumée, et Rémiz culbuta loin de sa monture. La gueule béante du verrondin plana au-dessus d'eux, proche, de plus en plus proche…

– Non ! hurla-t-il. Pas ça !

Tout à coup, du coin de l'œil, il entrevit un mouvement flou. Une seconde plus tard, il y eut un choc violent, qui lui coupa le souffle, et, dans une confusion de mains, de bois luisant et de voiles claquantes, il décolla du sol.

Rémiz resta bouche bée. Il montait, montait en flèche dans le ciel.

– Juste à temps, l'ami, dit une voix derrière lui.

Rémiz tendit le cou. Il était sur un esquif du ciel ! Oui, il volait ! Et derrière lui, à califourchon sur un siège étroit, se trouvait le pilote, un jeune égorgeur mince, portant une combinaison et des lunettes de vol. L'esquif fit une embardée à gauche.

– Ne bouge pas, l'ami, dit l'égorgeur d'un ton ferme. Ma jolie n'a pas l'habitude des passagers.

Rémiz se retourna ; il avait peine à croire ce qui lui arrivait. Il enlaça la figure de proue taillée à coups de hache et s'accrocha solidement, le cœur en joie.

Il volait !

Loin au-dessous, un long cri de désespoir retentit. Rémiz baissa les yeux : le brave rôdailleur infortuné disparut dans les entrailles du verrondin vorace. Il y eut une ultime plainte déchirante. Puis plus rien. Rémiz frissonna, et faillit lâcher la figure de proue.

– Hé ho, du calme, l'ami ! lança le pilote. C'est ton baptême de l'air ?

Rémiz confirma et essaya de ne pas regarder en bas.

À cet instant, le fragile esquif heurta une zone de turbulences. Il cahota et piqua du nez, puis descendit en vrille. Les mains du pilote s'empressèrent de manœuvrer une série de cordes, levant des poids, réorientant les voiles, pendant que ses pieds, dans de fins étriers incurvés, assuraient l'équilibre de l'esquif. La respiration courte, la peur au ventre, Rémiz voyait le sol s'approcher à vive allure.

– Je sais, je sais, marmonna l'égorgeur entre ses dents, alors qu'il tirait deux cordes à la fois. Tu n'es pas bâtie pour deux, hein, ma vieille ?

Soudain, la chute en vrille s'interrompit et l'esquif remonta en flèche dans le ciel... mais une bourrasque féroce le frappa de biais. L'estomac de Rémiz tressauta tandis que le vent de côté menaçait à tout moment de les précipiter dans une nouvelle spirale terrifiante. Les voiles rapiécées se gonflaient et se dégonflaient, d'un côté, de l'autre...

– Au secours ! cria Rémiz malgré lui.

Le vent impétueux emporta son appel. Il jeta un coup d'œil par-dessus son épaule.

Avec une grimace sévère, le jeune égorgeur tenait les leviers de commande d'une main ferme. L'esquif vibra violemment, prêt à se disloquer.

– Tout doux, ma jolie ! câlina-t-il pendant que, faisant contrepoids dans les étriers, il luttait avec le fouillis de cordes.

Rémiz retint son souffle.

Très, très lentement, le front plissé tant il se concentrait, l'égorgeur fit pivoter l'esquif. Ses pieds en équilibre attendaient le moment où le vent viendrait de l'arrière. Rémiz se cramponna au bois sculpté, à tel point que ses articulations blanchirent...

Tout à coup, il y eut une secousse brutale. Le vent venait juste dans leur dos. Les voiles se gonflèrent, les cordes se tendirent. Avec une embardée affreuse et un craquement sinistre, l'esquif partit en trombe.

Rien n'avait préparé Rémiz à cette accélération subite. La vitesse le plaqua en arrière, le suffoqua et lui déforma les coins de la bouche. Il ferma les yeux de toutes ses forces.

– Youpi ! Youpi ! Hourra ! entendit-il un peu plus tard.

Il fronça les sourcils, incrédule. L'égorgeur s'amusait-il vraiment, ou la peur l'avait-elle rendu fou ?

Rémiz risqua un nouveau coup d'œil par-dessus son épaule. Ils fonçaient à une allure folle, leur angle d'ascension était alarmant... malgré tout, l'égorgeur semblait contrôler la situation. Debout dans les étriers, il ramenait les cordes une par une, afin de réduire le renflement de chaque voile, tout en maintenant avec adresse l'équilibre de l'esquif.

– Youpi ! Youpi ! Hourra ! s'écria-t-il de nouveau.

Pas de doute : il s'amusait.

Devant lui, Rémiz aperçut une haute tour, masse de bois grossièrement taillée qui paraissait surgir des prés, telle une aiguille colossale. Juste au-dessous de la pointe, Rémiz distingua une série de plates-formes et de passerelles rudimentaires ornées de lanternes qui, même dans la lumière des prés, semblaient rougeoyer.

– Ma beauté, je savais que tu en étais capable, murmura l'égorgeur à voix basse. Nous y sommes presque... Nous y sommes presque...

Il tira sur une épaisse corde noire tressée au-dessus de sa tête, et la voile à gauche de Rémiz monta.

L'effet fut immédiat. Au lieu de continuer sa course en ligne droite, l'esquif entreprit une lente trajectoire hélicoïdale, décrivant une spirale dans le ciel comme une graine d'érable des bois emportée par le vent. Arrivé près de la haute aiguille de la tour, il descendit, s'approcha peu à peu d'une plate-forme en planches raboteuses, sur laquelle il se posa. Rémiz s'effondra en avant, aussi enthousiasmé qu'épuisé. L'égorgeur arracha ses lunettes de vol et bondit de son siège, le visage rayonnant de fierté.

– Oui, sourit-il, et il caressa la proue sculptée de l'esquif. Je savais que tu ne me décevrais pas.

Il parut songeur, tout à coup.

– Le professeur d'Obscurité, qu'y connaît-il ? Selon lui, un esquif du ciel ne peut transporter que son pilote. Eh bien, nous lui avons prouvé le contraire, Guêpe des bois, n'est-ce pas, ma vieille ?

Il donna une petite tape affectueuse à la figure de proue.

Rémiz tapota l'épaule de son sauveur.

– Je m'appelle Rémiz Gueulardeau, et je voudrais te remercier du fond du cœur, commença-t-il.

Après un instant de silence, il reprit :

– As-tu parlé du professeur d'Obscurité ? Es-tu apprenti, toi aussi ?

L'égorgeur baissa les yeux en riant.

– Moi, Trapèze, un apprenti ? Non. Je suis un simple berger. Le professeur est… une de mes connaissances.

Il se tourna vers Rémiz comme s'il le découvrait à l'instant.

– Mais tu voles tellement bien, dit le chevalier bibliothécaire. Qui t'a enseigné cet art, si ce ne sont pas les maîtres du Débarcadère du lac ?

– J'ai appris seul, répondit Trapèze, et il caressa la figure de proue avec tendresse. Je l'ai construite en totalité. Bien sûr, je suis le premier à reconnaître qu'elle n'est pas le plus bel esquif qui ait jamais volé, mais *La Guêpe des bois* est une créature remarquable. Obéissante. Sensible. Alerte…

– Tu en parles comme d'un être vivant, observa Rémiz, intrigué.

– Oui, et c'est là, en résumé, le secret de la navigation aérienne, répondit Trapèze d'un ton convaincu. Si tu traites ton esquif en ami, avec amour, tendresse et respect, il te le rendra au centuple. Lorsque j'ai vu que tu avais des ennuis avec ce verrondin, c'est *La Guêpe des bois* elle-même qui m'a incité à te porter secours. « Nous en sommes capables ! m'a-t-elle dit. Toi et moi, ensemble ! » Et elle avait raison.

– Le ciel et la terre en soient remerciés, dit doucement Rémiz. Sans vous, je serais mort.

Soudain, tout autour d'eux, des voix retentirent. Rémiz regarda au-delà de la plate-forme : une bonne demi-douzaine d'esquifs, conduits chacun par un pilote unique, dessinaient une courbe dans leur direction. Les pilotes étaient manifestement des égorgeurs, comme Trapèze, avec leur chevelure flamboyante et leur combinaison de vol en cuir. Ils agitèrent les bras, enthousiastes.

– C'était époustouflant, Trapèze ! s'écria l'un.

– Le plus incroyable numéro de vol que j'ai admiré de toute ma vie ! s'extasia un autre.

– Et avec deux personnes à bord ! ajouta un troisième, impressionné. Si je ne l'avais pas vu de mes propres yeux, je ne l'aurais jamais cru possible !

Tour à tour, ils posèrent leur esquif sur les plates-formes inférieures, mirent pied à terre et escaladèrent des échelles oscillantes pour venir les rejoindre. Trapèze baissa la tête.

– Ce n'était rien, dit-il, modeste, presque intimidé. Tout le mérite revient à *La Guêpe des bois* ici présente, cette petite beauté…

– Mais tu es un excellent pilote ! l'interrompit Rémiz. Il est descendu en piqué pour m'arracher aux mâchoires du verrondin, expliqua-t-il aux autres. Il s'est démené contre les trous d'air et les coups de vent… Vous auriez dû voir ce spectacle ! déclara-t-il, ébloui.

Il pivota vers le jeune égorgeur.

– Trapèze, ici présent, a été magnifique ! Il m'a sauvé la vie !

– Et toi, qui es-tu ? demanda un petit égorgeur musclé en s'avançant.

– Un marchand, à mon avis, affirma quelqu'un.

– Sans doute l'un de ces apprentis, supposa un autre.

– Il est en effet apprenti, répondit Trapèze à sa place. Il s'appelle Rémiz Gueulardeau.

– Je voyageais avec deux autres apprentis, enchaîna Rémiz. Un guide pie-grièche nous emmenait dans les Clairières franches. Les avez-vous vus ? Savez-vous s'ils sont sains et saufs ?

– Une pie-grièche ? demanda Trapèze, et il plissa le nez.

Ses camarades grommelèrent à voix basse. Le groupe d'égorgeurs détestait les pies-grièches, manifestement.

– Il ne ressemble pas à ses congénères, leur assura Rémiz. Il est gentil, prévenant…

– Ouais, ouais, et moi je suis une saucisse de tilde ! dit une grosse voix, et tous éclatèrent de rire.

– Tu voles comme une saucisse de tilde, c'est sûr, répliqua un facétieux, et les rires redoublèrent.

Trapèze se tourna vers Rémiz.

– Viens, invita-t-il, et il prit son nouveau compagnon par le bras. Nous aurons une meilleure vue depuis la plate-forme ouest. De là-bas, nous apercevrons peut-être tes amis.

Rémiz se pencha du haut de la plate-forme ouest et demeura stupéfait. Sur le sol, loin au-dessous de lui, les troupeaux de tildes et de hammels étaient pareils à des fourmis des bois dans la lumière déclinante. Il saisit la balustrade, nerveux.

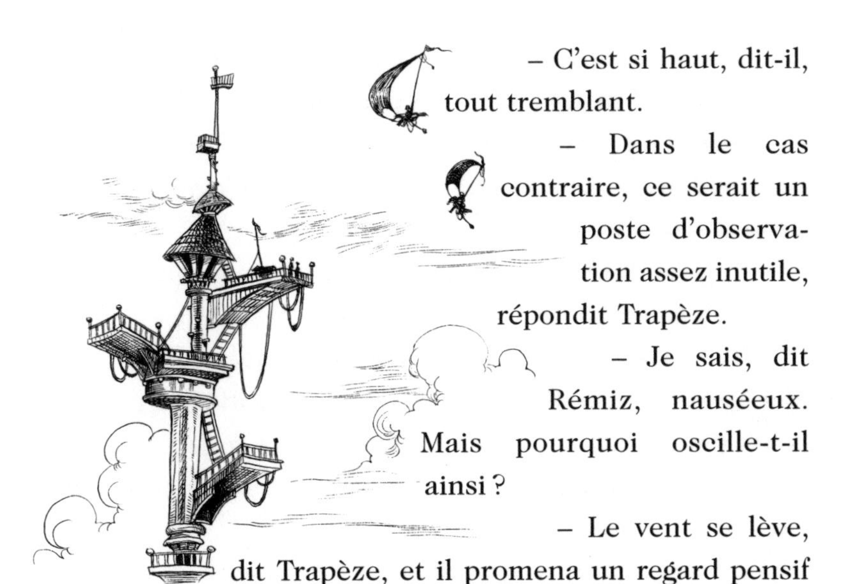

– C'est si haut, dit-il, tout tremblant.

– Dans le cas contraire, ce serait un poste d'observation assez inutile, répondit Trapèze.

– Je sais, dit Rémiz, nauséeux. Mais pourquoi oscille-t-il ainsi ?

– Le vent se lève, dit Trapèze, et il promena un regard pensif sur l'horizon. Il semble qu'une tempête du ciel se prépare.

Rémiz fronça les sourcils et se tourna vers Trapèze.

– Une tempête du ciel ? demanda-t-il. Avec du tonnerre et des boules de feu ?

– Oui, rit Trapèze, et des grêlons gros comme le poing, si tu as de la chance.

– Gros comme le poing, répéta doucement Rémiz.

L'égorgeur le dévisagea, perplexe.

– Serait-ce que tu n'as jamais vu de tempête du ciel ?

– Pas que je me souvienne, avoua Rémiz, mélancolique. J'ai grandi dans un monde de canalisations et de salles souterraines, humides, fermées, éclairées par la lumière artificielle…

Il renversa la tête en arrière et se laissa inonder par les chauds rayons dorés du soleil.

– Rien de comparable à ici. Quant au climat, dit-il en regardant de nouveau Trapèze, tout ce que j'en connais, je l'ai appris dans des manuscrits d'écorce et des traités.

– Alors tu n'as jamais humé le parfum d'amandes grillées qui flotte dans l'air quand la foudre s'abat ? Ni entendu la terre trembler quand le tonnerre gronde ? Ni senti le doux baiser glacé d'un flocon de neige qui se pose sur ton nez ?...

Trapèze remarqua soudain que son compagnon rougissait et se tut.

– Mais je t'envie, Rémiz Gueulardeau, reprit-il. Ce doit être merveilleux de découvrir ces sensations à un âge où on peut réellement les apprécier.

Rémiz sourit. Il n'avait pas songé à cet aspect des choses.

– Maintenant, voyons si nous réussissons à repérer tes amis, enchaîna Trapèze. Ils doivent continuer leur chemin à pied, puisque le verrondin a englouti vos rôdailleurs.

– Je l'espère, répondit Rémiz, tout en suivant le regard de l'égorgeur à travers les plaines argentées, audessus des hammels occupés à paître.

– Tu viens de là-bas, indiqua l'égorgeur. Du Perchoir est. Si tu regardes bien, tu distingueras la cime de sa pointe.

Rémiz hocha la tête. Le soleil, devenu orange foncé, bas dans le ciel, plongeait les arbres dans la pénombre. La pointe se découpait telle une aiguille ; à son sommet, une lumière s'éclaira. Le bras de Trapèze indiqua une région plus lointaine.

– Là-bas se trouvent les Nations gobelines, et là-bas, plein sud, la Clairière des fonderies. Vois-tu comme le ciel est obscur dans toute cette zone ? C'est la fumée sale que crachent continuellement les cheminées des usines.

Et Rémiz discerna, dans le lointain, les lourds nuages noirs teintés de rouge.

– Cet endroit semble terrible, constata-t-il.

– Suis mon conseil, l'ami, dit Trapèze d'un ton grave. La Clairière des fonderies n'est pas pour nous. Dix fois plus horrible qu'Infraville, à ce qu'il paraît : des fourneaux féroces, des esclaves…

– Des esclaves ? s'écria Rémiz, choqué.

– Et pire encore, dit Trapèze d'un air sombre. Rien de commun avec les Clairières franches… qui, elles, méritent d'être vues, crois-moi ! sourit l'égorgeur.

– Dans quelle direction se situent-elles ? demanda Rémiz.

Trapèze le fit pivoter, jusqu'au moment où il eut le soleil couchant dans le dos.

– Par là-bas, indiqua-t-il. Juste derrière cette crête d'arbres de fer. C'est le plus bel endroit de la Falaise.

– Si près ? dit Rémiz, tout tremblant d'émotion.

Alors qu'il scrutait les ténèbres, un mélange de bonheur et de tristesse l'envahit. Enchanté d'apprendre qu'il

était presque arrivé à destination, il avait, durant un instant, oublié que ses compagnons n'étaient pas avec lui...

– Rémiz !

Apportée par le vent tourbillonnant, la voix résonnait de l'autre côté de la tour.

– Rémiz !

– Magda ? dit Rémiz, qui se dépêcha d'aller vérifier.

Il s'accrocha à la balustrade rugueuse et se pencha. Un groupe d'égorgeurs, aussi petits que des fourmis, regardaient en l'air. Lorsque le visage de Rémiz apparut, tous s'agitèrent et appelèrent à la fois :

– Viens vite !

– Descends !

– Tes amis...

Et ils poussèrent trois personnages en avant.

Rémiz lança un cri de joie.

– Magda ! Boris ! Plumel !

Il virevolta, dégringola les échelles qui conduisaient aux passerelles et dévala pour finir un escalier grinçant tout en zigzags.

– Rémiz ! s'écria Magda lorsqu'il surgit au pied de la tour, et elle se précipita pour l'embrasser avant de fondre en larmes. Nous... nous pensions t'avoir perdu définitivement, sanglota-t-elle. Puis nous avons vu cet égorgeur piquer vers le sol...

– Et j'ai cru vous voir vous accrocher, brave maître, ajouta Plumel.

– Vous ne vous trompiez pas, sourit Rémiz, radieux, et il montra Trapèze, qui l'avait suivi en bas. Trapèze, que voici, m'a sauvé la vie.

Plumel se tourna vers l'égorgeur.

– Vous êtes un véritable ami des études terrestres et célestes, lui dit-il.

Trapèze acquiesça, hésitant. Parler à une pie-grièche le perturbait, de toute évidence.

– Merci, murmura-t-il. J'ai simplement fait ce que n'importe qui aurait fait.

Magda s'écarta de Rémiz pour étreindre l'égorgeur ébahi.

– Tu es trop modeste, Trapèze ! s'exclama-t-elle. Merci, merci et encore merci, dit-elle en lui plantant trois baisers sur le front.

Les autres égorgeurs lancèrent une clameur approbatrice. Trapèze rougit, et sa peau habituellement écarlate vira au cramoisi.

La voix de Plumel couvrit le vacarme.

– Il est temps que nous partions, annonça-t-il.

Il ignora les protestations et refusa poliment le gîte et le couvert pour la nuit, puis il leva les ailes afin de réclamer le silence.

– Ce soir… commença-t-il.

Les égorgeurs se turent.

– Ce soir, nous dînerons et dormirons dans les Clairières franches.

Des hourras fusèrent. Et, tandis que Plumel entraînait sa petite troupe, les égorgeurs leur firent de grands signes en criant :

– Bonne chance !

– La terre et le ciel vous accompagnent !

– Ne nous oubliez pas !

Rémiz se retourna.

– Jamais ! répondit-il. Je ne vous oublierai jamais ! Au revoir, Trapèze ! Au revoir !

Le soleil était couché maintenant ; derrière eux, les couleurs de l'horizon s'étaient ternies et réduites à un pâle ruban de lumière. Au-dessus de leurs têtes, les étoiles s'allumaient et, alors qu'ils gravissaient le flanc de la crête aux arbres de fer, les premières créatures nocturnes lançaient déjà leurs appels dans l'obscurité.

– Les Clairières franches, souffla Rémiz. Si proches.

– Nous y sommes presque, dit Plumel.

La pente était douce, mais elle paraissait interminable. Chaque fois qu'ils croyaient avoir atteint le sommet, la montée se prolongeait. La lune se leva, brillante. Rémiz épongea son front luisant.

– C'est plus loin que je ne le pensais, avoua-t-il. Trapèze semblait dire que...

– Chut !

Plumel s'arrêta et dressa la tête.

– L'entendez-vous ? chuchota-t-il.

Rémiz tendit l'oreille.

– Oh, non, gémit-il en percevant, sur sa droite, le sifflement caractéristique si bien connu. Ce n'est pas possible.

– Un verrondin, dit Magda.

– J'en ai peur, chuchota Plumel, nerveux. Les bois qui bordent les prés en sont infestés. Les proies abondent.

– Qu'allons-nous faire, Plumel ? murmura Boris.

Rémiz remarqua que la voix du garçon avait perdu son arrogance habituelle.

– Trouvez un arbre, chuchota Plumel, et grimpez aussi vite et aussi discrètement que vous le pourrez. Allez-y !

Ils obéirent. Prompts et silencieux, ils escaladèrent un arbre de fer et se tapirent comme des oisorats dans ses immenses branches, dissimulés par leurs capes en soie d'araignée. Le sifflement augmenta tandis que le verrondin s'approchait, et des feuilles tourbillonnèrent dans l'air. Un instant plus tard, l'énorme gueule baveuse du monstre apparut entre les arbres ; ses yeux et ses dents étincelèrent sous le clair de lune.

Les trois bibliothécaires retinrent leur souffle et restèrent aussi immobiles que leurs cœurs battants et leurs membres tremblants le leur permettaient. Rémiz exhorta la créature à s'en aller.

Pars, pars, pars…

Soudain, l'atmosphère s'assombrit : un nuage masquait la lune. Rémiz jeta un coup d'œil vers le sol. Des ailes bruissaient.

– Des fluquets ! s'exclama-t-il.

– C'est bien leur nom, marmonna Boris à côté de lui.

Le verrondin siffla plus fort et se tourna dans leur direction. Rémiz se recroquevilla. Au-dessous d'eux, la nuée vrombissante des fluquets montait en spirale dans les ténèbres comme une grande pointe de flèche. Puis la

lune resurgit et sa clarté illumina les innombrables ailes noires argentées. Les fluquets fonçaient droit sur eux.

Rémiz gémit. Si le verrondin ne les attrapait pas, les fluquets s'en chargeraient. Dire qu'ils étaient si près du but...

Subitement, sans prévenir, le verrondin dévia pour faire face à la nuée. Horrifié, Rémiz le vit se contracter. Le vaste tunnel obscur se mit à aspirer les fluquets.

Le monstre se tordait et se trémoussait au fur et à mesure qu'il avalait les petites créatures ; son sifflement aigu évoquait une grosse bouilloire laissant échapper un jet de vapeur. Lorsque le dernier fluquet fut absorbé, Rémiz se tourna vers Plumel.

– Il les a tous engloutis, dit-il.

– Bien au contraire, brave maître, démentit Plumel. Dans les Grands Bois, les apparences sont souvent trompeuses.

– Mais... commença Rémiz.

À cet instant, le verrondin poussa un cri de douleur assourdissant. Le hurlement résonna parmi les arbres, fit frémir les feuilles, et Rémiz sentit ses poils se hérisser sur sa nuque. Il regarda, pétrifié, le verrondin entier disparaître sous ses yeux. Les fluquets le dévoraient de l'intérieur, totalement, intégralement ! Durant une seconde, la nuée gigantesque conserva la forme du rondin pneumatique qu'elle venait d'ingurgiter. Puis, comme à un signal invisible, les fluquets virevoltèrent dans l'air – non plus ensemble, mais seuls ou par deux – et s'envolèrent dans toutes les directions.

Les jambes flageolantes, Rémiz descendit de l'arbre de fer.

– Je... je ne comprends pas, dit-il. Pourquoi la nuée s'est-elle dispersée ainsi ?

Plumel quitta lui aussi leur refuge et se planta près de Rémiz.

– La frénésie de nourriture est passée, expliqua-t-il. Les fluquets ne se regrouperont que lorsque la faim les y poussera de nouveau. Maintenant, dit-il avec un rire dénué de moquerie, c'est au tour d'autres créatures de se nourrir. Beaucoup de volatiles vont être capturés par des prédateurs.

Rémiz secoua la tête, émerveillé. Il avait lu tant de pages sur le fragile équilibre naturel des Grands Bois, sur la lutte continuelle entre les prédateurs et leurs proies. À présent, il en faisait directement l'expérience. C'était fascinant de voir que tout s'imbriquait. Que nulle créature ne semblait jamais prendre le dessus. Que le vainqueur devenait la victime, la victime devenait le vainqueur, selon tout un processus, violent mais complexe, qui se répétait à l'infini.

Rémiz pensa au traité à venir, aux ours bandars qu'il voulait étudier. Eux, en revanche, étaient des êtres pacifiques. Nobles. Humbles. Loyaux. C'était, du moins, ce que tout le monde croyait, même Violetta Lodd. Il avait envie de mener bientôt ses propres recherches...

– Venez, mes braves amis, les appela Plumel, qui reprenait l'ascension de la crête. Nous touchons au but.

Boris et Magda le suivirent. Rémiz ferma la marche, le cœur vibrant d'impatience. Alors qu'ils approchaient du sommet, il s'attendit presque à découvrir une nouvelle pente, et une autre encore derrière elle.

Mais, cette fois-ci, ils avaient véritablement atteint la cime. Le sol s'inclinait devant eux et, dans toute leur magnificence, les Clairières franches s'étendaient. À droite, c'était le halo couleur miel d'une lampe. À gauche, un cercle dansant de torches enflammées, puis un faible rougeoiement de fourneaux. Enfin, dans le lointain, miroitant sous la lune comme des cercles d'argent, les trois lacs. Au centre du plus vaste scintillait une haute flèche, ornée de lumières colorées. C'était là que, durant les mois d'études à venir, ils allaient séjourner.

– Le Débarcadère du lac ! s'exclama Rémiz, le doigt tendu. Notre nouvelle maison.

CHAPITRE 11

Le frelon de tempête

I
Le Débarcadère du lac

TOUT RAGAILLARDIS, RÉMIZ, MAGDA ET BORIS DÉVALÈRENT la pente raide, suivis de Plumel qui battait des ailes et gloussait bruyamment.

– Attention, braves maîtres ! criait-il, hors d'haleine. Pas si vite, brave maîtresse !

Sortant du couvert des arbres, ils débouchèrent sur un sentier, tassé et durci par le passage d'innombrables bottes et de roues en bois : là, devant eux, telle une magnifique tapisserie incrustée de joyaux, s'étendaient les clairières.

Alors qu'il regardait autour de lui, émerveillé, le pouls de Rémiz s'accéléra. Sous le clair de lune, les diverses cités des nombreux habitants des Clairières franches se découpaient, argent lumineux, longues ombres nettes. Les trois apprentis s'arrêtèrent pour contempler le paysage. L'air était empli de senteurs et de sons. L'odeur forte du cuir, des effluves de bière éventée, le parfum aromatique des épices et des herbes. Rémiz percevait aussi le bourdonnement de voix lointaines : des éclats joyeux, des chants et des rires. Plumel fit irruption derrière eux et tenta de reprendre son souffle. Sa collerette de plumes était ébouriffée, son bec effilé tremblait.

– Par là-bas, dit-il en indiquant un ensemble de huttes qui flottaient sur les marais miroitants à leur gauche, vivent les gobelins à pieds palmés. Ce sont de grands pêcheurs d'anguilles, mais ils ne sont pas très délicats dans leurs manières. Et là-bas, continua-t-il, l'aile pointée par-dessus son épaule droite vers une haute colline pentue, piquetée, se trouvent les cavernes des troglos ploucs. Elles valent vraiment le coup d'œil. On dit que des clans entiers partagent une même caverne ; ils sont parfois des centaines...

Tout à coup, un fracas de sabots retentit derrière eux. Ils firent volte-face et découvrirent deux gobelinets qui arrivaient, montés sur des rôdailleurs. Cavaliers et montures portaient une armure en cuir ouvragé ; les gobelinets tenaient de longues lances en bois de fer et de grands boucliers en forme de croissant. L'un s'arrêta et, bien dressé sur sa selle, scruta les environs. L'autre vint au-devant d'eux.

– Approchez et présentez-vous ! ordonna-t-il.

Plumel s'exécuta ; il sortit sa dent de carnasse et la leva.

– Amis de la terre et du ciel, annonça-t-il.

Rémiz et ses camarades montrèrent aussi leur pendentif. Le garde hocha la tête. De près, Rémiz remarqua que le cuir bruni de son armure présentait des trous et des éraflures, cicatrices de combats.

À cet instant, un troisième garde apparut.

– Hé, Gong, Halbran ! appela-t-il. Des maraudeurs ont été signalés à la lisière nord. Nous devons y aller immédiatement.

Le garde se retourna vers Plumel et ses trois protégés.

– Passez, mes amis, dit-il, et bonne route.

Il tira sur les rênes et talonna vigoureusement son rôdailleur, qui s'élança au galop derrière les autres en projetant des mottes de terre à chaque bond.

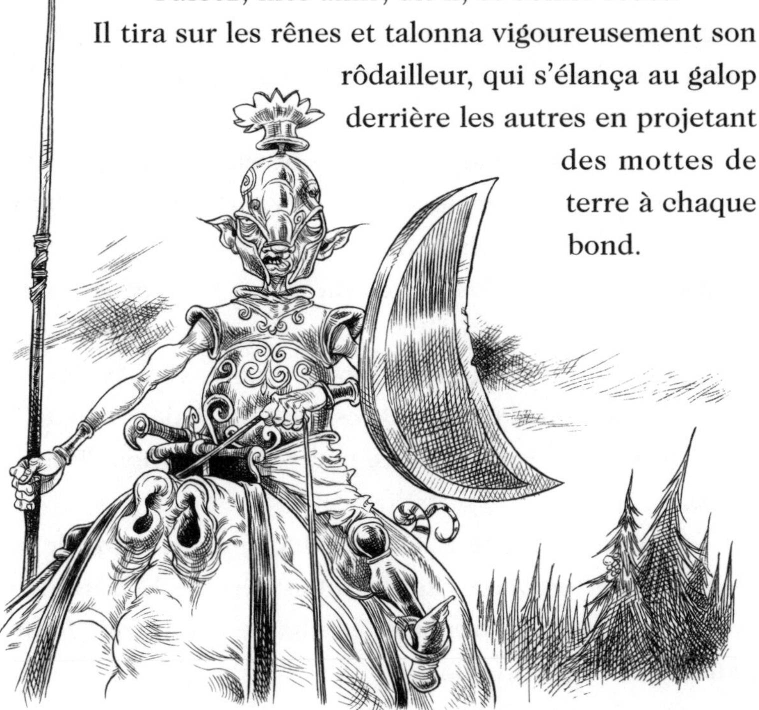

– Les Clairières franches sont belles et paisibles, braves amis, déclara Plumel. Mais pour qu'elles le demeurent, beaucoup d'âmes vaillantes font le sacrifice de leur vie. Venez, reprenons notre marche vers le Débarcadère.

Ils descendirent un large escalier éclairé par d'énormes lanternes flottantes, puis longèrent un imposant taillis d'arbres sombres, immenses sur le ciel gris ardoise.

– Qui vit à cet endroit ? demanda Rémiz.

– Les écoutinals, répondit Plumel. C'est la Vallée des écoutinals. On n'y pénètre que sur invitation, car ses habitants conservent leurs coutumes secrètes, mystérieuses, même ici dans les Clairières franches.

– Et là ? s'écria Rémiz, en virevoltant sur sa droite.

Au loin, des rangées de lumières illuminaient des rues étroites et les fenêtres d'édifices décorés ; certains, spacieux et trapus, avaient de vastes toits ; d'autres, élancés, étaient couronnés d'élégantes tours.

Plumel pivota.

– Ceci, brave maître, est la Nouvelle Infraville. Vous découvrirez combien elle diffère de l'ancienne. Chacun y reçoit un accueil chaleureux : un repas copieux, un hamac gratuit dans les huttes ruchettes pour ceux qui le désirent.

– Les huttes ruchettes ? répéta Rémiz. Vous parlez de ces constructions là-bas, qui ressemblent à des casques ?

– Vous avez raison, brave maître, commença Plumel, ce sont…

– Au nom de la terre et du ciel, comment s'appelle ce clocher ? l'interrompit Rémiz, et il désigna le bâtiment anguleux, aux murs treillagés et à haute flèche, qui dominait la Nouvelle Infraville.

– La Tour en ricanier, brave maître, répondit Plumel. Elle est l'équivalent du palais de Vox Verlix dans l'ancienne Infraville, à ce détail près que tout le monde est libre d'y entrer et de donner son opinion dans la salle de réunion.

– Pouvons-nous aller voir les écoutinals ? Les huttes ruchettes ? s'enthousiasma Rémiz. Et la Tour en ricanier ?

– Oh, maître Rémiz ! rit Plumel, et il leva les mains en signe de capitulation. Assez ! Assez ! Nous aurons du temps pour toutes ces visites, mais d'abord, il faut absolument que nous nous rendions au Débarcadère du lac.

Rémiz s'empourpra.

– Pardon, s'excusa-t-il. Tout est si… si…

Son bras décrivit un grand arc de cercle.

– Si…

– Dépêchons-nous, ronchonna Boris. Je suis fatigué, et Magda aussi.

La jeune fille haussa les épaules et sourit, mais Rémiz remarqua les cernes noirs sous ses yeux.

– Croyez-moi, assura Plumel, le meilleur reste à venir. Venez, brave maître, dit-il en prenant Rémiz par la main.

Ils laissèrent derrière eux la Vallée des écoutinals, puis le Taillis de plombiniers. Les bruits de la Nouvelle Infraville s'atténuèrent et, alors que la lune montait dans le ciel indigo, un calme étrange envahit l'atmosphère.

Rémiz jetait des coups d'œil en tous sens, mais il gardait ses questions pour lui. Dans la lumière argentée, des fleurs à grosse tête blanche oscillaient. Dans les branches, des oiseaux noirs et jaunes gazouillaient à la lune. L'herbe bruissait. Le sentier crissait. Ils arrivèrent près d'une voûte de jasmin parfumée, la franchirent et…

– Ma parole ! souffla Rémiz.

Devant eux s'étendait un lac. Vaste, paisible, il reflétait parfaitement, tel un miroir gigantesque, tout le paysage environnant. Les oiseaux qui effleuraient sa surface. Les arbres qui frangeaient ses rives. Et l'énorme lune qui brillait, étincelante, là-haut dans le ciel noir d'encre.

Sur une large plate-forme au milieu des eaux, enveloppé de brume et scintillant de mille lanternes, se découpait un haut bâtiment irrégulier. Il avait des tourelles pointues, des passerelles en surplomb, des murs à vitraux et de longs toits inclinés.

Rémiz secoua la tête, émerveillé.

LE DÉBARCADÈRE DU LAC

– Je n'ai jamais vu un endroit aussi beau, dit-il doucement. Pas même dans mes rêves.

– L'Académie du Débarcadère du lac, annonça Plumel. Le joyau des Clairières franches, flambeau d'espoir pour tous les amoureux et défenseurs de la liberté.

Mais personne n'écoutait plus les paroles du guide pie-grièche. L'un après l'autre, comme hypnotisés, les trois jeunes chevaliers descendirent lentement au bord de l'eau et grimpèrent sur la longue jetée étroite qui conduisait jusqu'au débarcadère en planches de ricanier.

Lorsque Rémiz posa le pied sur la grande plate-forme centrale, quelque chose attira son attention : il leva les yeux et aperçut un petit esquif du ciel qui s'approchait, la proue brillante, les voiles gonflées d'une blancheur de neige. Son cœur bondit. Ce spectacle surpassait tous les autres. Le clair de lune jouait sur la figure de proue finement sculptée et les courbes harmonieuses de l'esquif. La combinaison de vol du pilote, vert et brun sombre, contrastait avec ses coudières et ses jambières en bois doré. Alors qu'il virait en direction du débarcadère, les voiles de l'esquif semblaient glisser dans l'air nocturne comme du vif-argent. Un autre le rejoignit en silence, puis un autre, et un autre encore.

Tour à tour, dans un ensemble parfait, ils piquèrent à travers ciel avant de se poser délicatement, côte à côte, sur la piste d'atterrissage. Rémiz regarda, impressionné, les quatre jeunes apprentis quitter leurs esquifs.

– Jamais je ne saurai voler avec une telle aisance, dit-il.

– Mais si, brave maître, contesta Plumel, qui arrivait derrière lui. Je vous l'assure. Vous n'êtes pas le premier apprenti, cloué par l'admiration sur le Débarcadère du lac, à douter de ses propres capacités. Croyez-moi, vous apprendrez.

– Mais... commença Rémiz.

Plumel claqua doucement du bec.

– Pas de « mais », brave maître. Dès que je vous ai vu, là-bas au Perchoir est, j'ai su que vous étiez exceptionnel. Vous avez l'esprit céleste et le sens terrestre, selon mon expression.

Rémiz devint tout rose.

– Vous suivrez un enseignement de qualité, ici au Débarcadère du lac, mais vous possédez un don, chose qu'aucun enseignement ne peut apporter. Ne l'oubliez jamais.

– Merci, Plumel, répondit Rémiz avec un sourire gêné. Merci pour tout. Vous allez me manquer...

– Bienvenus ! lança une voix assez aiguë à l'autre bout du débarcadère. Les nouveaux apprentis, n'est-ce pas ? Fichtre, fichtre, vous semblez prêts à vous écrouler ! Oui, oui, vraiment, pas d'erreur !

Rémiz se tourna : un petit gobelinet aux vêtements élimés, au visage ridé et aux jambes courtes, s'approchait à grands pas de Boris et de Magda. Il tenait ses robes d'une main et pressait l'autre contre son cœur en signe de salutation. Rémiz alla les retrouver.

Boris avait déjà pris le commandement des opérations.

– Ah, mon cher, dit-il. Occupez-vous de nos sacs, voulez-vous, et conduisez-nous auprès du maître supérieur du Débarcadère. Je crois qu'il sera intéressé de nous connaître.

– En effet ! répondit le gobelinet, dont le visage se plissa, amusé.

Il n'esquissa pas un geste vers les sacs.

– Intéressé de vous connaître, oui, en effet !

Boris fronça les sourcils.

– Eh bien ? dit-il, impérieux.

– Je crois que vous n'avez pas tout à fait compris, brave maître, intervint Plumel.

– Ce n'est pas grave, dit Rémiz, embarrassé, en s'avançant. Nous pouvons porter nos bagages. Après tout, nous les avons bien portés jusque-là.

– Laisse ça, Rémiz, ordonna Boris d'un ton sec. En voilà un bel endroit ! Des domestiques arrogants qui refusent d'obéir. Attendez que le maître supérieur le sache !

– Je crois, dit doucement le guide, que c'est déjà le cas.

– Ne vous en mêlez pas, Plumel ! répliqua Boris, grossier, avant de s'adresser au gobelinet souriant. Vous, donnez-moi immédiatement votre nom, insolent scélérat !

À cet instant, comme le gobelinet baissait les bras, Rémiz remarqua la chaîne d'or autour de son cou, brillant sous ses robes sans prétention. Chacun des lourds maillons était en forme de feuille ou de plume incurvée.

– Mais oui, bien sûr, jeune apprenti exténué, répondit le gobelinet. Je suis Modeste, maître supérieur du Débarcadère du lac.

Boris vira au cramoisi.

– Je... je... bégaya-t-il.

Mais, d'un geste, le maître supérieur écartait ses excuses.

– Vous devez tous être fatigués et affamés, dit-il. Entrez, je vais vous montrer vos cabines de nuit. Puis je vous conduirai au réfectoire supérieur. Votre dîner est prêt...

Il leva les yeux.

– Mais qu'avons-nous là ? demanda-t-il. Je n'attendais que trois nouveaux, oui, trois. Et pourtant, et pourtant...

Boris, Magda et Rémiz pivotèrent sur leurs talons : un personnage sec, aux cheveux rasés, parcourait la jetée dans leur direction.

– Il n'est pas avec nous, Votre Excellence, déclara Boris, qui avait retrouvé l'usage de la parole.

Modeste fit signe à l'inconnu d'approcher.

– Bienvenu, bienvenu, dit-il, aimable. Mais qui êtes-vous donc ?

– Xanth, répondit le garçon, en passant une main sur son crâne. Xanth Filantin. Unique survivant du tout dernier groupe d'apprentis ayant quitté la grande salle de lecture pluviale.

Il sortit de sa toge en loques une dent de carnasse et l'exhiba d'un air de défi. Rémiz remarqua que les mains du garçon tremblaient. Quelque chose le gênait chez ce jeune chevalier.

– Un autre groupe est parti après nous ? demanda Boris, soupçonneux. Si vite ?

– Oui, assura Xanth. Le bruit a couru que vous aviez péri dans une attaque des pies-grièches. Les professeurs ont décidé d'envoyer sans délai un nouveau contingent.

Boris émit un grognement.

– Je suis sûr que les professeurs savent ce qu'ils font, affirma Plumel.

– Et qu'est-il arrivé à tes camarades ? s'enquit Boris.

Xanth secoua la tête avec tristesse.

– Ils sont morts, répondit-il doucement. Tous morts.

Il avala bruyamment sa salive, la gorge nouée par l'émotion.

– Moi seul en ai réchappé.

Rémiz, qui l'écoutait avec attention, se dit qu'il avait peut-être été trop dur.

– Brice Tournepierre, continua Xanth, d'une voix brisée par le chagrin. Inès Œil-de-Lynx. Et notre brave guide troll des bois, Rufus Lissécorce. Un verrondin les a dévorés...

– Je ne connais pas ces noms, dit Modeste, mais perdre quiconque parmi nos braves apprentis est dans tous les cas une affreuse tragédie. Or, comme vous pouvez le constater, ajouta-t-il en désignant Rémiz et ses compagnons, le premier contingent a en fait réussi : ces disparitions sont d'autant plus tragiques.

Xanth hocha la tête en silence et baissa le menton. Des larmes lui montèrent aux yeux.

– Mais vous, Xanth Filantin, vous vous en êtes tiré, dit gentiment Modeste. Il n'est jamais facile d'atteindre les Clairières franches. Quelques-uns ont la chance d'arriver au but. Et ceux-là...

Il donna une petite tape rassurante sur l'épaule des quatre nouveaux.

– Vous êtes très précieux pour nous. Nous vous enseignerons tout ce que nous savons et nous vous enverrons faire votre voyage d'études, afin que vous enrichissiez notre connaissance toujours plus grande de la Falaise. Oui, oui, dit-il, les yeux pétillants. Très précieux, vraiment.

II
L'atelier du troll des bois

– Bon sang de bonsoir ! cria Rémiz, et il suça son pouce qui l'élançait douloureusement.

– Quelle belle manière de s'exprimer pour un jeune érudit ! gloussa Boris.

– Encore une écharde ? demanda Magda d'une voix compatissante, debout à son propre établi.

– Oui, répondit Rémiz.

Il inspecta ses mains avec lassitude. Outre l'écharde déchiquetée, qu'il parvint à ôter avec ses dents, ses mains étaient couvertes d'éraflures, de cicatrices et d'hématomes noirs et bleus. Il posa un regard sinistre sur l'énorme rondin de gâtinier serré dans l'étau devant lui. Malgré des semaines de travail, l'élégante proue d'esquif du ciel qui aurait dû s'ébaucher n'était encore qu'un bloc informe.

– Je ne prendrai jamais le coup de main, murmura-t-il, abattu.

Autour de lui, le dépôt de bois bourdonnait d'activité. Des convois de charrettes à hauts rebords, remplies de rondins, longeaient en oscillant les hangars à toit de chaume, et l'odeur musquée des hammels qui les tiraient se mêlait au parfum poivré de la sciure. Des charretiers troglos ploucs hélaient des trolls menuisiers, tandis que des groupes de trolls bûcherons attendaient tranquillement de pouvoir aiguiser leurs haches aux meules gigantesques fonctionnant toujours à plein régime. Rémiz

regarda, hors de l'atelier ouvert à tous les vents, les amas lointains des villages de trolls et laissa échapper un profond soupir.

– Ne te décourage pas, dit Magda.

Rémiz jeta un coup d'œil vers son amie. Son travail à elle progressait bien. Le bois était lisse et la figure de proue prenait peu à peu l'aspect d'un papillon des bois délicat, aux yeux protubérants et aux antennes incurvées. Boris, également, avait déjà créé un animal reconnaissable : un hammel placide, aussi vrai que nature. À l'aide d'une râpe mince, il façonnait les longues cornes recourbées. Pour sa part, Xanth, installé en retrait à son établi habituel de l'autre côté de l'atelier, était le plus avancé d'eux tous. Avec son museau effilé en accordéon et ses ailes rejetées en arrière, l'oisorat qu'il sculptait était presque terminé.

Brutécorce Duchêne, le maître troll des bois à épaisse chevelure orange, qui portait les petites tresses traditionnelles de son peuple, se tenait près de lui : il caressait le bois de ses mains tannées et inspectait minutieusement l'ouvrage.

– Eh bien, mon petit, c'est une créature peu commune en sculpture, disait-il. Pourtant, elle semble venir du cœur…

Boris grogna, et Rémiz l'entendit marmonner avec mépris :

– Un oisorat. Je me demande ce que ce choix révèle sur son cœur…

Rémiz garda le silence. Il s'était d'abord méfié de Xanth, mais le jeune apprenti demeurait à l'écart, et ses yeux tourmentés, sa voix calme et polie suscitaient chez Rémiz une sympathie irrésistible. Au moins, pensa-t-il, Xanth avait trouvé quelque chose à sculpter. Il saisit un rabot sur l'établi et attaqua le bloc de bois avec une fureur soudaine. Des jurons grommelés emplirent l'air dans une volée de copeaux pâles.

– Idiot ! Fichu bloc ! Foutu rondin !

– Non, non, non ! Vous n'y arriverez jamais ainsi, maître Rémiz, certainement pas ! lança Duchêne d'une voix pressante, et il se précipita vers l'apprenti, qu'il priva de son rabot. Vous devez sentir votre bois, maître Rémiz, dit-il. Le connaître. L'étudier en profondeur, jusqu'à déceler la moindre marque de son grain tourbillonnant, le motif compliqué de ses nœuds, la courbe naturelle de son galbe.

Après une pause, il ajouta :

– Alors seulement vous découvrirez la créature qui se cache en lui…

Rémiz leva la tête avec colère, le regard inondé de larmes.

– Mais c'est impossible ! s'écria-t-il. Il n'y a rien là-dedans !

Brutécorce secoua ses tresses d'un air compatissant.

– Dire que j'ai tant rêvé de voler, et que je ne quitterai jamais cet atelier ! C'est sans espoir ! Inutile ! Et je ne suis qu'un incapable !

Un sourire chaleureux plissa le visage du troll. Il braqua sur Rémiz ses yeux sombres, pénétrants, et lui prit les mains.

– Mais si, quelque chose se cache là, Rémiz, dit-il patiemment. Ouvrez vos oreilles et vos yeux, et laissez le bois vous parler.

Rémiz nia de la tête sans répondre. Ces mots ne signifiaient rien pour lui.

– Il se fait tard, et vous êtes fatigué, mon petit, dit Brutécorce.

Il frappa dans ses mains.

– La séance est finie !

Rémiz se détourna et s'éloigna d'un pas raide. Dehors, les escouades de bûcherons chargés de leurs haches et les équipes de menuisiers sortaient des entrepôts, empruntaient les sentiers des trolls pour regagner leur village et aller souper. De petits groupes le dépassèrent, riant et plaisantant dans la lueur du crépuscule. Magda le rattrapa et lui enlaça les épaules.

– Tu te sentiras mieux après le dîner, lui assura-t-elle. Je crois que c'est ton menu préféré, ce soir : ragoût de tilde.

Magda avait raison sur les deux points. Il y avait du ragoût de tilde, qui était effectivement le plat préféré de Rémiz. Une grande animation régnait dans le réfectoire supérieur. Plusieurs professeurs invités occupaient la table centrale. Un énorme échasson translucide (la digestion du ragoût s'effectuait, bien visible, dans son estomac) bavardait avec un minuscule écoutinal, dont les immenses oreilles s'agitaient, délicates, au rythme de sa mastication. Modeste les écoutait, bienveillant, son dîner habituel (pain d'écorce et eau) intact devant lui.

Rémiz, lui non plus, n'avait pas beaucoup d'appétit. Il remua le ragoût d'un air distrait, sans que sa cuillère quitte jamais le bol. Il regarda ses camarades, assis à la table ronde extérieure, mangeant tous à belles dents. Magda et Boris, qui se racontaient une blague ; d'autres groupes d'apprentis, bruyants et fanfarons, à différents stades de leur initiation ; et Xanth, seul comme de coutume, qui observait tout mais ne disait rien.

Rémiz soupira. S'il n'était même pas capable de sculpter sa figure de proue, comment pourrait-il un jour apprendre à voler ?

Une boule douloureuse, qu'il ne parvint pas à chasser, lui noua la gorge. Ses yeux le brûlèrent et s'emplirent de larmes. Il repoussa le bol, se leva de son banc et quitta discrètement le réfectoire. Il referma la porte derrière lui, descendit l'escalier en colimaçon de la tour de l'Académie, passa devant les portes arrondies des cabines de nuit et s'enfonça sous les sombres colonnades en bois où avaient lieu les leçons de vol.

Au bout du débarcadère, le cœur las, Rémiz contempla l'étendue ténébreuse du lac. L'air moite et lourd brouillait les étoiles et le croissant mince de la nouvelle lune, étouffait

les sons nocturnes des Grands Bois voisins. Des nuages d'orage noirs, menaçants, arrivèrent du nord-ouest ; l'atmosphère s'obscurcit, s'appesantit encore, et se chargea d'une force crépitante qui picota la peau de Rémiz.

Le ciel étincela et se fendit lorsque les fines zébrures de la foudre se répandirent dans les ténèbres ; une phosphorescence vert pâle miroita sur l'eau et, du coin de l'œil, Rémiz aperçut un mouvement au-dessus du lac. Il ne comprit pas ce que c'était. L'air semblait aussi lourd qu'une masse liquide et le lac plus impénétrable que jamais.

Le mouvement réapparut, éclair jaune et rouge. Puis un rond parfait se dessina sur les eaux opaques, s'élargit sous les yeux de Rémiz, de plus en plus, avant de disparaître.

Soudain, tout près, il y eut un bourdonnement d'ailes rapides… et Rémiz le vit. Un gros insecte à tête triangulaire, au corps long et mince, rayé de jaune et de rouge. Tandis qu'il le regardait, l'insecte fondit en piqué, préleva une gorgée d'eau lumineuse et remonta en flèche dans les airs. Un nouveau cercle parfait s'élargit.

Rémiz était fasciné. Son cœur bondit et se réjouit. La petite créature était si gracieuse, si élégante… si parfaite.

Alors qu'il la suivait de tous ses yeux, il avait l'impression de voler à côté d'elle, de plonger vers l'eau puis de reprendre son essor. Son estomac faisait des sauts périlleux. Sa tête tournait. Il ouvrit la bouche, et se mit à rire, à rire, à rire…

Le lendemain matin, après un profond sommeil sans rêve, Rémiz négligea le petit déjeuner et se hâta vers les entrepôts de bois, avant même que les autres sortent de leurs cabines de nuit. Il embrassa le gros rondin.

– Parfait, chuchota-t-il, et les sensations de la veille lui picotèrent le corps.

À l'aide d'un maillet et d'un ciseau, Rémiz commença de tailler le bois. Malgré l'obscurité, il travailla vite, confiant, sans s'arrêter. Et chaque fois qu'il hésitait, durant une seconde, quant au geste à venir, il fermait les yeux et caressait doucement le bloc, car Brutécorce Duchêne avait raison : le bois lui disait ce qu'il fallait faire.

La forme d'ensemble de l'esquif se dégagea : le siège étroit, la quille fixe, et, à l'avant, la figure de proue. Même si les détails précis manquaient encore, la tête triangulaire de l'insecte était déjà très reconnaissable. Rémiz sculptait la courbe du cou lorsqu'il entendit des pas s'approcher. Les premiers trolls arrivaient sans doute des villages environnants.

Rémiz sentit une main sur son épaule.

–Vous avez commencé tôt, mon petit ? dit Brutécorce, dont le visage caoutchouteux se plissa, amusé. Voilà qui me plaît. Alors, qu'avons-nous là ?

Il haussa sa lanterne vers le bloc de bois. Pour la première fois, Rémiz distingua clairement la proue sculptée. Un sourire flotta sur ses lèvres.

– Je crois que je l'ai trouvé, dit-il.

– Je le crois en effet, confirma Brutécorce. Savez-vous de quoi il s'agit ?

Rémiz avoua son ignorance.

– Eh bien, mon petit, c'est un frelon de tempête, lui apprit Brutécorce. Une créature rare, je vous l'assure.

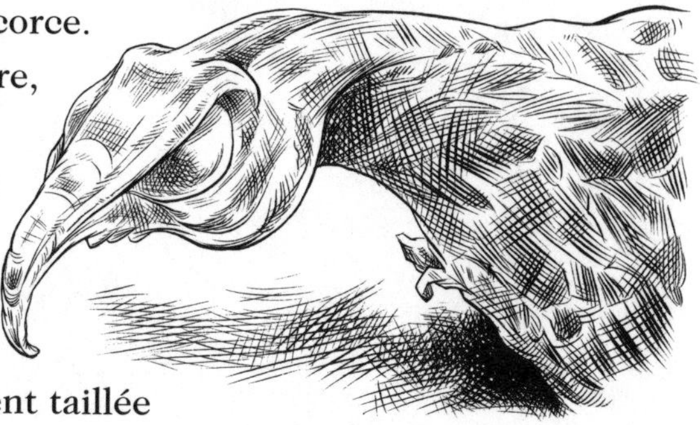

Le cœur de Rémiz frémit. Il posa les mains sur la tête grossièrement taillée de la créature.

– Frelon de tempête, chuchota-t-il.

III
Les Jardins de lumière

Clic clic clic clic...

Le crissement rythmé des griffes sur la pierre se rapprocha. Rémiz quitta des yeux le pot bouillonnant devant lui et vit Gazouilli, leur tuteur, un très vieil échasson, déjà tricentenaire, s'avancer, chancelant, dans leur direction. Il suivait avec précaution l'un des étroits passages surélevés qui formaient un réseau sinueux à travers la cavité souterraine rayonnante. Il tenait fermement dans ses pattes antérieures un plateau chargé.

Plusieurs semaines après son entrée dans les lieux, Rémiz demeurait ébloui par les Jardins de lumière. Profondément cachée sous l'immense Clairière du bois de

fer, la vaste caverne illuminée constituait l'une des merveilles les plus spectaculaires de toutes les Clairières franches. C'était ici que les grands échassons translucides faisaient pousser les étonnants champignons rayonnants, dont l'éclat chatoyait sur les murs de la cavité, loin au-dessus des têtes, et donnait à l'ensemble une étrange beauté éthérée. Rémiz aurait pu passer des heures à contempler simplement les lumières dansantes, hypnotiques, s'il n'y avait pas eu le vernissage.

– Un bon verre de thé, maître Rémiz ?

La voix du très vieil échasson, aussi grêle et fluette que ses longues pattes transparentes, tira Rémiz de sa rêverie.

– Merci, monsieur, répondit Rémiz, et il prit la boisson légère, ambrée.

L'échasson présenta son plateau à Magda, puis à Boris et enfin à Xanth, qui accepta le dernier verre avec un sourire très ténu sur ses lèvres minces. Xanth semblait vraiment apprécier Gazouilli, remarqua Rémiz. Même si le jeune apprenti restait discret et réservé, l'échasson parvenait mystérieusement à le détendre. Rémiz se demandait bien par quel moyen.

Peut-être était-ce la civilité désuète de la vieille créature ; son insistance pour qu'ils interrompent leur travail et boivent le curieux thé parfumé, en se saluant après chaque gorgée, mais sans rien dire (pas un seul mot) avant d'avoir terminé. Ou peut-être étaient-ce leurs longues conversations en tête à tête sur les temps anciens, pendant que les apprentis remuaient les petits pots de vernis sur les fourneaux en cuivre, ajoutaient une pincée de poivre du chêne par-ci, un soupçon de poudre de vermisseau par-là.

Rémiz prêtait l'oreille quand Gazouilli décrivait à Xanth des endroits aux noms insolites, tels le Palais des ombres et l'Escalier viaduc, ou contait l'histoire d'une jeune fille, Maria, que la vieille créature avait aimée comme son enfant. Ils parlaient doucement, poliment, sans jamais élever la voix. Rémiz n'entendait pas toujours les détails, et s'il essayait de se joindre à la conversation, Xanth souriait et Gazouilli disait, de sa voix fluette :

– Il est temps de boire un bon verre de thé, je crois, mes chers érudits.

Ils finirent leur boisson et se saluèrent. L'échasson inspecta leurs pots de vernis.

– Ce n'est pas mal, maître Rémiz ; prenez garde néanmoins à l'excès de chaleur. Le vernis devient alors trop liquide, à mon avis, d'où de fâcheux résultats.

Rémiz hocha la tête. Il était curieux de penser, devant cette mixture limpide et bouillonnante, que la navigation aérienne n'existerait pas sans elle. Grâce à sa couche de vernis préparé et appliqué avec soin, le gâtinier des esquifs acquérait le supplément de flottabilité qui permettait le vol. Certains prétendaient que Gazouilli avait lui-même inventé le vernis, mais, que ce soit vrai ou non, chacun reconnaissait que l'échasson était, dans tous les Grands Bois, la plus haute autorité en la matière.

– Qu'allons-nous faire de vous, maîtresse Magda ? Nous ne pouvons pas accepter des grumeaux, cette fois, n'est-ce pas ?

Magda soupira. Le vernis se révélait bien plus délicat qu'elle ne l'avait envisagé.

– Quant à vous, maître Boris... désapprouva Gazouilli en examinant le pot de vernis collant et noirci de l'apprenti, je crois que vous feriez mieux de recommencer. Filez au champ de traite !

Boris gémit et, fusillant Rémiz et Xanth des yeux, il prit un seau en fer-blanc, une paire de gants épais, et s'éloigna à pas lourds vers un pré de champignons rayonnants, plusieurs niveaux en contrebas.

– Voyons, Xanth, mon cher jeune érudit.

Les antennes de l'échasson frémirent lorsqu'il inspecta le pot de cuivre rutilant.

– Je crois que vous êtes prêt ! Remarquable ! Je n'ai jamais vu un vernis aussi parfait, à la cinquantième tentative seulement ! Vous, maître Xanth, serez le premier à vernir votre esquif. Félicitations ! Vous avez rendu un vieil échasson très heureux !

Xanth sourit et baissa humblement les yeux. Rémiz était content pour son camarade... même s'il ne pouvait s'empêcher d'éprouver un peu de jalousie. Des mois s'écouleraient encore avant qu'il réussisse un vernis parfait pour son propre esquif.

À cet instant, un hurlement aigu retentit, suivi d'une bordée de jurons sonores.

– Oh non, il a recommencé ! s'écria Gazouilli, vibrant d'irritation. Suivez-moi tous.

Rémiz, Magda et Xanth recouvrirent leurs fourneaux et, sur les talons de l'échasson, quittèrent la corniche du laboratoire et descendirent le passage en pierre menant aux prés de champignons. Ils passèrent un angle, et découvrirent le tableau.

Tout englué, la tête en bas, Boris était collé à mi-hauteur de la paroi. Trois mètres au-dessous de lui, une énorme taupe baveuse oscillait, son corps translucide gonflé et barbouillé de glu. La vue des corps gélatineux des créatures luisantes donnait toujours la nausée à Rémiz, et les traire était une des tâches qu'il aimait le moins. Mais sans glu de taupe, il n'y aurait pas de vernis, et sans vernis il n'y aurait pas de bois flottant, et sans bois flottant...

– Maître Boris ! lança Gazouilli de sa voix grêle, sèche de colère. Laissez-moi deviner. Vous avez recommencé, n'est-ce pas ? Vous l'avez traite...

– Oui, avoua faiblement Boris. Du mauvais côté.

IV
Le camp des égorgeurs

– Tenez-vous tranquilles, toiles idiotes ! s'emporta Magda. Oh non ! C'est reparti !

Rémiz se retourna : son amie était prise dans un enchevêtrement inextricable de fines voiles en soie d'araignée.

– Méfie-toi du vent de côté, Magda ! lui cria-t-il pardessus son épaule, tandis qu'il se concentrait sur la maîtrise de ses propres voiles, qui se gonflaient dans l'air tiède comme deux grands cerfs-volants indociles.

Il tira sur la corde en soie dans sa main droite, et la voile voltigeuse se replia doucement sur elle-même. Puis, après une fraction de seconde, il fit un grand moulinet du bras gauche, de manière à laisser filer la corde de la voile inférieure. Elle aussi s'affaissa gracieusement sur elle-même et tomba par terre sans bruit.

– Mais comment fais-tu ça ? demanda Magda.

Elle regarda les deux voiles bien rabattues aux pieds de Rémiz, puis le fouillis de cordes et de soie d'araignée enroulé autour de ses bras, et poussa un gros soupir.

– Tu ressembles à un oiseau des neiges ébouriffé, s'esclaffa Boris, attablé devant un steak de tilde en compagnie de deux égorgeurs flamboyants, qui rirent avec lui sans méchanceté.

Face à eux, un énorme feu crépitait dans un grand brasero métallique ; sa chaleur montait dans la clairière jusqu'aux longs hamacs familiaux suspendus entre les arbres.

Rémiz aimait presque autant le camp des égorgeurs que les Jardins de lumière. En particulier à cette heure de la journée, quand les ombres du soir s'allongeaient : les feux étaient réapprovisionnés, les familles d'égorgeurs se réveillaient les unes après les autres et sortaient leurs têtes flamboyantes des hamacs pour saluer la nouvelle nuit. Bientôt, ce serait le petit déjeuner en commun. L'estomac de Rémiz gargouillait déjà à la perspective des steaks de tilde et des jambons de hammel ruisselants de miel. Mais il devait d'abord libérer sa pauvre amie.

Il se retourna vers Magda, s'accroupit et entreprit de tirer doucement sur les cordes pleines de nœuds.

– Attention, hein ! Attention, dit une voix derrière lui.

C'était Vivien, l'égorgeur chargé d'enseigner aux quatre apprentis l'art des voiles et des cordes.

– Nous ne voudrions pas distendre les fibres, hein ? Laissez-moi jeter un coup d'œil.

Rémiz lui céda la place. Vivien s'agenouilla et se mit à desserrer les cordes d'une main, tandis que, de l'autre, soucieux de ne pas faire d'accroc, il dégageait le tissu. Rémiz l'observait attentivement. L'égorgeur n'était guère plus âgé que lui, pourtant chacun de ses gestes révélait l'expérience d'une vie entière.

– Ma parole, maîtresse ! s'exclamait-il. Cette fois-ci, vous vous êtes réellement empêtrée !

– Je ne comprends pas la technique, enragea Magda au bord des larmes. Je croyais avoir fait tout ce qu'il fallait.

– Manœuvrer les voiles est une affaire compliquée, dit Vivien.

– Pourtant, j'ai suivi vos instructions, s'obstina Magda. J'ai déployé la voile voltigeuse lentement, comme vous l'aviez indiqué.

– Mais tu l'as déployée dans un vent de côté, révéla étourdiment Rémiz, qui se tut devant la mine vexée de Magda.

– Rémiz a raison, dit Vivien avec douceur, tout en pliant soigneusement le matériel de la jeune fille. Il faut sentir ce que vous dit la voile par le biais de la corde. Il faut regarder quelle forme lui donne le vent et laisser vos mouvements couler. Ne luttez jamais contre les voiles, maîtresse Magda.

– Mais c'est si difficile, déplora-t-elle, inconsolable.

– Je sais, je sais, répondit Vivien, compréhensif. Demandez à maître Rémiz de vous aider. Il a le doigté, aucun doute là-dessus.

Il marqua un silence, tira sur un ultime nœud. Celui-ci céda, et la corde glissa, libre.

– Voilà, maîtresse Magda, annonça Vivien, et il lui remit les voiles. C'est tout pour aujourd'hui. À présent, que diriez-vous d'un petit déjeuner ?

Boris, Magda et Rémiz s'installèrent à une longue table qui ployait sous le poids d'un somptueux festin. Un peu plus loin, Xanth s'entraînait à manier la corde. D'un seul geste indolent, il prit au lasso la grande corne recourbée d'un hammel occupé à ruminer à l'autre bout de son enclos.

– Crâneur, critiqua Boris, et il s'empara d'un nouveau steak énorme sur le plat devant lui.

– Tu vas te transformer en hammel si tu continues, dit Magda.

Rémiz regarda Xanth. Grâce à sa réussite en vernissage, le jeune apprenti avait pris une longueur d'avance sur ses camarades. Il avait déjà acquis l'art de la voile et s'apprêtait à passer maître dans celui de la corde. Cependant, Rémiz n'était pas jaloux. Il éprouvait même une certaine pitié. L'expression tourmentée de Xanth, ses façons discrètes et solitaires le touchaient.

– Oh, il ne fait rien de mal, répliqua-t-il à Boris avant de replonger sa cuillère dans son ragoût de tilde fumant.

Les tables communes débordaient maintenant de joyeux égorgeurs affamés, qui portaient des toasts de bière des bois à la nouvelle nuit et entonnaient des chansons. Boris se joignit à eux, levant bien haut son verre.

Rémiz se dit que son camarade aimait encore plus que lui le camp des égorgeurs. À leur contact, le Boris arrogant et grincheux qu'il connaissait semblait disparaître. Le garçon se détendait, devenait presque espiègle. Quant aux égorgeurs, ils s'étaient pris d'affection pour le jeune apprenti, qu'ils traitaient un peu comme un précieux hammel, régalaient et tapotaient dans le dos.

À cet instant, un appel retentit au-dessus de leurs têtes. Rémiz leva les yeux. Là-haut, à califourchon sur *La Guêpe des bois*, Trapèze agitait le bras et fondait vers eux dans une série de loopings admirablement exécutés. Il tenait un lasso, qu'il faisait tournoyer sans fin.

Il perdit de l'altitude, frôla les hamacs accrochés entre les arbres de fer, survola les enclos des hammels et les cuves de tanin. Lorsqu'il ne fut plus qu'à une douzaine de foulées, il donna une impulsion au lasso. La corde décrivit une spirale, tel un cobra à l'attaque, et s'enroula autour de la main levée de Boris. Trapèze tira d'un coup sec. Le nœud coulant se referma sur le verre de bière, qui échappa soudain à Boris et monta dans les airs.

– Hé ! cria l'apprenti, indigné.

Trapèze sourit et prit une gorgée.

– Délicieux ! lança-t-il alors qu'il préparait le petit esquif à l'atterrissage. Merci, mon ami, dit-il en rendant le verre vide à Boris. J'avais drôlement soif.

Boris toisa un instant l'égorgeur, puis un large sourire illumina son visage, et il renversa la tête en arrière dans une cascade de rires. Les égorgeurs voisins l'imitèrent.

– Quel plaisir de te revoir, Rémiz ! s'exclama Trapèze, qui s'assit à côté de lui et piocha dans le ragoût. Tu sembles plus mûr à chacune de mes visites. Tu partiras bientôt pour ton voyage d'études, j'en suis certain.

– Je l'espère, à condition que je réalise la moitié de tes exploits au lasso, répondit Rémiz en souriant. *Le Frelon de tempête* est verni, gréé et attaché au Débarcadère du lac, il n'attend que le décollage... si les maîtres m'autorisent un jour à voler, bien sûr.

– Oh, ils t'accorderont l'autorisation, rit Trapèze, la bouche pleine de ragoût. D'après ce que j'ai entendu, tu es doué, tout comme ton ami Xanth là-bas.

Il se tut. Un sourire joua sur ses lèvres.

– Un frelon de tempête, alors ? Une créature rare, de l'avis général. Prompte et gracieuse, dotée d'un aiguillon ; annonciatrice des puissantes tempêtes qui couvent au loin.

Il tapota l'épaule de Rémiz.

– C'est un beau nom, Rémiz, mon ami. Un beau nom !

V
La cérémonie des noms

– Nous sommes rassemblés ici, à la surface de la terre et sous la voûte du ciel, pour ajouter quatre apprentis à la longue liste des braves chevaliers bibliothécaires de l'Académie, annonça Modeste, maître supérieur du Débarcadère du lac.

Derrière lui, la majestueuse Clairière du bois de fer se reflétait dans le lac translucide ; au-dessus, le ciel resplendissait, jaune d'or. L'air était dense, immobile.

Le cœur de Rémiz bondit. Magda, Boris, Xanth et lui formaient une ligne. Devant eux, au centre d'une longue estrade en ricanier, se tenait Modeste, encadré par les tuteurs qui les avaient guidés au cours de leurs longs mois d'apprentissage ardus : Brutécorce Duchêne, le troll des bois sage et patient, dont les cheveux tressés rutilaient, orange vif, dans la lumière du soir ; Gazouilli, le très vieil échasson, appuyé sur une canne en bois de fer et respirant avec difficulté ; enfin, Vivien, l'égorgeur flamboyant, vêtu d'un pesant manteau en cuir de hammel, un rouleau de corde à l'épaule.

– Vous avez bien travaillé, mes jeunes apprentis, continua Modeste. Très bien travaillé. Car, même si de nombreux mois vous séparent encore du moment où vous serez prêts à entreprendre votre voyage d'études, cette soirée marque l'achèvement de la première phase de votre formation.

Il se tourna vers la rangée d'esquifs du ciel attachés à de robustes anneaux, au fond du débarcadère.

– Vous avez remarquablement sculpté vos esquifs, en prenant garde d'écouter ce que le bois vous disait. Vous avez préparé votre vernis et l'avez appliqué avec soin, afin qu'ils soient aptes à voler. Vous les avez gréés de voiles en soie d'araignée d'une finesse extrême, apprivoisées par votre doigté, et vous avez acquis la maîtrise des cordes, afin de les attacher et de vous poser en sécurité. Bravo, mes excellents jeunes chevaliers bibliothécaires !

Rémiz baissa humblement la tête. Les tuteurs approuvèrent dans un murmure. Rémiz poussa Xanth du coude et sourit. Xanth regarda autour de lui et, durant une seconde, Rémiz crut apercevoir une lueur de tristesse dans les yeux de son ami, avant que ce dernier lui rende son sourire.

– Il est temps, poursuivit Modeste, que vous nommiez votre esquif du ciel ; car demain, vous le ferez voler pour la première fois.

Rémiz entendit Boris marmonner tout bas :

– Enfin !

Magda chercha la main de Rémiz et la pressa très fort.

– Nous avons réussi, chuchota-t-elle.

Rémiz acquiesça et contempla le crépuscule, les yeux écarquillés, le cœur chantant. C'était vraiment une soirée parfaite : le soleil était chaud, la brise douce, et de petits nuages flottaient dans le ciel comme des pelotes duveteuses orange et violettes. L'eau du lac se ridait, tel du velours.

– Veuillez avancer, Magda Burlix, appela Modeste.

Magda quitta l'alignement. Elle monta sur l'estrade, serra la main du maître supérieur et se dirigea vers son esquif, attaché près des autres. Elle posa les mains sur la figure de proue qui oscillait doucement et récita les paroles qu'elle s'était exercée à prononcer :

– Par la terre et le ciel, tu t'appelleras *Papillon des bois*. Ensemble, nous partirons pour les Grands Bois et reviendrons avec un traité intitulé : *L'Irisation des ailes des papillons de minuit*.

Elle salua et reprit sa place dans la file.

– Veuillez avancer, Boris Lummus, dit Modeste.

Boris se détacha du groupe et toucha les cornes recourbées, striées, de sa figure de proue.

– Par le ciel et la terre, tu t'appelleras *Hammel à cornes*, dit-il d'une voix forte, assurée. Ensemble, nous partirons pour les Grands Bois et nous reviendrons avec un traité intitulé : *Étude des cernes du cuivrier*.

Lorsqu'il s'avança, Xanth lança un regard fugitif à Rémiz. Il semblait curieusement agité, presque penaud. Rémiz lui sourit, encourageant, mais les yeux de son ami conservèrent leur expression triste, tourmentée.

– Par le ciel et la terre, tu t'appelleras *Oisorat*, annonça Xanth, qui saisit de ses mains tremblantes le museau sculpté de la créature. Ensemble, nous partirons pour les Grands Bois…

Il baissa le menton et ses cheveux épais, qui avaient poussé à leur guise depuis son arrivée au Débarcadère du lac, lui tombèrent dans les yeux. Sa voix se fit plus sourde.

– Et nous reviendrons avec un traité intitulé…

Il releva la tête, le regard lointain.

– *Observation d'un oisoveille éclosant de son cocon.*

C'était le tour de Rémiz. Il monta sur l'estrade, le cœur empli de fierté et d'enthousiasme, et s'approcha lentement de son esquif.

– Par le ciel et la terre, tu t'appelleras *Frelon de tempête*, dit-il. Ensemble, nous partirons pour les Grands Bois et nous reviendrons avec un traité intitulé : *Témoignage du grand congrès mythique des ours bandars.*

Les quatre apprentis levèrent la main droite et posèrent la gauche sur leur dent de carnasse. Puis, la tête haute, leurs voix résonnant sur les eaux sombres du lac, ils déclarèrent à l'unisson :

– Nous jurons de mener notre projet à bien, ou de périr dans la tentative.

Chapitre 12

Envol

Rémiz fut réveillé par les rayons de lumière qui filtraient à la grille de sa cabine de nuit. Il rejeta sa couverture en laine de tilde et, d'un grand geste, ouvrit la porte.

– Magda ! appela-t-il. Magda, es-tu déjà debout ?

– Je suis en bas, dormeur ! répondit Magda.

Rémiz plissa les yeux, ébloui, et scruta le débarcadère au-dessous de lui. Il découvrit, resplendissants dans leur combinaison de vol verte, leurs lunettes et leurs protections de bois doré, Magda, Xanth et Boris.

– Pourquoi ne m'avez-vous pas tiré du lit ? demanda Rémiz, fâché.

– Nous avons essayé, répondit Boris. Mais tu dormais d'un sommeil de plomb, crois-moi.

Rémiz se gratta la tête. Il avait refait son vieux cauchemar durant la nuit et, aux premières lueurs de l'aube, s'était réveillé, épuisé. Il avait dû s'assoupir de nouveau.

– Viens nous rejoindre, l'invita Xanth. Ta combinaison est à l'entrée.

Il y avait en effet, pendue au crochet métallique à l'extérieur de sa cabine, une combinaison de vol verte en cuir, avec des poches et des sangles encore vides. Des jambières et des coudières en bois pendaient à côté, au bout de leurs lanières. Les doigts tremblants, Rémiz les saisit et, maladroitement, revêtit la douce combinaison brillante par-dessus son pyjama. Son premier vol ! Il était sur le point de se lancer dans son premier vol ! Il prit à peine le temps d'ajuster ses nouvelles lunettes et dégringola l'escalier de la tour pour aller retrouver ses compagnons.

– Où sont nos esquifs ? demanda-t-il, hors d'haleine.

– Là-bas, répondit Magda, et elle indiqua les quatre machines, toujours attachées à l'arrière du débarcadère en ricanier.

Une brise clémente berçait *L'Oisorat, Le Hammel à cornes, Le Papillon des bois...* et *Le Frelon de tempête*. Rémiz sourit jusqu'aux oreilles.

– Ils ont fière allure, vous ne trouvez pas ? dit-il.

– Ils auront encore plus fière allure dans le ciel, répliqua Boris. Où est notre instructeur de vol ? Je pensais qu'à cette heure, il serait arrivé.

– Patience, dit Magda. Nous attendons ce moment depuis longtemps. Nous ne sommes plus à quelques minutes près.

Mais lorsque la brume matinale commença de se lever sur le lac et que le fracas des charrettes dévalant les sentiers des trolls en direction des entrepôts gronda comme un tonnerre lointain, les apprentis ne tinrent plus en place.

– À l'aurore, avait annoncé le maître supérieur, si je ne me trompe pas, dit Boris. Alors, où est notre instructeur de vol ?

– Il s'est peut-être réveillé en retard, dit Xanth.

– Il nous a complètement oubliés, plutôt, dit Boris irrité. Eh bien, je ne vais pas tolérer ce contretemps. Et vous trois ?

Ses camarades haussèrent les épaules.

– Juste un tour de lac, et nous revenons, insista Boris. Aucun mal à ça. Qui est partant ?

– Moi, répondirent en chœur Rémiz et Xanth.

– Très bien, se rallia tranquillement Magda.

Rémiz courut vers *Le Frelon de tempête*. Maintenant que la décision était prise, il avait hâte de s'envoler. Il ôta la longe, bondit sur le siège et, les pieds dans les étriers, agrippa les deux poignées de commande des cordes.

De ses doigts agiles, il hissa la voile voltigeuse et baissa la voile inférieure, sans en lâcher la corde. Les deux voiles se gonflèrent devant lui, comme tant de fois auparavant, alors qu'il était perché au sommet du bloc d'entraînement. Mais aujourd'hui, son esquif n'était plus retenu au sol.

Dans un tremblement et un soupir, l'élégant *Frelon de tempête* quitta la plate-forme. Durant une seconde, il resta en suspens, les voiles frémissantes, les poids de vol oscillants. Puis le vent le souleva, Rémiz tira sur la corde à crampons, et l'esquif, s'animant soudain, s'envola dans l'air vif du matin.

Rien n'aurait pu préparer Rémiz au frisson de plaisir

qui le parcourut tandis que son esquif prenait de l'altitude. Ni les lutrins flottants, ni la chevauchée d'arbre en arbre à dos de rôdailleur, ni même son bref vol avec Trapèze. Cette fois-ci, il était maître à bord. *Le Frelon de tempête* répondait au moindre de ses gestes, plongeait et piquait, montait et virait avec une docilité complète. C'était exaltant. C'était impressionnant.

Un tour de lac, avait dit Boris. Mais, à présent qu'il avait décollé, Rémiz n'avait aucune intention de s'arrêter si tôt. Il regarda ses compagnons. Boris, à quelque distance sur la gauche, suivait une trajectoire stable, rectiligne, comme si le lourd hammel de sa proue traversait, insensible, tous les courants. Magda, en revanche, semblait presque voleter : elle allait de-ci, de-là, fendait l'air, profitait de chaque bourrasque, de chaque tourbillon durant un instant, puis changeait de cap. Rémiz régla les poids et les voiles, tira la corde à crampons vers la gauche et piqua en direction de son amie. Leurs yeux se rencontrèrent, et ils rirent à gorge déployée.

– N'est-ce pas une pure merveille ? demanda Rémiz, sa voix emportée par le vent.

– Incroyable ! s'écria Magda.

Xanth, en équilibre harmonieux sur *L'Oisorat*, fondit vers la surface du lac, ses poids de vol effleurant derrière lui les eaux tranquilles. Rémiz admira, médusé, l'élégance de son ami. Xanth pinça les cordes et s'éloigna à toute allure dans un éclat de rire.

Rémiz se haussa dans les étriers, tira fort sur la corde à crampons et engagea la poursuite. Ils s'élevèrent jusqu'à la cime des arbres, puis virèrent et se laissèrent tomber comme des pierres avant de redresser, à la dernière seconde, effleurant l'eau une nouvelle fois, pour repartir à l'assaut du ciel.

Xanth jeta un coup d'œil en arrière, le visage rayonnant d'enthousiasme.

– Hip hip hip, hourra ! jubila Rémiz.

– Hourra ! hurla Xanth et, se détournant, il fila vers les arbres, exécutant deux loopings au passage.

Mais Rémiz ne le suivit pas. Il obliqua pour revenir au-dessus de l'eau.

Tout à coup, il entendit un cri alarmé : il fit volte-face et vit Boris foncer droit sur un grand arbre de fer à l'autre extrémité du lac. Ses mains n'étaient qu'une masse confuse s'agitant autour des cordes et des leviers, mais *Le Hammel à cornes* ne répondait plus. Dans un craquement affreux, l'esquif s'écrasa contre le tronc épais, et tomba.

Rémiz étouffa une exclamation et, distrait, lâcha ses propres cordes. Il sentit aussitôt un poids énorme le tirer vers le bas. Il baissa les yeux et découvrit, horrifié, que la voile inférieure était à demi immergée. Il essaya désespérément de la hisser, tout en donnant sa pleine amplitude à la voile voltigeuse. Mais c'était peine perdue. Plouf ! *Le Frelon de tempête* s'abîma dans le lac.

L'eau glacée coupa le souffle de Rémiz et le frigorifia instantanément jusqu'aux os. Il lutta pour remonter, alourdi par ses vêtements trempés, et refit surface à côté de l'esquif, qui dansait sur l'eau, retenu par ses voiles mouillées. Haletant, soulagé, Rémiz empoigna la longe et s'y agrippa.

Là-haut, Magda sembla hésiter. Ses voiles s'affaissèrent, *Le Papillon des bois* fit un écart brusque. La jeune fille poussa un hurlement aigu et bascula vers le lac. Il y eut un énorme plouf, suivi, quelques secondes plus tard,

d'une quinte de toux et de crachotements lorsqu'elle réapparut près de son ami.

– C'est ta faute, Rémiz ! accusa-t-elle en riant. Tu m'as déconcentrée !

Le Papillon des bois descendit en douceur vers les eaux, et atterrit non loin de l'arbre de fer au pied duquel Boris, rembruni, se frottait la tête d'un air désabusé.

Xanth s'approcha au-dessus de leurs têtes.

– Vous n'avez rien, tous les deux ? demanda-t-il. Elle est un peu fraîche pour une baignade, si vous voulez mon avis.

Il s'éloigna, rieur, et fila comme l'éclair sur *L'Oisorat* pour un ultime tour de lac éblouissant d'aisance.

– Mais regarde-le, dit Magda. À le voir, voler paraît si facile. Qui l'eût cru, hein ? Le timide petit Xanth, meilleur pilote de nous tous.

– C'est la chance du débutant, répliqua Rémiz avec un sourire. Faisons la course jusqu'au débarcadère, allez !

Lui et Magda s'élancèrent dans l'eau froide, et la jeune fille ne tarda pas à passer en tête. Devant eux, Xanth s'apprêtait à atterrir ; *L'Oisorat*, élégant et léger, s'inclinait dans le vent.

– Il arrive trop vite, dit Rémiz.

– Oh, il s'en tirera bien, répondit Magda. Regarde, il maîtrise sa machine.

L'esquif du ciel décrivit un gracieux arc de cercle en perdant de l'altitude. C'est alors qu'un personnage solitaire sortit de la tour du Débarcadère et se dirigea vers la plate-forme en ricanier. À cette vue, Xanth sembla interrompre sa descente. *L'Oisorat* se cabra, ses voiles s'affaissèrent et l'arc gracieux se transforma en chute désordonnée. Un instant plus tard, l'esquif s'écrasa lourdement sur le débarcadère : son mât frêle vola en éclats et son pilote fut éjecté.

Rémiz et Magda accélérèrent. Tandis qu'ils s'approchaient, le personnage s'accroupit auprès du corps affalé de leur ami. Boris, pour sa part, accourait depuis la rive opposée, traînant dans son sillage *Le Hammel à cornes*. Ruisselants, haletants et frissonnants de froid, Magda et Rémiz se hissèrent sur le débarcadère. Derrière eux, leurs esquifs dansaient sur l'eau.

– Est-il blessé ? demanda Magda.

– Il survivra, répondit le personnage sans lever les yeux. Mais il a une vilaine fracture à la jambe. Voilà un apprenti qui ne pourra pas voler d'ici longtemps.

Xanth poussa une plainte et ouvrit les paupières.

– J'ai mal, dit-il, pitoyable.

– C'est ma faute ! dit Boris, arrivé au grand galop, le visage écarlate et des larmes dans les yeux. Nous attendions l'instructeur de vol, mais il tardait à venir, alors j'ai pensé qu'il n'y aurait pas de mal à faire un petit tour de lac. Si j'avais su que l'aventure se terminerait ainsi… regretta-t-il.

Il s'agenouilla et prit la main du blessé.

– Je te demande pardon, Xanth. Nous aurions dû attendre cet idiot d'instructeur. Maintenant, il va falloir reporter notre première leçon.

– Je ne crois pas, rétorqua le personnage, qui se leva et leur fit face. Je suis votre idiote d'instructrice.

Boris gémit : encore une bévue !

– Peut-être que vous avez entendu parler de moi, continua-t-elle. Je m'appelle Violetta Lodd.

Rémiz demeura bouche bée. C'était donc la grande Violetta Lodd. La sœur de Félix. La bibliothécaire qui l'avait sauvé des Grands Bois tant d'années auparavant. Il se demanda s'il devait lui en parler… Mais elle ne semblait pas même le reconnaître ; comment l'aurait-elle pu, du reste ? Il était alors âgé de quatre ans, et elle ne l'avait pas revu depuis. Il retint sa langue.

– Quant à votre première leçon… disait Violetta.

Elle marqua un silence et dévisagea successivement les apprentis, mine écarlate pour l'un, bouche bée pour l'autre, corps secoué de frissons pour la troisième ; le quatrième, prostré sur le débarcadère, geignait de douleur.

– Vous venez de la recevoir.

Tandis que la lune pointait à l'horizon, énorme, jaune crème, Rémiz s'élança dans le ciel. Au-dessous de lui, sur le Débarcadère du lac, Violetta Lodd et Modeste rapetissèrent de plus en plus.

Loin sur sa gauche, un grand oisoveille, dont le plumage noir et l'immense bec recourbé resplendissaient sous le clair de lune, volait lentement. Xanth aurait adoré ce spectacle. Rémiz repensa au traité que son ami projetait d'écrire, et se demanda si le jeune garçon réaliserait un jour son rêve. Pauvre Xanth ! Encore aujourd'hui, six longs mois après le terrible accident, il s'aidait d'une canne pour marcher ; sa discrétion et son air tourmenté s'étaient encore accentués, à supposer que ce soit possible.

Rémiz avait toujours soin d'aller chercher Xanth et de l'inclure dans toutes les conversations sur l'art des voiles, les signaux de vol et la maîtrise du vent qui accompagnaient leur entraînement. Mais chaque fois que lui, Magda et Boris décollaient, Xanth restait seul, la souffrance et la déception visibles sur son visage pâle et dans ses yeux sombres, et Rémiz n'y pouvait rien.

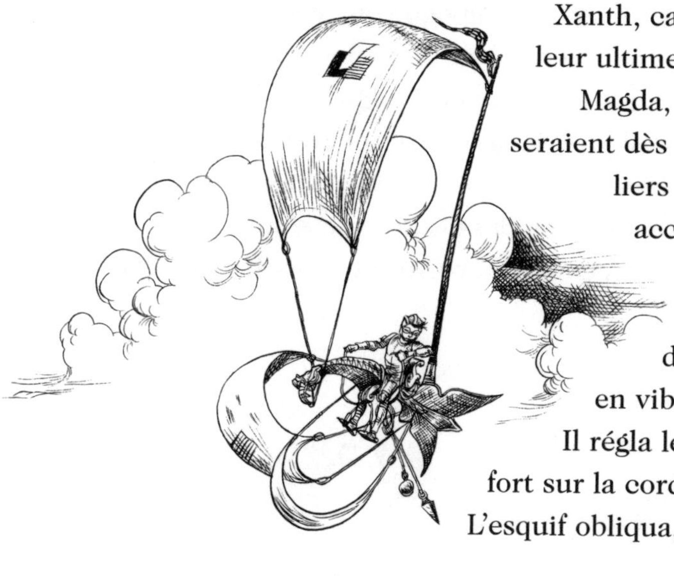

Cette soirée était particulièrement difficile pour Xanth, car elle marquait leur ultime séance de vol. Magda, Boris et Rémiz seraient dès lors des chevaliers bibliothécaires accomplis, prêts à entreprendre leur voyage d'études. Rémiz en vibrait d'émotion. Il régla les voiles et tira fort sur la corde à crampons. L'esquif obliqua, perdit un peu d'altitude et longea le vaste îlot de lumière et de prospérité niché dans le mystère des Grands Bois sombres.

– Les Clairières franches, chuchota-t-il, alors qu'il survolait l'un après l'autre les trois lacs miroitants, qu'il laissait derrière lui la haute Clairière du bois de fer pour piquer vers la Nouvelle Infraville.

Il rasa la Tour en ricanier, qui l'avait tant impressionné lors de son arrivée : comme ce jour paraissait lointain ! Il passa au-dessus des huttes ruchettes et des longues maisons des gobelins huppés, puis décrivit une boucle autour de la colonie des gobelins de brassin : par petits groupes, les personnages au nez proéminent quittaient les champs voisins pour regagner leur foyer, où les attendaient leur Grossemère et un dîner de miel douceâtre.

La lune continua de monter. Louvoyant, expert, contre le vent qui enflait, Rémiz se dirigea vers la taverne de la Sanguinaria, lieu de rassemblement pour les créatures venues du plus profond des Grand Bois. Comme il avait aimé, installé dans un coin sombre, écouter les histoires des temps anciens, de l'époque où, avant la maladie de la pierre, les grands navires du ciel sillonnaient les airs !

Et, à présent, c'était lui qui volait sur son propre esquif, les yeux baignés de lune et les cheveux au vent. Il sourit, réajusta les voiles et se haussa dans les étriers pour prendre son essor au-dessus de la taverne.

Les entrepôts de bois apparurent, puis les villages des trolls au-delà.

– Au revoir, Brutécorce, chuchota-t-il au souvenir du si gentil vieux troll à la chevelure tressée. Merci.

Ce fut ensuite, sous l'immense Clairière du bois de fer, l'entrée des Jardins de lumière. Combien de fois, alors qu'il peinait devant son fourneau à préparer le vernis, il avait rêvé de cette soirée ! Mais il savait aujourd'hui que les beaux jardins scintillants lui manqueraient, tout comme son tuteur échasson chargé d'ans.

– Au revoir, Gazouilli ! chuchota Rémiz.

Ce fut enfin, nappé d'une fine brume rouge, le camp des égorgeurs. Les énormes feux flamboyaient sous les hamacs de couchage oscillants : déjà, les égorgeurs s'éveillaient et se disposaient à une dure nuit de travail. Rémiz sentait presque le goût des saucisses de tilde épicées qu'il avait si souvent mangées.

– Au revoir, Vivien ! chuchota-t-il. Bon appétit, gentil maître.

D'un geste câlin, il entraîna son esquif dans une longue courbe lente et prit le chemin du retour. Au loin, les Prés d'argent miroitaient sous la lune. Rémiz eut l'impression qu'ils n'avaient jamais été aussi beaux.

– Au revoir, Trapèze, mon ami, dit-il doucement.

À l'approche du lac central, Rémiz aperçut Magda et Boris qui tournoyaient autour du débarcadère : ils l'attendaient pour effectuer ensemble leur ultime descente. Eux aussi avaient fait leurs adieux. La gorge de Rémiz se noua.

Il y avait Boris, lourd, arrogant, sur son solide *Hammel à cornes*. Prompt à se fâcher, lent à pardonner ; mais devenu, malgré tous ses défauts, un frère aîné pour lui. Et il y avait Magda, la sérieuse, la sensible Magda, sur son *Papillon des bois*, qui voletait, délicate, dans le vent. Telle une sœur, elle partageait ses réussites comme ses échecs, toujours prête à offrir une parole encourageante ou un regard de compassion.

Tous trois descendirent en spirale dans une harmonie parfaite, serrèrent élégamment leurs voiles à proximité du sol et se posèrent sans bruit devant leur instructrice de vol et le maître supérieur.

– Bravo à vous tous, dit doucement Violetta Lodd. C'était magnifique.

Rémiz sourit, rayonnant de plaisir sous les éloges. Il se rappelait combien l'instructrice avait semblé hautaine et distante de prime abord. Et à quel point il s'était trompé. Le premier matin, lorsqu'elle avait tourné les talons, il l'avait suivie, impatient de se présenter.

– Je suis Rémiz Gueulardeau, lui avait-il dit.

Et elle avait fait volte-face, posé une main sur son épaule et souri avec chaleur.

– Je sais, avait-elle répondu. Je reconnaîtrais n'importe où ces yeux bleu profond. Mais vois donc quel jeune apprenti remarquable tu es maintenant, Rémiz Gueulardeau ! Va chercher ton esquif du ciel, puis nous déjeunerons ensemble à ma table.

Dès cet instant, Rémiz s'était senti proche d'elle, comme si le lien, établi entre eux tant d'années auparavant, lorsque Violetta l'avait découvert dans les Grands Bois, ne s'était jamais rompu. Parfois, elle lui rappelait Félix, par son humour et son espièglerie. En d'autres circonstances, elle pouvait se montrer aussi sérieuse et exigeante que Spiritix Mirax. En tout cas, de bout en bout de la formation, elle avait été là pour Rémiz : excellente pédagogue, elle l'avait poussé vers des progrès toujours plus grands. Et il se trouvait à présent devant elle, son ultime vol de préparation achevé.

– Vous êtes tous prêts désormais, déclara-t-elle, avec un signe de tête solennel. Il est temps pour vous d'entamer votre voyage d'études, amis de la terre et du ciel.

Modeste inclina la tête à son tour.

– Bonne chance dans votre voyage ; puissiez-vous revenir sains et saufs dans les Clairières franches, mes chers et précieux chevaliers bibliothécaires.

Le cœur de Rémiz battait à se rompre. Il avait envie de hurler son soulagement, sa joie et son impatience, mais il se retint ; suivant l'exemple de Boris et de Magda, il s'inclina très bas et déclara d'une voix posée :

– Par la terre et le ciel, nous serons à la hauteur de vos espoirs.

Un grincement de roues rugueuses sur le débarcadère interrompit alors la paisible cérémonie : une charrette tirée par un hammel surgit, escortée de deux gardes des Clairières franches à dos de rôdailleurs. Rémiz se retourna.

Allongé à l'arrière de la charrette, un jeune apprenti gémissait doucement. Une tache sombre s'élargissait sur son habit de rémouleur. Modeste se précipita.

– Nous l'avons trouvé à la lisière nord, annonça le premier garde, un gobelinet, en saluant le maître supérieur. Il affirme qu'il était parmi des apprentis d'Infraville tombés dans une embuscade des pies-grièches. Il prétend qu'elles étaient informées de leur venue.

– Vraiment ? demanda Modeste, qui s'agenouilla près de l'apprenti blessé.

– Oui, maître, chuchota l'apprenti, le visage tordu et blême de douleur. Elles nous ont identifiés au Perchoir est, cernés sur les passages supérieurs et abattus un à un…

Modeste lui tapota la main.

– Allons, allons, ce trajet fut terrible en effet, mais vous êtes arrivé à bon port. C'est là l'important. Nous veillerons sur vous. Vous avez une grande valeur à nos yeux.

Il fit signe aux gardes.

– Emmenez-le à la tour, et faites venir Gazouilli ; il n'est pas question de perdre ce jeune apprenti courageux.

Les gardes s'éloignèrent en hâte. D'un pas raide, Violetta s'approcha de Modeste.

– Voilà qui ne me plaît pas, dit-elle d'une voix sèche. C'est le troisième groupe victime d'une embuscade. Ces pertes sont intolérables, Maître. Les gardiens de la Nuit deviennent plus puissants. Je sens là leur empreinte.

Modeste hocha la tête avec sagesse.

– Vous avez peut-être raison, ma chère Violetta, mais ce problème relève du Conseil des Clairières franches et de nos maîtres là-bas dans la vieille Infraville. Ce soir, saluons nos braves jeunes amis ici présents, et n'en parlons plus. Allez maintenant, dit-il à l'adresse de Magda, Boris et Rémiz. Le dîner vous attend au réfectoire supérieur.

Alors qu'il s'apprêtait à suivre ses camarades, Rémiz aperçut Xanth, à moitié caché dans l'ombre, le visage livide, les lèvres serrées, exsangues. Leurs yeux se rencontrèrent.

– Xanth ! appela Rémiz.

Son ami détourna sournoisement le regard.

– Xanth ! répéta-t-il plus fort. Viens nous rejoindre.

– Laisse-le, conseilla Magda. Il sait où nous trouver s'il le veut. Il doit se sentir tellement malheureux en ce moment : il voudrait que sa jambe soit réparée, il voudrait être à notre place.

Rémiz hocha la tête. Mais, tout en sachant que l'explication de Magda était plausible, il n'y croyait pas. Ce n'était ni de la tristesse, ni du regret, ni même de l'envie, qu'il avait lu dans les yeux de Xanth.

C'était de la culpabilité.

Chapitre 13

La Clairière des fonderies

Après une violente tempête qui s'était déchaînée toute la nuit et prolongée tard dans la matinée, le temps avait fini par s'éclaircir, vers midi. Des nuages blancs duveteux s'étaient mis à courir dans le ciel éclatant, qu'ils semblaient lustrer au passage, tandis que, dans les Grands Bois, Rémiz avait l'impression que la moindre feuille de la moindre branche, luisante sous les rayons de lumière argentée, venait d'être cirée et polie.

Dirigé par sa main experte, son esquif contourna un grand arbre aux berceuses et rasa des taillis hérissés d'épilames. Son cœur battait d'excitation. Il avait peine à le croire : si tôt après son dernier vol préparatoire, voici qu'il se trouvait, en compagnie de la célèbre Violetta Lodd et de son meilleur ami, Trapèze l'égorgeur, en route pour une attaque !

Vifs et silencieux dans la lumière mouchetée de la forêt, les trois esquifs (*Le Faucon du vent, La Guêpe des bois* et *Le Frelon de tempête*) restaient sous le couvert des arbres immenses. Les doigts de Rémiz jouaient sur les leviers des cordes, caressants, et l'esquif tournait à droite, à gauche, montait, descendait, penchait d'un côté, de l'autre. C'était un vol difficile, qui requérait une attention constante.

Occasionnellement, plus par nervosité que par nécessité, il tapotait sa combinaison, histoire de vérifier que tout le matériel de vol, encore nouveau pour lui, demeurait en place : son grappin et un rouleau de corde, sa fiole d'eau et (fassent le ciel et la terre qu'il n'en ait jamais besoin) sa boîte en ricanier, cadeau de Gazouilli l'échasson, remplie de pansements, de potions et de baumes. Sur sa poitrine pendaient sa longue-vue, sa boussole et sa balance ; contre son flanc, son couteau, l'épée ornée de Félix et, retenue par une lanière de cuir à sa ceinture, la petite hache, tranchante comme un rasoir, que portaient tous les pilotes d'esquifs. Il se sentait désormais un véritable chevalier bibliothécaire, équipé pour parer à toute éventualité. Si seulement les tiraillements d'angoisse au creux de son ventre voulaient bien disparaître !

« Forêt dense droit devant », signala Violetta Lodd à ses deux compagnons et, dans un même élan, tous trois prirent de l'altitude et percèrent la voûte des arbres.

Rémiz fut émerveillé à la vue des cimes pointant tout autour de lui. Il se haussa sur ses étriers sculptés puis, le vent tiède en plein visage, déploya la voilure entière du *Frelon de tempête*. L'esquif du ciel vibra une seconde, le plaqua contre le siège et bondit en avant.

« Rasez le faîte des arbres », recommanda Violetta en silence. Il était important qu'ils passent inaperçus.

Le jeune garçon tira sur la boucle de la corde à crampons, et *Le Frelon de tempête* piqua, docile, vers le dôme de la forêt vaporeuse, qu'il effleura, comme son modèle jaune et rouge avait effleuré, sous les yeux de Rémiz, la surface du lac. Ce moment semblait si loin ! Rémiz se perdit dans ses pensées.

Il se remémora la soirée de la veille, lorsque, prêt à se mettre au lit, il avait entendu un tapotement léger à la porte de sa cabine de nuit. C'était Violetta Lodd, sa combinaison de vol équipée, une arbalète chargée à son côté.

– Viens avec moi, avait-elle dit. J'ai à te parler.

Il l'avait suivie sur le débarcadère, où Trapèze les attendait avec son lasso tournoyant. Sous leurs pieds, les eaux obscures et houleuses du lac enflaient, gonflaient ; au-dessus de leurs têtes, des nuages noirs, bouillonnants, accouraient de l'ouest. Violetta s'était plantée face aux deux garçons, le visage sombre, la voix tremblante d'émotion. Rémiz ne l'avait jamais vue aussi bouleversée.

– Ce soir, j'ai eu la visite de ton jeune ami Xanth, commença-t-elle. Depuis son accident, il se rend utile, pourrais-je dire, en collectant des informations.

– En espionnant ? demanda Rémiz, un peu choqué.

– La formulation est juste, répondit Violetta. Dans notre guerre contre les gardiens de la Nuit et leurs alliés, la vigilance s'impose. Quoi qu'il en soit, le jeune Xanth a rapporté des nouvelles troublantes.

– Continuez, la pria Trapèze, en laissant retomber son lasso.

– L'esclavage est réapparu dans la Clairière des fonderies.

– Le maître de la fonderie se révèle incurable, déplora Trapèze, amer.

Violetta posa la main sur l'épaule de l'égorgeur.

– Comme toi, Trapèze a perdu toute sa famille à cause des preneurs d'esclaves, expliqua-t-elle à Rémiz. Nous pensions leur avoir donné une leçon, à lui et à ses alliés gobelins, lors de notre dernière attaque, mais ils ont manifestement repris leurs vieilles habitudes.

– Ces esclaves, avait demandé Rémiz, qui sont-ils ? Des égorgeurs ? Des gobelinets ?

– Non, avait répondu Violetta. Ce sont…

Elle s'était tournée vers Rémiz, les yeux brillants de colère et de chagrin mêlés.

– Quoi ?

– Des ours bandars, Rémiz, avait-elle dit. Des ours bandars.

Au souvenir de ces paroles, les doigts de Rémiz tremblèrent, et *Le Frelon de tempête* se mit à vibrer. Des ours bandars ! Comment quelqu'un pouvait-il asservir des créatures aussi majestueuses, aussi nobles ? À cette seule pensée, le sang de Rémiz bouillait. Pourtant, c'était précisément ce que Romuald Bulleux, le maître des fonderies, avait fait. Quel genre d'individu était-il donc, pour enchaîner des ours bandars ?

– Vous aimez les ours bandars autant que moi, avait dit Violetta. Je savais que vous voudriez contribuer à les secourir.

– Et Boris et Magda ? avait demandé Rémiz.

Violetta avait refusé.

– Dans ce type d'attaque, moins on est, mieux ça vaut. Et j'ai devant moi les deux meilleurs pilotes des Clairières franches.

Après une pause, elle avait précisé :

– Si vous êtes de la partie, nous devrons pénétrer sur nos esquifs dans la Clairière des fonderies, au nez et à la barbe des gardes gobelins, libérer les ours bandars de leur prison et nous enfuir avant d'être découverts. La tâche ne sera pas facile.

– Nous sommes de la partie, avaient répondu Rémiz et Trapèze d'une même voix.

C'était à cet instant que Rémiz avait éprouvé pour la première fois les tiraillements au creux de son ventre.

Alors que le soleil, assombri, glissait vers l'horizon, Rémiz sentit la brise forcir. Il réduisit la voile inférieure et tint plus fermement la corde à crampons. Car cette reprise du vent, tout en accroissant leur vitesse, rendait l'esquif capricieux et têtu.

« La voilà », signala Trapèze d'un geste rapide, pouce et index réunis pour former le signe caractéristique de la clairière.

Rémiz leva la tête. Loin devant lui, crachée par les hautes cheminées des fonderies, une épaisse fumée noire salissait le ciel de son nuage opaque. Le cœur du jeune garçon cessa de battre une seconde.

« Descente ! » ordonna Violetta d'un signe pressant, et *Le Faucon du vent* replongea dans la forêt.

Rémiz mania les leviers des cordes : il ramena la voile inférieure et déploya la voile voltigeuse tandis qu'il maintenait l'équilibre grâce aux étriers et levait lentement la corde à crampons. Nerveux, il se mâchonna la lèvre. *Le Frelon de tempête* piqua du nez pour s'enfiler dans une trouée au milieu des branches. Lorsqu'il entra sous le couvert obscur, le vent mollit aussitôt, et l'esquif délicat, tremblant, perdit de la hauteur. Les doigts de Rémiz se précipitèrent sur les cordes et les leviers. L'esquif se rétablit et continua sa course.

Violetta lança un signe vif : « Maîtrise remarquable, Rémiz ! » et sourit.

Rémiz sentit son visage s'épanouir, puis le rouge lui vint aux joues. Il éprouvait soudain une telle fierté à ce que la grande Violetta Lodd le complimente sur son adresse ! Il tapota la proue du *Frelon de tempête*.

– Bravo, chuchota-t-il.

La lumière faiblit alors qu'ils poursuivaient leur trajet. De temps à autre, Rémiz devait faire un écart pour éviter les arbres, dont l'ample ramure surgissait au dernier moment de la pénombre devant lui. Un peu au-delà, il distingua une lueur jaune, huileuse, entre les troncs.

« Suivez-moi, tous les deux », indiqua Violetta pardessus son épaule.

Elle monta brusquement et se posa sans bruit sur la grosse branche d'un vieil arbre de fer. Rémiz et Trapèze la rejoignirent. Violetta pointa le doigt vers la source de lumière devant eux.

Rémiz décrocha sa longue-vue et la colla contre son œil. À travers les branches en surplomb, il scruta la clairière. Vaste, malade, écorchée, elle évoquait une grande croûte suppurante à la surface de la forêt. Il y flottait la puanteur du soufre, de la poix et du métal fondu. Il y résonnait le fracas percutant des marteaux et du bois débité, le rugissement des fourneaux, les claquements de fouet et les hurlements impérieux des contremaîtres gobelins, le crissement synchronisé des pelles et des pioches qui creusaient en profondeur les carrières de minerais.

Par-dessus le vacarme, tel un sombre chœur lugubre, retentissait la plainte des gobelins au travail. Rémiz frémit. Quel supplice devaient subir ces pauvres créatures misérables, pour gémir si terriblement…

À cet instant, rompant la cacophonie du labeur pesant et du désespoir sans fond, il y eut un long craquement, suivi d'un son mat. La longue-vue de Rémiz pivota. Une nuée de poussière tourbillonna en bordure de la grande clairière et retomba : l'arbre le plus récemment abattu gisait sur le sol à l'endroit même où il s'était écrasé. Déjà, une armée de gobelins s'affairait autour de son immense tronc et le dénudait.

« La belle forêt ! » s'exclama Rémiz par signes.

« Romuald Bulleux », mima Violetta en réponse, et elle passa un doigt en travers de sa gorge, comme un couteau.

Rémiz hocha la tête.

Outre les amas de cendres et les monticules de terre, qui surgissaient tels des furoncles du sol dénudé, se dressaient aussi des pyramides de rondins ébranchés, alimentant chacune une fonderie. Des équipes de gobelins maigres, voûtés, leur robe à capuche en loques et la peau ternie par des années de crasse, ôtaient les rondins tour à tour, puis les traînaient, à l'aide de cordes et de crochets, jusqu'à l'intérieur des fonderies. Équipe après

LA CLAIRIÈRE DES FONDERIES

équipe, rondin après rondin. Pourtant, les hauts tas instables ne diminuaient jamais, car chaque tronc, à peine ôté, était aussitôt remplacé par un nouveau, récemment abattu, et le cancer de la clairière dévorait de plus en plus la forêt environnante.

« Où sont les ours bandars ? » demanda Rémiz par gestes, en haussant les épaules.

Trapèze lui tapota l'épaule et tendit le doigt.

Un ours bandar ! Le cœur battant d'impatience, Rémiz tourna sa longue-vue et la braqua sur l'ours qui sortait de la grande fonderie globuleuse à sa gauche. Ce qu'il vit le glaça jusqu'à la moelle des os.

L'infortunée créature, les côtes saillantes et les joues creuses, semblait à demi morte de faim. Sa fourrure drue était roussie, sans éclat ; des blessures à vif se devinaient çà et là sur son corps courbé, craintif. Enchaîné aux chevilles et aux poignets, l'ours était encadré par deux gobelins, armés tous deux d'un long gourdin, dont ils se servaient souvent et avec un plaisir manifeste. L'esclave supportait les coups sans jamais réagir ni résister. Et Rémiz, qui le regardait avancer d'un pas traînant vers sa prison, comprit que toute vitalité avait été anéantie en lui.

Cinq autres ours bandars apparurent respectivement à la porte des diverses fonderies. Ils étaient peut-être dans un état encore plus lamentable que le premier. Aucun d'eux ne semblait capable d'avancer plus vite, malgré la pluie de coups violents et de jurons furieux. L'un boitait fortement. Un autre avait à l'épaule une brûlure suintante, irritée. Tous frissonnaient comme des feuilles, transis après les heures passées dans la fournaise.

Rémiz se tourna vers Violetta : son regard fulminait, sa bouche s'ouvrait et se refermait. Elle serrait son arbalète à deux mains. Rémiz, sa pitié changée en colère, chercha son couteau et son épée à sa ceinture, puis se remit à observer la clairière.

Il vit les ours bandars conduits dans leur prison et enchaînés aux piliers centraux. Malgré son toit, le hangar ne les protégeait nullement du vent mordant, et les six ours se blottirent les uns contre les autres au milieu de leur paillasse sale pour se réchauffer, muets et tremblants, les yeux mornes, éteints.

De sa longue-vue, Rémiz explora la clairière. Elle semblait presque déserte. Depuis que les ours bandars n'approvisionnaient plus les fourneaux, les fonderies étaient à l'arrêt, et les derniers extracteurs de minerais, abatteurs d'arbres et transporteurs de rondins disparaissaient à l'intérieur de leurs longues huttes. Les gardes gobelins les suivaient, riant et plaisantant.

Bientôt, il ne resta plus qu'un garde solitaire, endormi à son poste, au sommet de la tourelle de guet. Un étrange silence envahit la Clairière des fonderies. Violetta se tourna vers Trapèze et Rémiz, le visage soudainement grave.

« Souvenez-vous, mima-t-elle. Nous entrons, nous ressortons. Aucun bruit. »

Ses compagnons acquiescèrent.

« Venez », leur signifia Violetta, hissant ses voiles pour le décollage. « À l'attaque ! »

Alors que *Le Frelon de tempête* quittait la branche, les tiraillements cessèrent au creux du ventre de Rémiz. Suivant de près Violetta et Trapèze, il traversa la dernière épaisseur de feuillage et pénétra dans la trouée ravagée. Un tourbillon calme et glacé l'enveloppa dès son arrivée dans l'affreuse clairière.

Violetta et lui descendirent vers les rangées de longues huttes et de chariots bâchés, puis planèrent au-dessus de la prison des ours bandars. De son côté, Trapèze fondit sur la tourelle de guet où le garde ronflait très fort ; ce faisant, il enroula une extrémité de son lasso à son poignet. Rémiz regarda l'égorgeur s'approcher pour effectuer le lancer. La boucle tournoyante disparut derrière le muret de la tour. Rémiz retint son souffle.

Un instant plus tard, le lasso réapparut : au bout du nœud refermé pendait un gros trousseau de clés. Le garde endormi n'avait pas bougé.

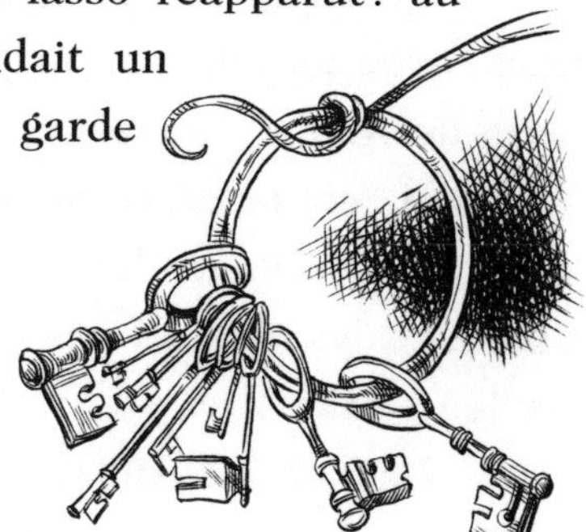

« Bravo ! », mima Rémiz, impressionné par la dextérité de l'égorgeur.

« Rémiz, signala Violetta, pressante. Tiens. » Elle lui lança une extrémité de sa longe.

Rémiz l'attrapa et la fixa autour de sa figure de proue, afin d'attacher ensemble les deux esquifs.

Violetta abandonna son siège et bondit à terre.

Le Faucon du vent tressauta et fit un écart ; sa longe se tendit. *Le Frelon de tempête* se cabra en signe de protestation. Rémiz modifia sa position dans les étriers et empoigna d'une main décidée la corde à crampons raidie : les esquifs devaient demeurer stables, prêts pour la fuite.

– Tout doux, susurra-t-il. Tranquille.

Trapèze piqua vers le sol, lança au passage le trousseau de clés à Violetta et remonta comme une flèche dans les airs, où il prit son poste de sentinelle. Dans la prison, Violetta se mit au travail.

Il y eut un cliquetis, suivi d'un fracas de chaînes qui tombaient. Puis un deuxième cliquetis...

Au-dessus de la tête de Rémiz, Trapèze tournoyait lentement, l'œil aux aguets.

Dans un ultime cliquetis et fracas métallique, Violetta ôta la dernière chaîne.

Rémiz l'entendit presser les ours bandars :

– Partez ! Vous êtes libres !

Les pauvres créatures semblèrent d'abord stupéfaites, mais, avec nonchalance (une nonchalance extrême aux yeux de Rémiz, qui bataillait pour maintenir l'esquif de Violetta), un premier ours, imité par un deuxième, se hissa prudemment sur ses pattes. Apathiques, précautionneux, les ours s'avancèrent dans la clairière, Violetta sur leurs talons.

– Gagnez la lisière, conseilla-t-elle, désespérément insistante, aux géants alanguis.

À la même seconde, un son étouffé sortit de l'alignement de chariots bâchés. Rémiz fit volte-face, le cœur battant la chamade. Quelque chose n'était pas normal.

Soudain, les bâches en cuir de tilde volèrent : des gardes armés surgirent, rangée après rangée.

– C'est un piège ! cria Trapèze depuis le ciel. Filez d'ici !

D'un seul mouvement, dans un cri de guerre effroyable, les gobelins velus dégainèrent leurs rapières dentelées et se ruèrent à l'assaut.

Les ours bandars renversèrent la tête, découvrirent leurs crocs et hurlèrent. Dressés sur leurs énormes pattes postérieures, ils se précipitèrent en avant, aveugles de rage, fendant l'air du sabre de leurs grandes griffes, désireux à tout prix d'atteindre la liberté et la sécurité de la forêt.

– Laissez les ours ! vociféra une voix. C'est Lodd qu'il nous faut !

Rémiz se retourna et découvrit un individu maigre, ratatiné, aux longs favoris recourbés, le visage pincé et le regard vif, debout seul sur l'un des chariots. C'était Romuald Bulleux en personne ! Il martela les planches de son lourd bâton.

– Capturez-moi Violetta Lodd ! tonitrua-t-il.

Violetta décocha une flèche de son arbalète. La pointe se planta dans le flanc du chariot, à quelques centimètres de la tête de Bulleux. Le maître des fonderies glapit et bondit à l'abri. Violetta courut vers l'endroit où Rémiz tenait prêts les esquifs. Les gobelins approchèrent : ils brandissaient leurs épées et un filet lourdement lesté. La longe glissa de la main de Rémiz à l'instant où Violetta saisissait la proue du *Faucon du vent*, et l'esquif pencha sur le côté, désarçonnant sa conductrice.

Rémiz poussa un gémissement. Il entendit derrière lui la clameur railleuse des gobelins en liesse.

– À présent, nous la tenons ! cria l'un d'eux.

– La grande Violetta Lodd ! se moqua un autre.

– Voilà qui lui apprendra... aaahhh !

Rémiz jeta un coup d'œil par-dessus son épaule. L'un des gardes gisait à terre, la poitrine percée d'une flèche. Deux compagnons d'armes étaient accroupis près de lui. Au-dessus d'eux, l'arbalète levée, Trapèze s'apprêtait à tirer de nouveau.

– Aaahhh ! hurla un deuxième gobelin.

Il s'affala, et le sang jaillit de la blessure dans son dos.

– Rémiz ! appela Violetta, qui se remettait debout tant bien que mal. Rémiz, aide-moi !

Rémiz tendit la main et rattrapa la longe du *Faucon du vent*, qu'il enroula autour de son poignet. Le poids du second esquif faillit lui arracher le bras. Il grimaça de douleur, mais il tint bon.

– Grimpez ! cria-t-il à Violetta. Vite !

Les gardes hurlèrent de rage et s'élancèrent.

– Imbéciles ! tonna en écho la voix furieuse de Romuald Bulleux.

Trapèze porta une troisième attaque. La flèche siffla.

Rémiz lâcha la longe lorsque Violetta empoigna *Le Faucon du vent*. L'esquif cahota et s'inclina dangereusement alors qu'elle s'y juchait et enfourchait son siège. Un instant plus tard, elle réglait les voiles, et l'esquif prenait son essor. Le cœur chantant, Rémiz s'envola à son côté dans un éparpillement de gobelins.

– Nous avons réussi ! se réjouit-il.

– Merci, Rémiz, répondit Violetta. Tu m'as sauvé la vie.

– Fuyons d'ici ! cria Trapèze, arrivé à toute vitesse.

– Mais les ours bandars ? répliqua Rémiz. Se sont-ils échappés ?

– Regarde-les ! dit Trapèze, le doigt pointé vers sa gauche.

En bordure de la clairière, les ours disparaissaient dans la forêt. Les gardes, nerveux, restaient en retrait des énormes bêtes, tandis que Bulleux proférait des injures et agitait son bâton, furieux, en direction des esquifs.

– Abattez-les ! commanda-t-il.

– Dispersons-nous ! hurla Violetta tandis qu'une volée de flèches vibrait autour d'eux.

Rémiz s'écarta. Il vira au-dessus des huttes et s'éloigna des gobelins, à la suite des ours bandars qui battaient en retraite vers le couvert des arbres.

Le dernier d'entre eux se retourna. C'était l'esclave que Rémiz avait vu sortir en premier des fonderies : une femelle massive, l'œil cerné et le museau zébré de curieuses marques noires.

Leurs regards se rencontrèrent.

– Attention ! prévint Violetta, quelque part en contre-haut.

Rémiz baissa les yeux : il vit un gobelin appuyé sur un genou près de l'un des chariots vides. Il tenait une arbalète braquée sur le cœur de l'ourse immobile.

Un pincement de corde, un sifflement, et la flèche fendit l'air. Rémiz dévia vers l'ourse.

Il y eut un bruit mat lorsque la flèche se ficha dans l'épaule du jeune garçon. La douleur lui envahit aussitôt le bras. Il poussa un cri.

– Accroche-toi ! hurla Violetta, et elle piqua droit sur lui.

Le gobelin s'apprêtait à ôter une seconde flèche de son carquois lorsque le tir de Trapèze fit mouche, entre ses deux yeux. Le garde s'effondra. Violetta tendit le bras et agrippa la longe ballante du *Frelon de tempête*. Les épaules crispées, elle tira le blessé à l'abri des arbres.

– *Ouaou-ouaou !* cria l'ourse à leur adresse, avant de s'enfoncer d'un pas lourd dans la forêt.

– Tout ira bien ! lança Violetta, hors d'haleine, à Rémiz.

Dans un grognement d'effort, elle noua l'extrémité de la longe à la proue du *Faucon du vent*, puis régla les voiles. Alors qu'ils sinuaient parmi les hautes cimes, plusieurs flèches derrière eux manquèrent leur but.

– Tiens bon, Rémiz ! exhorta-t-elle. Tiens bon !

– Tenir bon, murmura Rémiz. Tenir bon…

Il se pencha en avant et enlaça le cou élégant du *Faucon de tempête*. Alentour, l'océan de cimes vert argenté filait, flou. Ses paupières se fermèrent.

Trapèze se rapprocha.

– Il a l'air mal en point, cria-t-il dans le vent.

– La flèche, répondit Violetta. Tels que je connais les gobelins velus, elle était empoisonnée. Il faut le ramener au Débarcadère du lac le plus vite possible. Sinon, il mourra.

Chapitre 14

La fièvre

Une lumière faible, laiteuse, entrait par la grille de la cabine de nuit ; elle baignait la petite pièce et s'étirait sur le bois sculpté, doré, du lit dans lequel un garçon maigre à l'épaule bandée dormait d'un sommeil agité. Sous la couverture en laine de tilde, le jeune chevalier bibliothécaire aux joues creuses se tournait et se retournait, inondé de sueur. Ses jambes repoussèrent la couverture. Ses paupières frémirent.

Des loups. Il y avait des loups tout autour de lui, dont les yeux jaunes rutilaient comme des charbons ardents. Ils hurlaient. Ils grondaient. Et des voix, des voix furieuses, des voix apeurées, criaient, fulminaient…

– Non, non, gémit-il, battant des bras en tous sens.

Puis il se retrouva seul dans le silence de l'immense forêt ténébreuse, et le chagrin le submergea. Redevenu un bambin de quatre ans, il se mit à sangloter, très fort, sans frein, à chaudes larmes… Il était abandonné, perdu ; et il avait tellement, tellement froid.

C'était le vieux cauchemar.

Soudain, une créature surgie de l'ombre s'avança vers lui. Une créature énorme. Une créature menaçante, aux dents étincelantes et aux yeux flamboyants...

– Allons, allons, dit une voix.

Les yeux de Rémiz frémirent et s'ouvrirent. Son épaule l'élançait.

Gazouilli se tenait au-dessus de lui, une lanterne levée dans une main et dans l'autre une feuille de brume, fraîche et humide, qu'il pressa contre le front luisant de Rémiz. Le corps transparent du grand échasson semblait remplir toute la pièce.

– Luttez encore, brave maître, dit-il de sa voix aiguë, assourdie par la compassion. La fièvre tombera bientôt.

Il tendit le bras, retapa l'oreiller du malade et tira sur lui la couverture. Rémiz ferma les yeux.

Lorsqu'il les rouvrit, l'échasson était parti, mais la lanterne, déclinante et crépitante, brillait toujours là-bas sur le bureau. Rémiz promena son regard sur la petite cabine sombre, les boiseries en ricanier, l'humble mobilier sculpté. Dès l'instant où Modeste la lui avait montrée, lors du premier soir au Débarcadère du lac, il y avait plus d'un an déjà, Rémiz s'était senti protégé à l'intérieur de son cocon.

Des yeux, il fixa le plafond, suivit les planches étroites dans les angles et glissa le long des murs. La douce lueur ambrée de la lanterne se reflétait dans le bois doré. Ses paupières s'alourdirent. Les lignes droites des boiseries se tordirent, se brouillèrent. La douleur sourde qui lui déchirait l'épaule le vidait de ses forces et se répandait dans son corps, tel un feu de forêt tenace.

Ses yeux se fermèrent. Sa respiration devint basse et régulière, et il sombra dans un profond sommeil sans rêves. Lorsqu'il se réveilla, la fièvre était revenue.

Tantôt il bouillait de chaleur, les draps trempés, la peau brûlante. Tantôt, comme plongé dans une eau glacée, il se retrouvait frigorifié, pelotonné au creux de son lit, claquant des dents, secoué de violents tremblements.

Des bruits extérieurs pénétraient ses rêves. Les cris des créatures nocturnes des Grands Bois, le bavardage étouffé mais enthousiaste des apprentis qui passaient en hâte devant sa porte ; le mugissement du vent ou le martèlement de la pluie sur le toit, le clapotis cadencé du lac tumultueux au-dessous de lui ; et, une seule fois, le lointain cri modulé d'un ours bandar solitaire.

Rémiz perdit toute notion du temps. Était-ce la nuit ? Était-ce le matin ? Combien de jours avait-il déjà passés dans ce lit, tantôt à gémir faiblement, tantôt à remuer sans répit, en lutte contre le poison qui coulait dans ses veines ?

– Tout va bien, entendit-il. N'essaie pas de parler.

Il ouvrit lentement les yeux. La pièce tournoya.

– Nous sommes venus te dire au revoir, annonça une voix apaisante.

– Au revoir, répéta Rémiz dans une sorte de grognement sourd et rauque.

Devant lui, deux visages ronds se détachèrent des ombres dorées, chatoyantes. Il essaya de soutenir leurs regards, mais son cou dodelina de droite à gauche. L'effort était trop grand.

Ses yeux se refermèrent. Une main saisit la sienne. Elle était fraîche et douce. Dans un ultime effort, il rouvrit les yeux : là, penchée sur lui, se tenait Magda. Et derrière elle, Boris.

Rémiz tenta de parler.

– Magda… chuchota-t-il, ses lèvres craquelées presque immobiles.

Ses paupières retombèrent.

– Rémiz, chuchota-t-elle en réponse, au bord des larmes. Boris et moi commençons ce soir notre voyage d'études…

Elle n'eut pas la force de continuer.

– Oh, Boris ! s'écria-t-elle. Crois-tu qu'il nous entende seulement ?

– C'est un lutteur, répondit Boris de sa voix bourrue. Il ne cédera pas ; et Gazouilli fait son possible. Viens, laissons-le se reposer.

Les deux apprentis se levèrent, prêts à partir.

– Porte-toi bien, Rémiz, dirent-ils doucement.

Les paupières de Rémiz frémirent. Il sentit sur son front enfiévré le baiser léger de lèvres fraîches et sèches, huma la senteur de pin de l'épaisse chevelure de Magda. Son corps était d'une lourdeur invraisemblable.

Le loquet cliqueta lorsque la porte se referma. Rémiz était de nouveau seul.

Nuit et jour se succédèrent. Régulièrement, quand le soir tombait et que la lumière laiteuse du dehors diminuait, l'échasson venait allumer la lanterne à huile. Il donnait un bain à Rémiz et le bordait ; il lui versait des gouttelettes de médicament puissant sous la langue et appliquait des onguents à base de plantes sur sa blessure enflammée, dont il remplaçait ensuite le pansement de gaze.

Parfois, Rémiz se réveillait lorsque Gazouilli s'affairait, attentif, autour de lui ; mais, bien souvent, il dormait durant les tendres soins de l'échasson.

– Rémiz, m'entends-tu ?

Rémiz ouvrit les yeux. Il connaissait cette voix.

– C'est moi, Rémiz. Xanth.

– Xanth ? murmura-t-il, et il tressaillit sous la violence de l'élancement qui se propagea de l'épaule à son bras.

Xanth tressaillit avec lui. Il avait les traits pâles et tirés ; ses yeux sombres, enfoncés, semblaient plus tourmentés que jamais. Il repoussa ses cheveux en arrière et fit un pas près du lit. Au bout de ses doigts, la lanterne oscilla.

– Je suis venu te dire au revoir, Rémiz, annonça-t-il.

– Au revoir, dit Rémiz avec tristesse. Toi aussi ? Magda et Boris…

Xanth eut un rire amer.

– Magda et Boris ! Comme je les envie…

Il enfouit sa tête dans ses mains.

– Je ne ferai pas de voyage d'études, Rémiz. Ma route quitte les Grands Bois pour me reconduire à la Nouvelle Sanctaphrax.

– La Nouvelle Sanctaphrax ?

Rémiz s'efforça d'éclaircir ses idées. Vivait-il une scène réelle, ou seulement un rêve provoqué par la fièvre ?

– Mais pourquoi, Xanth ? murmura-t-il.

L'apprenti se détourna, et Rémiz distingua tout juste son dos voûté dans l'ombre. Lorsqu'il reprit la parole, sa voix était sourde et troublée.

– Tu as été un excellent ami pour moi, Rémiz Gueulardeau, déclara-t-il. Quand les autres m'ignoraient ou se moquaient de moi, tu étais là pour me défendre, m'encourager...

Il hésita.

– Et en échange de ton amitié, je ne t'ai offert que mensonge et perfidie.

– Mais... mais comment ? demanda Rémiz. Je ne comprends pas.

– Je suis un espion, expliqua Xanth. Au service d'Orbix Xaxis, le Gardien suprême de la Nuit. Les chevaliers bibliothécaires sont mes ennemis.

Il plissa les yeux.

– Pourquoi aucun groupe d'apprentis n'a-t-il atteint le Débarcadère du lac depuis mon arrivée, selon toi ? Parce que je les ai trahis, Rémiz. Et comment les gobelins de la Clairière des fonderies ont-ils appris que Violetta Lodd leur rendrait visite, hum ? Parce que j'ai tendu ce piège, voilà comment. Oh, mais Rémiz...

Xanth se retourna et s'agenouilla à côté du lit. Il saisit la main de Rémiz, ses propres mains tremblant d'émotion.

– Si j'avais su que toi, l'un des deux seuls êtres que j'ai jamais appelés amis, participerais à cette attaque, je t'aurais averti, Rémiz. Il faut que tu me croies !

Rémiz ôta sa main.

– Toi ? Tu nous as trahis ? dit-il faiblement. Après tout ce que nous avons vécu ensemble... Oh, Xanth, comment as-tu pu ?

– Parce que j'appartiens aux gardiens de la Nuit, répondit Xanth, amer. Ils me possèdent corps et âme. J'ai beau essayer, je ne peux pas leur échapper. Ne penses-tu pas que je préférerais demeurer ici, dans la beauté des Grands Bois, si j'avais le choix ? Mais ce n'est pas possible, Rémiz. Je suis allé trop loin. J'ai fait trop de ravages. Je ne peux pas rester.

Il soupira.

– Je suis aussi prisonnier de la tour de la Nuit que mon ami Séraphin, auprès duquel je dois retourner.

Rémiz dévisagea Xanth entre ses paupières baissées. Ses tempes cognaient, sa vue était brouillée.

– C'est Séraphin qui, le premier, a peuplé mon esprit d'histoires sur les Grands Bois, et de ses aventures avec Spic le pirate du ciel, continua Xanth. À cause de lui, je devais venir ici et tout voir de mes propres yeux… même si le seul moyen pour y arriver était de me transformer en espion.

Il baissa la tête, pitoyable.

– Je vous ai sans doute trahis tous les deux.

Rémiz regarda ailleurs. La fièvre remontait avec une intensité extrême. Xanth ? Un traître ? Il ne voulait pas l'accepter. Xanth était son ami. Un profond chagrin se mêla au tourment de sa blessure, et les ombres s'épaissirent autour de son lit. Rémiz ferma les yeux et laissa la fièvre le submerger.

Xanth regarda le jeune dormeur, et remonta la couverture sur ses épaules.

– Bonne route, Rémiz, dit-il. Je ne pense pas que nos chemins se croisent une nouvelle fois.

Il recula, pivota sur ses talons et se dirigea vers la porte ronde. Il ne se retourna pas.

Les doigts fébriles, Rémiz revêtit la combinaison de vol en cuir vert et raide, boucla la ceinture soutenant le poignard et la hache, accrocha l'épée de Félix à sa taille, mit le petit sac à provisions sur son épaule et descendit l'escalier de la tour. Il manquait encore de force, son visage était blafard et tiré, mais, grâce au concours de Gazouilli, il avait pu vaincre le poison des gobelins. Aujourd'hui, deux semaines après le départ de Magda et de Boris, l'heure d'entamer son voyage d'études avait sonné.

Au pied de la tour, Violetta Lodd l'accueillit.

– À plusieurs reprises, avoua-t-elle, je me suis demandé si ce jour viendrait vraiment. Mais tu as réussi, Rémiz. Je suis si fière de toi. Et maintenant, chevalier bibliothécaire, dit-elle en montrant *Le Frelon de tempête* qui dansait au bout de sa longe à l'arrière de la plateforme, ton esquif du ciel t'attend.

Rémiz s'avança, enlaça le cou en bois lisse de la délicate créature et appuya la joue contre sa tête.

– Frelon de tempête, chuchota-t-il. Enfin !

Rémiz entendit alors un bruit de pas derrière lui. Il se retourna et vit deux personnages s'approcher. L'un était Modeste, dont la robe loqueteuse claquait au vent. L'autre, un grand homme portant la barbe et une tunique noire, leva la main en signe de salutation. Le regard de Rémiz s'arrêta sur le croissant de lune blanc qui lui ornait la poitrine.

– Le professeur d'Obscurité ! s'étonna-t-il.

– Il est arrivé pendant ta maladie, Rémiz, expliqua Violetta, pour nous informer de la déloyauté de Xanth. Une fâcheuse affaire à tous égards.

Rémiz acquiesça tristement. Les deux personnages les rejoignirent. Le professeur d'Obscurité donna une poignée de main ferme à Rémiz.

– Est-il possible que j'aie devant moi le garçonnet sans expérience qui s'occupait autrefois des lutrins flottants sur le pont en noirier ? demanda-t-il, l'œil pétillant. Incroyable ! Te voici près d'entreprendre ton voyage d'études. Nous t'avons formé, entraîné. Aujourd'hui, l'occasion s'offre à toi de contribuer au grand corpus de travaux déjà en réserve dans la salle de lecture pluviale. Tu as bien travaillé, Rémiz. Très bien.

Il se rembrunit.

– Pourtant, un certain ami ne t'a guère aidé, d'après ce que je sais.

– Xanth ? hésita Rémiz.

L'aveu de Xanth et son départ, tout l'épisode lui semblait maintenant un rêve, qu'il avait essayé de chasser de son esprit.

– Xanth Filantin, dit le professeur, est un traître !

– Un traître, chuchota doucement Rémiz. Il... il est venu dans ma cabine quand j'étais malade, juste avant de... disparaître.

– De fuir retrouver son maître diabolique, le Gardien suprême de la Nuit, blâma le professeur.

– Beaucoup de bons apprentis et de guides loyaux ont péri à cause de ce jeune félon, déplora Modeste. Mais nous ne sommes pas ici pour parler de telles malhonnêtetés. Xanth Filantin paiera à coup sûr le prix de sa perfidie. Maintenant, fêtons le début de votre grande aventure, maître Rémiz.

Rémiz hocha la tête, silencieux. Il ne pouvait penser à son ancien ami sans qu'un gros chagrin lui oppresse la poitrine. Il s'efforça de le repousser. Aujourd'hui, la joie devait régner, pas la tristesse, se dit-il dans son for intérieur.

Violetta s'avança.

– Rémiz, il est temps de partir, annonça-t-elle avec douceur, tandis que le soleil montait entre les arbres et qu'elle mettait une main en visière. Puisse ton voyage d'études être sans encombre et fructueux.

Rémiz leva les yeux. Le professeur, Modeste et Violetta souriaient tous avec gentillesse. Il leur rendit leur sourire. À côté de lui, les voiles du *Frelon de tempête*, en attente, frémissaient dans la brise légère.

– Il lui tarde de s'envoler, déclara Modeste en désignant l'esquif.

– À moi aussi ! s'écria Rémiz, osant à peine croire que le moment était bel et bien venu.

Il vérifia l'équipement de sa combinaison, resserra les lanières de son sac à dos et se détourna. Il détacha le petit esquif et bondit sur la selle. *Le Frelon* capricieux tressauta dans une embardée.

– Bonne chance, Rémiz ! souhaita Violetta.

Rémiz ajusta ses lunettes de vol, saisit la corde supérieure et hissa la voile voltigeuse.

– Que la terre et le ciel t'accompagnent, mon garçon, dit le professeur d'Obscurité, solennel.

La voile inférieure se gonfla au-dessous de lui. *Le Frelon de tempête* vibra, monta, et resta en suspens, impatient.

– Puissiez-vous rentrer triomphant de votre voyage d'études ! s'écria Modeste. Bonne route, maître Rémiz.

– Bonne route ! crièrent les autres.

Rémiz tira vivement sur la corde à crampons. Les voiles s'emplirent d'air. Les poids de vol oscillèrent. Et le cœur de Rémiz bondit lorsque l'esquif prit son essor dans la fraîcheur matinale éclatante.

– Portez-vous bien ! leur répondit-il.

Au-dessous de lui, le Débarcadère du lac rapetissa très vite, et les trois personnages campés sur la plateforme, agitant le bras, le visage tourné vers le ciel, devinrent si minuscules qu'il ne les distingua plus les uns des autres.

– Et voilà ! murmura-t-il, heureux.

Les tiraillements reprirent dans le creux de son ventre alors qu'il frôlait la cime des arbres bordant la rive

opposée. Devant lui s'étendaient les immenses Grands Bois mystérieux, qui ondoyaient dans le vent comme un océan infini.

Tandis que les feuilles filaient dans un flou vert et bleu, il imagina son traité terminé, rangé près du chef-d'œuvre de Violetta Lodd, sur le dix-septième lutrin flottant du pont en noirier, dans la grande salle de lecture pluviale souterraine. Il voyait le volume de cuir relié et son titre en lettres d'or : *Témoignage du grand congrès mythique des ours bandars*.

Bien loin, une nuée d'oiseaux des neiges quitta les arbres en contrebas et fusa dans l'air, ailes blanches étincelantes au soleil levant. Plus loin encore, un pourrivore traversait, lourd, le ciel brumeux. Dans l'étau de ses serres, un énorme cocon d'oisoveille en forme d'œuf se balançait.

Rémiz fronça les sourcils, frappé par l'ampleur des Grands Bois… et de sa tâche. Il cessa de penser au traité terminé : la rêverie n'était pas à l'ordre du jour. Il avait parcouru un long chemin depuis le matin où Fortunat Lodd, le Bibliothécaire supérieur, l'avait proclamé, lui,

Rémiz Gueulardeau, chevalier bibliothécaire. Il avait construit de ses propres mains *Le Frelon de tempête* et appris à voler. Maintenant, ultime étape, il entreprenait son voyage d'études.

– Enfin ! chuchota-t-il, alors qu'il piquait vers le dôme feuillu. À présent, tout commence.

Chapitre 15

Ouaoumi

La pluie tombait lorsque Rémiz sortit du sommeil. Il était perché sur une branche colossale dans les hauteurs d'un arbre de fer. La toile qu'il avait fixée dans les branches au-dessus de sa tête, la veille au coucher, l'avait en partie protégé. Mais son hamac et son sac de couchage étaient humides : il faudrait les faire sécher pour éviter qu'ils ne finissent moisis et malodorants.

Rémiz frotta ses yeux encore endormis et se leva. Il bâilla. Il s'étira. Son souffle formait de fines volutes vaporeuses. Frissonnant de froid, il alluma le poêle de cuivre suspendu, posa une casserole d'eau sur sa flamme bleue vacillante et alla voir *Le Frelon de tempête*, bien attaché à l'un des rameaux de l'énorme branche.

– J'espère que tu es dispos, chuchota-t-il au petit esquif. Et que tu n'es pas trop mouillé pour voler.

Il passa les doigts sur sa proue lisse et vernie, sur chacune des cordes nouées et des voiles rabattues. Une pluie de gouttes minuscules scintilla en tombant du matériau soyeux. Il resserra les liens des poids de vol. Il graissa les leviers… Tout paraissait en ordre.

Derrière lui, l'eau se mit à bouillonner.

Rémiz se hâta de rouler son hamac et son sac de couchage, de replier la toile imperméable et de les ranger tous trois derrière la selle du *Frelon de tempête*. Puis, de retour près du poêle suspendu, il retira la casserole du feu, couvrit la flamme avec soin et versa l'eau bouillante dans une grande tasse. Il ajouta trois cuillerées de moutarde séchée avant de prendre entre ses mains le récipient brûlant.

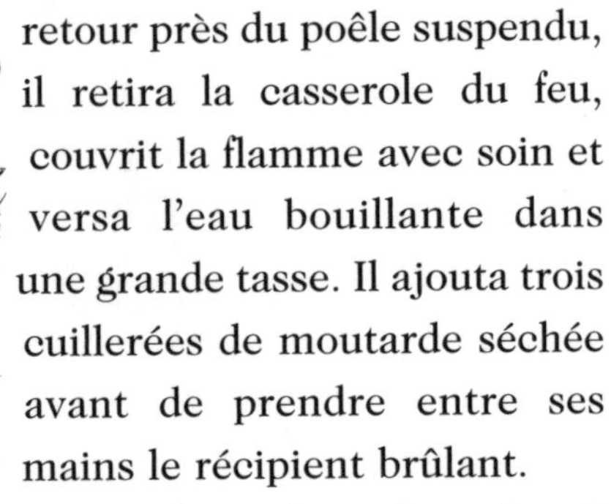

Du haut de sa branche, il observa les environs. La pluie avait presque cessé ; la forêt s'emplissait peu à peu de chants d'oiseaux, à mesure que les pépieurs et les milouettes quittaient leurs abris, creux feuillus et perchoirs ombragés. Il entendit un bruissement de feuilles et découvrit, loin au-dessous de lui, une famille de poules des bois en quête de nourriture.

Rémiz soupira. Il devait manger, lui aussi ; mais l'unique reste de la veille était une épaisse tranche de sèvonnette cuite, bien enveloppée dans une large feuille cirée.

Lorsqu'il ouvrit le petit paquet vert, l'odeur de moisi du fruit gluant lui monta aux narines et, malgré les gargouillis de son estomac affamé, son appétit s'envola aussitôt.

– Ne fais pas le délicat ! s'ordonna-t-il, et il arracha une grosse bouchée qu'il mâcha courageusement.

Il avait appris, pendant les leçons de Violetta Lodd sur les coutumes forestières, que la sèvonnette comestible était à la fois riche et nourrissante. Il savait également qu'il n'était pas sage de se mettre en route le ventre vide... Mais le fruit était si déplaisant ! Rémiz prit une gorgée de tisane et avala d'un trait la bouchée entière de pulpe visqueuse. Il grimaça.

– Ça suffira, dit-il.

Il jeta la tranche à moitié mangée, qui atterrit avec un bruit mat. Les poules des bois s'éparpillèrent dans des gloussements alarmés.

Rémiz se mit debout, emballa le précieux poêle et détacha *Le Frelon de tempête*. Le soleil perça les nuages moins denses et, par les trouées entre les arbres, brilla sur le cuir vert lustré de sa combinaison. Durant les semaines écoulées depuis son départ, la raideur du cuir s'était atténuée, la combinaison avait épousé les formes de son corps au point de constituer une seconde peau.

Rémiz jeta un dernier coup d'œil pour s'assurer qu'il n'oubliait rien. Puis il régla les voiles et les poids, tira sur la corde à crampons et lança *Le Frelon de tempête* dans l'air moucheté de la forêt.

– Peut-être aujourd'hui, chuchota-t-il, comme il chuchotait chaque matin.

Son haleine dessinait de doux nuages rebondis.

– Peut-être qu'aujourd'hui sera le bon jour.

Trois mois que Rémiz voyageait ; trois longs mois fatigants. La journée, quand il ne faisait pas provision d'eau et de nourriture, il sillonnait les Grands Bois, à la recherche de toute trace révélatrice du passage d'un ours bandar : un nid tissé pour dormir, des branches dépouillées de leurs fruits ou de lourdes empreintes dans la terre meuble, marécageuse, près des sources forestières.

La nuit, il se reposait dans les hautes branches des grands arbres, couché dans son hamac, guettant les curieux cris modulés des créatures.

Jusqu'à maintenant, il en avait entendu à trois occasions. Chaque fois, le lendemain matin, il était parti en direction de leurs appels, le cœur battant d'impatience. Il se souvenait encore de l'émotion intense qu'il avait éprouvée dans la Clairière des fonderies, lorsqu'il avait vu ces premiers ours bandars. À présent, il lui tardait d'en voir de nouveaux : des ours libres, en bonne santé, dans leur habitat naturel ; mais lorsque le soleil était redescendu sur l'horizon et que les ombres s'étaient allongées, Rémiz avait dû, chaque fois, s'avouer vaincu. Les créatures fuyantes se révélaient bien plus difficiles à repérer qu'il n'aurait jamais pu l'imaginer.

Son voyage, néanmoins, n'était pas fait seulement de déceptions. En chemin, il avait aussi connu des triomphes ; des réussites, des découvertes, toutes scrupuleusement consignées dans son calepin, de sa petite écriture soignée, et illustrées de dessins et de schémas détaillés.

Aujourd'hui, j'ai trouvé des marques révélatrices dans l'écorce d'un très vieux ricanier sur lequel un ours bandar avait affûté ses griffes. Certaines zébrures semblaient fraîches, d'autres étaient envahies de mousse verte, ce qui laisse supposer que cet arbre est un grattoir régulier. Voilà qui m'encourage beaucoup.

Quatre jours durant, il avait campé au sommet d'un ricanier voisin et exercé une surveillance continuelle. Aucun ours bandar ne s'était montré. Le matin du cinquième jour, il avait noué son baluchon et, le cœur lourd, s'était remis en route. Le soir venu, une fois installés son poêle suspendu et son hamac, une fois *Le Frelon de tem-*

pête bien attaché à une branche, il tailla son crayon de plombinier et rédigea un nouveau paragraphe.

Après avoir abandonné l'arbre-griffoir, j'ai volé toute la journée. Juste avant minuit, j'ai remarqué un monticule de pelures d'outrachênes, sous l'un des grands arbres en forme de cloche : signe incontestable du passage récent d'un ours bandar. Mes attentes ont été confirmées par la présence d'une empreinte de patte. J'ai veillé une large partie de la nuit dans un arbre de fer voisin, dans l'espoir que la créature reviendrait chercher les quelques fruits restants.

Mais, de nouveau, la créature ne fut pas au rendez-vous. Le voyage continua, par un petit matin éclatant, le lendemain.

Les journées s'enchaînèrent dans une suite confuse, les semaines devinrent des mois, et les créatures timides, discrètes, demeuraient invisibles. Rémiz maigrit, mais se fortifia ; ses sens s'aiguisèrent. Il connut de mieux en mieux les Grands Bois. Leur humeur variable. Leur caractère changeant. Les plantes, les arbres et les êtres qui habitaient leurs ombres profondes, mystérieuses. Ce qu'il pouvait manger et ce qu'il devait fuir. Leurs bruits. Leurs odeurs. Et, la nuit, il prenait note de la faune et de la flore qu'il avait observées.

Aujourd'hui, j'ai découvert un nid d'abeilles des bois. Avec une branche d'arbre aux berceuses, j'ai réussi à enfumer l'essaim. Le miel, délicieux dans la tisane de moutarde, a donné à l'infusion une couleur bleue surprenante, comme le ciel avant la tempête...

Sous mes yeux, un crapoteux vient d'étourdir un fromp dans un nuage d'haleine toxique ; de sa longue langue collante, il a saisi sa victime et l'a gobée. La bête hideuse a ensuite doublé de volume, avant de laisser échapper un rot dégoûtant. Je suis resté bien caché pendant une heure...

Nous avons connu une semaine de violents orages. À un certain moment, alors que je m'abritais, la foudre a frappé un arbre de fer tout proche, qui s'est enflammé. J'ai alors entendu de curieux crépitements : c'étaient les cosses de l'arbre qui s'ouvraient et répandaient leurs graines aux quatre vents. « Dans la mort, il y a la vie », dirait Gazouilli. Par la terre et le ciel, les Grands Bois sont un endroit étrange et merveilleux...

Aujourd'hui, j'ai été témoin d'une scène véritablement effroyable. Attiré par des cris perçants, désespérés, je me suis approché sur mon esquif et j'ai découvert un spectacle inattendu : un hammel qui semblait voler ! Autour de son ventre était enroulée une sanguinaria (le long compagnon vert, parasite, du terrible carnasse). L'animal se débattait, se tordait et se trémoussait, mais la liane était trop forte pour lui. Et lorsqu'une seconde liane, venue à la rescousse, enserra le cou du malheureux hammel, la lutte fut terminée. Les sanguinarias ont soulevé leur victime jusqu'à la gueule béante au sommet du tronc épais, caoutchouteux, du carnasse. L'anneau de mandibules tranchantes a claqué. Les deux lianes ont brusquement lâché le hammel, qui est tombé la tête la première à l'intérieur du grand arbre carnivore. Les cris étouffés de l'animal ont cessé. Les lianes sont devenues rouges...

Rémiz reposa le court crayon de plombinier. Il était assis en tailleur dans les hauteurs d'un vaste arbre aux berceuses, son poêle flambait, son hamac était tendu, parfaitement immobile, dans l'air calme et humide. La lune brillait sur son visage chiffonné, soucieux. Le hammel lui avait rappelé son camarade.

– Es-tu sain et sauf, Boris ? chuchota-t-il. As-tu déjà trouvé tes cuivriers ? As-tu commencé la rédaction de ton traité ? Ou bien…

Il avala sa salive et lutta de toutes ses forces contre l'émotion suffocante qui lui nouait la gorge.

À cet instant précis, il entendit un léger grattement au-dessus de sa tête. Il pivota et leva les yeux. Vers sa gauche, accrochée à l'écorce noueuse sous une épaisse branche horizontale, pendait une grappe qui ressemblait aux raisins du pin. Seule la couleur différait : brun parchemin, non pas pourpre ; et puis il y avait ce grattement insistant.

Pendant que Rémiz regardait, l'une des sphères se fendit et s'ouvrit. Un petit insecte trempé apparut dans l'entrée parcheminée, rampa sur le dessus de la branche et agita ses ailes dans l'air doux, baigné de lune. Le duvet emmêlé qui lui recouvrait le corps sécha et se gonfla. Les ailes, plus rigides, vrombirent tout bas.

– Un papillon des bois, chuchota Rémiz. D'abord le hammel. Ensuite le papillon…

Des souvenirs de Magda se bousculèrent dans sa mémoire, et il sourit.

Bientôt, d'autres papillons rejoignirent le premier, à mesure que les sphères craquaient et que les créatures éclosaient. Puis, lorsque le dernier grimpa sur la branche et battit des ailes, toute la nuée s'envola et voltigea sous le clair de lune.

Rémiz observa, les yeux écarquillés, leur curieuse danse exubérante : les papillons vrillaient et virevoltaient telles des feuilles d'automne dans une bourrasque, et leurs ailes éclatantes, irisées, scintillaient comme des joyaux des marais et des diamants noirs dans la lumière argentée.

Magda aurait tant aimé ce spectacle, pensa-t-il en souriant. Peut-être qu'elle y avait déjà assisté. Peut-être qu'elle avait terminé son traité… Le visage de Rémiz s'assombrit.

Car son traité à lui n'était pas encore commencé.

Rémiz avait soif. Sa gourde était vide et, hormis le rare jus poisseux qu'il avait pu tirer de la chair collante d'une poire des bois ce matin-là, pas une goutte de liquide n'avait franchi ses lèvres depuis presque deux jours. Sa tête palpitait. Sa vue se brouillait. Sa concentration faiblissait…

– Holà ! Attention ! s'écria-t-il lorsque la voile inférieure accrocha une branche de buisson épineux et déséquilibra l'esquif.

Ébranlé par sa propre négligence, Rémiz régla les voiles et ramena les poids de vol. *Le Frelon de tempête* s'écarta du péril sans dommage et remonta au-dessus des arbres. Mais Rémiz sentait qu'il l'avait échappé belle. Il devait trouver de l'eau avant la défaillance totale.

Comme le soleil tapait férocement, Rémiz regagna le couvert de la forêt et continua sa route parmi les arbres, en vol rasant. Il savait que les saules-gouttes, avec leurs pâles feuillages nacrés, poussaient près des ruisseaux, et que les nuées de moucherons des bois se rassemblaient souvent au-dessus des nappes souterraines, mais il n'en vit pas.

Son esprit recommençait à s'égarer lorsque, sur sa droite, le babil de l'eau résonna, reconnaissable entre tous. Avec un brusque regain d'énergie, Rémiz mania adroitement *Le Frelon de tempête*, plongea en flèche et contourna le bosquet d'arbres aux berceuses devant lui.

Là, au fond d'une petite clairière sableuse à la végétation luxuriante, une source coulait. Elle jaillissait du flanc d'une paroi et, depuis un surplomb rocheux, se jetait dans un profond bassin vert en contrebas.

– Le ciel et la terre soient remerciés, chuchota-t-il au *Frelon de tempête*. Enfin !

Pourtant, il n'osa pas atterrir. Pas encore. Cette oasis bienvenue semblait belle, mais Rémiz n'ignorait pas qu'il s'agissait aussi d'un endroit risqué, attirant certaines des bêtes les plus dangereuses des Grands Bois : des félins aux crocs effilés, des loups à collier blanc et, bien sûr, des tignasses qui, quoiqu'elles n'aient jamais besoin d'eau, guettaient là les créatures assoiffées venues, elles, se désaltérer.

Rémiz posa son esquif sur une robuste branche dans les hauteurs d'un très vieil arbre aux berceuses. Il mit sa longue-vue contre son œil et, s'efforçant d'oublier sa bouche sèche et son front brûlant, fixa son regard sur la source.

Au fil des minutes, plusieurs créatures sortirent de la forêt environnante pour boire dans le bassin babillant. Un petit troupeau de tildes tachetés, une famille de poules des bois, un vorisson solitaire, aux longues défenses recourbées et aux petits yeux méfiants. Un aérover effleura la surface de l'eau, courba la tête et but avec délicatesse, dans les sifflements doux de l'air expulsé par les trous minuscules de son bas-ventre.

Finalement, Rémiz ne supporta plus d'attendre. Il attacha *Le Frelon de tempête*, dégringola le tronc de l'arbre et, l'œil vigilant, se glissa vers la source bouillonnante.

Vite, il s'agenouilla, mit ses mains en coupe et puisa, puisa encore l'eau fraîche et limpide. Il la sentit couler dans sa gorge et combler son estomac. Aussitôt, sa tête cessa de palpiter et ses yeux s'éclaircirent. Il remplit sa gourde en hâte, et s'apprêtait à retourner vers son esquif pour repartir lorsqu'il remarqua quelque chose.

Une empreinte de pas.

Rémiz étouffa une exclamation et, peinant à croire en sa bonne étoile, s'accroupit pour examiner la large marque dans le sable humide et tendre, au bord de l'eau. Certes, elle était plus petite que l'empreinte observée près des outrachênes, mais la disposition des coussinets et des griffes ne laissait aucun doute. Il s'agissait bien d'un ours bandar. En outre, elle avait des contours nets. Elle semblait toute récente.

Dans un élan d'enthousiasme, Rémiz bondit sur ses pieds et inspecta la totalité de la clairière. Parmi les traces des autres créatures assoiffées, il trouva de nouvelles empreintes du petit ours bandar. Certaines étaient floues, estompées, mais il y en avait d'aussi récentes que la première : l'ours avait dû venir s'abreuver plusieurs fois au cours des journées précédentes.

Rémiz quitta la clairière et escalada l'arbre aux berceuses.

– C'est le bon endroit, confia-t-il au *Frelon de tempête*. Nous attendrons ici qu'un ours bandar fasse son apparition, même s'il faut patienter une éternité.

Cette nuit-là, Rémiz ne dormit pas. Alentour, les bruits des créatures nocturnes emplissaient l'air. Le toussotement des fromps. Le piaillement des quarels. Le bavardage des filelames... La lune se leva, des traits de lumière argentée fendirent les arbres environnants et percèrent le sol en contrebas. Les paupières de Rémiz s'alourdissaient lorsque, tout à coup, peu avant l'aube, le craquement sec d'un rameau qui se brise retentit au-dessous de lui.

Comment un animal avait-il pu s'approcher autant sans qu'il le remarque ? s'interrogea-t-il. Il braqua sa longue-vue vers l'endroit d'où venait le bruit et fit la mise au point de sorte que la moindre feuille se découpe, distincte. Pendant qu'il effectuait ce réglage, le feuillage frémit et s'écarta soudain : hors de l'ombre s'avança une grande créature massive.

Un ours bandar ! Rémiz retint son souffle et essaya de rester calme. Il avait enfin trouvé un ours bandar !

L'animal était absolument magnifique, avec ses yeux brillants, ses défenses blanches acérées, ses longues griffes luisantes. Plus petit que les ours enchaînés dans la Clairière des fonderies, celui-ci n'en était pas moins de bonne taille, imposant, et, vu les corps décharnés des pauvres esclaves, il pesait sûrement plus lourd qu'eux. Comme il se dandinait vers le bassin bouillonnant, son pelage lustré chatoyait, tantôt brun sombre, tantôt vert pâle.

Rémiz le regarda se pencher au bord de l'eau, baisser le museau et se mettre à laper. Son exaltation était telle

qu'il suffoquait presque. Ses mains tremblaient, ses jambes vacillaient, et il avait du mal à garder une image nette au bout de sa longue-vue.

À cet instant, il y eut un bruissement dans les feuilles. L'ours bandar leva la tête, ses oreilles délicates frémirent. Ce n'était sans doute qu'un fromp qui s'élançait dans les arbres, ou une poule des bois perchée qui remuait dans son sommeil. Mais l'ours ne voulait prendre aucun risque. Alors que Rémiz le contemplait, fasciné, l'animal se redressa et se fondit en silence dans la forêt voisine.

– Aujourd'hui, chuchota Rémiz, tandis qu'il repliait sa longue-vue et la raccrochait à sa combinaison. Aujourd'hui, c'est le grand jour !

L'ours bandar revint de nombreuses fois et, au fil des jours, Rémiz l'observa avec soin, prit des notes détaillées sur son comportement et dressa un compte-rendu dans le calepin de voyage. Il nota l'heure de ses apparitions diurnes et nocturnes, ainsi que leur durée. Il consigna chacun de ses mouvements ; chaque grattement, chaque attitude, chaque expression du visage. Et il fit des douzaines de dessins pour essayer de saisir toutes ses caractéristiques : la courbe de ses défenses, l'arc de ses sourcils, les taches grises pommelées sur ses épaules…

Après plusieurs jours de veille, Rémiz décida de le suivre. Tandis que l'animal s'éloignait dans la forêt, il détacha *Le Frelon de tempête* et s'envola derrière lui, à une distance respectable. Il fut surpris par la rapidité de sa marche. Suspendu sans bruit dans l'air, il le regarda faire halte près d'un arbre immense à la vaste ramure, se gorger des fruits noir bleuté qui pendaient aux branches, puis continuer sa route.

Une idée vint à l'esprit de Rémiz. Il descendit en piqué vers l'arbre et cueillit une brassée de fruits. Puis, de retour à la source, il les disposa en petit tas près de l'eau bouillonnante.

Durant le reste de la journée, à l'aide d'une catapulte de fortune, il écarta les autres visiteurs et s'assura que les fruits demeuraient intacts pour le moment où l'ours reviendrait. Lorsque celui-ci se montra de nouveau, quelques heures plus tard, il les renifla d'un air méfiant. Ses oreilles frémirent. Il renifla encore.

– Allez, chuchota Rémiz, pressant.

Au bout d'une seconde, il sourit jusqu'aux oreilles : l'ours bandar prenait le premier fruit entre ses griffes, acérées mais délicates, et mordait dedans. Un sirop rouge luisant ruissela sur son menton et Rémiz fut frappé par la béatitude qui se lut sur son visage : la mâchoire relâchée, les yeux rêveurs.

Le premier fruit avalé, il en croqua un deuxième, puis un troisième. Il ne s'arrêta qu'à l'ultime bouchée.

Le lendemain, Rémiz disposa d'autres fruits. Mais cette fois-ci, lorsque l'ours vint les manger, le guetteur s'était tapi sur le sol derrière l'arbre aux berceuses. De si près, il mesura vraiment la taille gigantesque de la créature. Encore en pleine croissance, elle était pourtant déjà deux fois plus grande, dix fois plus lourde que lui ; ses défenses et sa crinière relativement courtes lui indiquèrent qu'il s'agissait d'une femelle.

Quatre nuits s'écoulèrent avant que Rémiz rassemble son courage pour franchir une nouvelle étape. Lorsqu'elle arriva, à minuit, l'ourse ne trouva aucun tas de fruits en attente. Elle flaira ici et là, déçue, et, dans une plainte basse, gutturale, se contenta d'un peu d'eau.

Terrorisé, Rémiz se glissa timidement hors de sa cachette. Il tenait un fruit dans sa main tremblante. L'ourse pivota, les yeux écarquillés, les oreilles frémissantes. Durant un instant terrible, Rémiz crut qu'elle allait tourner les talons pour s'enfuir à tout jamais dans la forêt, maintenant que sa source de prédilection était découverte.

– C'est pour toi, chuchota Rémiz, les mains ouvertes.

L'ourse hésita. Elle regarda le fruit, elle regarda Rémiz, elle regarda de nouveau le fruit... et quelque chose parut changer dans son expression, comme si elle avait établi le lien entre les deux.

Son bras droit se leva, sa large patte griffue oscilla devant sa poitrine. Rémiz retint son souffle. Les yeux braqués sur les siens, l'ourse tendit la patte et lui prit délicatement le fruit dans la main.

– *Ouaou-ouaou*, murmura-t-elle.

Petit à petit, au cours des semaines, Rémiz gagna la confiance de l'ourse. Si bien que, lorsque les feuilles des arbres de fer changèrent de couleur et se mirent à tomber, tous deux étaient devenus très proches. Ils cherchaient leur nourriture ensemble. Ils veillaient l'un sur l'autre. Et, le soir, Rémiz aidait l'ourse à bâtir, dans les fourrés épais, l'un de ces grands nids pour la nuit. Subtilement tissés et habilement dissimulés, tapissés de mousse et d'herbe douce, protégés par des branches épineuses, les nids étaient des constructions spectaculaires, et Rémiz ne pouvait qu'admirer l'ingéniosité des ours bandars.

Il consigna tout dans son calepin de voyage : les fruits et les racines comestibles qu'ils mangeaient, l'élaboration des nids pour la nuit, les sens très affûtés de la créature, qui lui permettaient de dénicher eau, nourriture et abri, de détecter un changement de temps ou un danger… Et, à mesure que la complicité s'installait entre eux, il commença aussi à comprendre le langage de l'ourse.

Rémiz avait lu maintes fois le passage du fructueux traité de Violetta Lodd (*Étude comportementale des ours bandars dans leur habitat naturel*) où elle suggérait la signification probable de certains grognements et gestes parmi les plus simples de ces animaux. Violetta n'avait pu s'appuyer que sur des observations à distance. Rémiz, lui, plus proche d'un ours en liberté que quiconque jusque-là, se trouvait désormais en mesure d'approfondir la connaissance des subtilités de leur mode de communication.

Alors qu'ils voyageaient ensemble, il acquit peu à peu la maîtrise du langage des ours bandars et, même si la créature semblait amusée par ses propres tentatives pour s'exprimer, ils paraissaient se comprendre assez bien. Rémiz aimait beaucoup la beauté brute de ce langage, dans lequel une inclinaison de la tête et un haussement d'épaules pouvaient tant exprimer.

– *Ouaou-ouarré-ouam*, lui dit-elle, la tête basse et la mâchoire saillante.

« J'ai faim, mais avance à pas légers car l'air tremble. » (Attention, le danger n'est pas loin.)

– *Ouég-ouaou-ouarr*, grognait-elle, une épaule plus haute que l'autre et les oreilles rabattues.

« Il est tard, la lune nouvelle est une faux, non pas un bouclier. » (Poursuivre notre route dans l'obscurité m'inquiète.)

Le nom même de l'ourse était beau. Ouaoumi. « Celle à la défense ébréchée qui marche au clair de lune. »

Rémiz ne s'était jamais senti aussi heureux que maintenant, à passer toutes ses journées et toutes ses nuits avec l'ourse. Il s'exprimait presque couramment à présent et, constata-t-il dans un élan de culpabilité, il se laissait tant absorber par sa vie avec Ouaoumi qu'il en négligeait son calepin de voyage. Mais il pourrait toujours s'y mettre le lendemain. Ou le surlendemain...

Par une fin d'après-midi, ils partageaient, assis sur le sol, un repas de sapichênes et de pignons. La lumière mouchetée était orange et or. Ouaoumi se tourna vers lui.

– *Ouaou-ouarra-ouag*, grogna-t-elle, et elle décrivit un grand arc de cercle avec le bras.

« Le sapichêne est sucré, le soleil chauffe mon corps. »

–*Ouaou-ouaou-ouallo*, répondit Rémiz, et il mit ses mains en coupe.

« Les pignons sont bons, mon nez est gros. »

Les yeux de Ouaoumi se plissèrent, rieurs. Elle se pencha en avant et approcha son visage de Rémiz.

– Quoi ? voulut-il savoir. Ai-je dit quelque chose de drôle ? Je voulais simplement dire que leur parfum est...

De sa patte, l'ourse se couvrit la bouche. Elle lui demandait le silence. Elle toucha tour à tour la poitrine de Rémiz et la sienne, puis se concentra très fort et articula un seul mot, bas, hésitant, mais distinct ; un mot que Rémiz ne lui avait jamais appris, il en était certain.

– *Oua-mi*.

Rémiz tressaillit. Ami ? Où pouvait-elle bien avoir déjà entendu ce mot ?

Quelques nuits après, Rémiz se réveilla en sursaut et leva les yeux. Le ciel était clair, la lune presque pleine. Sous sa lumière vive, les silhouettes des arbres se découpaient, noir sur argent. Rémiz quitta son hamac, tendu dans les hauteurs du ricanier, et regarda en contrebas. Le nid de Ouaoumi était vide.

– Ouaoumi ? appela-t-il. *Ouaou-ouarra* ?

« Où es-tu ? »

Il n'obtint pas de réponse. Rémiz suivit la branche jusqu'au *Frelon de tempête*, et scruta la forêt sombre.

L'ourse était là, debout sur un rocher pentu à une vingtaine de foulées, immobile (excepté ses oreilles frémissantes), le regard braqué sur l'horizon. Rémiz sourit. Il s'apprêtait à la héler lorsqu'un cri le laissa pantois.

Sous le ciel nocturne, le lointain appel modulé d'un ours bandar résonna jusqu'à eux. C'était le premier que Rémiz entendait depuis qu'il connaissait Ouaoumi.

Et le cri se répéta !

« Ouaoumi ! » Lorsque Rémiz reconnut le nom, un picotement lui parcourut l'échine. Le second ours bandar n'appelait pas n'importe quel congénère ; il s'adressait par son nom à l'amie de Rémiz. « Ouaoumi, Ouaoumi… »

Vu l'éloignement et le vent qui emportait la moitié des paroles, Rémiz avait du mal à saisir de manière précise le message de l'ours. Mais il traduisit sans peine la réponse de Ouaoumi.

– *Ouaou-ouaou. Ouarrouma !*

« J'arrive, la pleine lune brille avec éclat ; le temps est enfin venu. »

– Ouaoumi, souffla Rémiz, envahi tout à coup par un incroyable espoir. Que se passe-t-il ?

Mais Ouaoumi ne lui accorda aucune attention. Elle n'écoutait que son congénère. Dans le lointain, les cris modulés continuaient.

– Qu'est-ce donc ? murmura Rémiz.

« Hâte-toi… La Vallée aux mille échos attend… »

Vibrant d'excitation, il chercha son calepin de voyage, son crayon de plombinier, et se mit à écrire d'une main tremblante.

– La Vallée aux mille échos, chuchota-t-il. Ouaoumi ! appela-t-il avant de regarder au-dessous de lui. Ouaoumi ?

Il se figea. Le rocher d'observation de l'ourse était vide. Son amie avait disparu.

Ouaoumi l'avait abandonné.

Chapitre 16

Le grand congrès

Rémiz rassembla ses affaires en hâte et les rangea sur *Le Frelon de tempête*. Il ne pouvait pas perdre l'ourse bandar. Pas maintenant. Il décrocha maladroitement son poêle suspendu et, alors qu'il le repliait, le protège-flamme se détacha et tomba dans l'obscurité.

– Zut ! marmonna Rémiz, hors d'haleine.

Il mettrait une éternité à retrouver l'objet et, pendant ce temps, Ouaoumi s'éloignerait de plus en plus... Il n'avait pas le choix. Il devait renoncer à le récupérer.

Il enfourcha d'un bond *Le Frelon de tempête*, hissa les voiles, régla les poids flottants et tira sur la corde à crampons dans un seul mouvement fluide. L'esquif décolla, traversa comme une flèche la voûte des feuilles et jaillit dans le ciel nocturne limpide.

– Où es-tu ? murmura Rémiz en fouillant du regard la forêt devant lui.

L'appel modulé de l'autre ours bandar avait retenti vers l'ouest ; ce fut donc le cap que Rémiz choisit. Avec un peu de chance, Ouaoumi était partie dans cette direction.

– Où es-tu ? répéta-t-il. Tu dois être là en bas, quelque part.

Les arbres commencèrent alors à s'éclaircir, et Rémiz aperçut son amie ourse qui marchait à pas résolus. Comme hypnotisée, elle suivait une ligne droite inébranlable. Lorsque Rémiz la rattrapa, il l'entendit marmonner tout bas. Le même son ressassé : un mot qu'il ne reconnut pas.

– *Ouorra, ouorra*...

– Ne nous approchons pas trop, chuchota Rémiz.

Il tapota la proue du *Frelon de tempête* et monta la voile voltigeuse.

– Il ne faut pas qu'elle nous repère. Pas encore. Pas avant que nous sachions où elle va.

Le Frelon de tempête ralentit, presque en vol plané, et Rémiz l'orienta doucement vers la droite, où la forêt, plus épaisse, le masquait aux yeux de Ouaoumi. Comme il filait d'arbre en arbre, sans quitter les ombres, prenant soin de ne pas la perdre de vue, ne fût-ce qu'un instant, les espoirs de Rémiz grandirent.

– La Vallée aux mille échos, murmura-t-il. Est-il trop audacieux d'espérer ?... Pourrait-il s'agir... Pourrait-il s'agir de l'endroit où les ours bandars se rassemblent ? Le grand congrès ?

Il caressa le long cou incurvé du *Frelon de tempête*.

– Est-ce là que Ouaoumi se dirige ?

Il vola pendant plusieurs heures, les yeux rivés sur Ouaoumi. L'appel de son congénère devait être très important, à en juger par la détermination exceptionnelle de l'ourse. D'habitude, elle allait son petit bonhomme de chemin dans la forêt et veillait à effacer toute trace de son passage. Cette nuit, alors qu'elle se précipitait, infatigable, elle laissait dans son sillage des broussailles piétinées et des branches cassées.

Soudain, les cris d'autres ours bandars déchirèrent la nuit : sept ou huit, peut-être, loin devant, qui modulaient à l'unisson.

– *Ouorra, ouorra, ouorra, ouorra… ouh !*

Le même mot que Ouaoumi scandait à voix basse. Lorsque le chœur s'affaiblit, un nouveau le remplaça. Des douzaines d'appels. Venus de toutes parts.

– *Ouorra, ouorra… ouh.*

Et, sur la droite de Rémiz, plus forte encore, fusa la réponse modulée de Ouaoumi :

– *Ouorra-ouh !*

Rémiz se sentit conforté dans son espoir. C'était sans aucun doute le congrès. Pour quel autre motif ces créatures solitaires se rassembleraient-elles, aussi nombreuses, dans la forêt ?

– *Ouorra-ouh !* s'écria une seconde fois Ouaoumi, et Rémiz la vit arrêtée, à quelque distance, à la crête d'un affleurement rocheux.

Immobile, excepté ses oreilles remuantes, l'ourse évoquait, contre le ciel gris ardoise, un gros bloc de pierre au sommet duquel voletaient deux pépieurs. Rémiz se rapprocha.

– Ouaoumi, dit-il. Ouaoumi, c'est moi.

Il atterrit sur la vaste roche plate juste derrière elle et bondit à terre. L'ourse pivota face à lui.

– *Ouaou-ouaou*, dit Rémiz, la main ouverte devant sa poitrine.

« À mon réveil, j'étais seul. Tu m'avais abandonné. »

Il soupira et toucha son oreille, puis il désigna le sol.

– *Ouarra-ouaou*.

« Tes paroles d'adieu avaient été muettes, je t'ai suivie jusqu'ici. »

–*Ouaou !* gronda Ouaoumi, et elle cingla l'air de sa patte griffue, telle une grande épée.

Ses yeux fulminaient. Ses babines se retroussèrent pour découvrir des défenses brillantes et des crocs étincelants.

Rémiz n'aurait jamais pu prévoir une telle réaction. Il avait soudain l'impression d'être un inconnu pour l'ourse.

– Mais… commença-t-il, les mains ouvertes dans un geste de supplication.

L'ourse bandar émit un grondement sourd, menaçant, guttural. Cette redoutable créature étrangère pouvait-elle vraiment être la douce Ouaoumi, son amie ? Jamais jusqu'alors, il ne l'avait vue bouillir d'une rage pareille. Elle s'élança et gifla l'air, les crocs dénudés.

– *Ouaou-ouaou !*

« Pas plus loin ! Il t'est interdit de suivre ma route ! »

Rémiz recula d'un pas, les mains toujours levées, protectrices.

– Je suis désolé, Ouaoumi, dit-il. Je ne croyais pas mal faire.

L'ourse grogna, lui tourna le dos et disparut entre les arbres. Rémiz la regarda s'éloigner ; une boule douloureuse se forma dans sa gorge.

– Et maintenant ? chuchota-t-il tandis qu'il remontait sur son esquif et s'élevait dans les airs.

Comme en réponse, les cris modulés résonnèrent :

– Ouorra, ouorra, ouorra... ouh !

Rémiz frémit. Les ours bandars étaient plus proches que jamais. Comment résister à leur appel ? Mais oserait-il continuer ? Si Ouaoumi constatait qu'il l'avait pistée, quelle serait son attitude ? Pourtant, il ne pouvait pas renoncer. Pas maintenant. Pas aussi près du but...

Les cris enflèrent. Les modulations affluaient et refluaient, telles des vagues.

La décision de Rémiz était prise. Depuis le jour où il avait ouvert le traité de Violetta Lodd dans la salle de lecture, il rêvait de cet événement. Il était chevalier bibliothécaire : l'heure de le prouver avait sonné. *Le Frelon de tempête* perdit de l'altitude et se posa sur la branche robuste d'un arbre de fer. Rémiz noua solidement la longe et glissa jusqu'au sol.

Caché dans l'ombre, il dépassa l'affleurement rocheux où s'était arrêtée Ouaoumi et s'engagea dans le bois. Les broussailles écrasées par l'ourse lui indiquaient la voie. Puis, alors qu'il avançait avec précaution, il déboucha sur une haute corniche qui dominait une vallée en cuvette. Tout au bord poussait un arbre : ses racines s'accrochaient aux grosses roches fissurées, son immense tronc épais s'inclinait au-dessus du vide.

Rémiz courut vers l'arbre, y grimpa et rampa le long du tronc incurvé au-dessus de la vallée. Tout autour de lui, les appels scandés enflaient, enflaient...

– Par le ciel et la terre ! s'exclama-t-il, stupéfait, lorsque la scène lui apparut soudain. Ils doivent être des centaines ! Des milliers !

Rémiz secoua la tête : le spectacle était incroyable. Partout à la ronde, des ours bandars se dandinaient dans la vallée baignée de lune et lançaient le même appel hypnotisant : une note sourde, gutturale, née au fond de la gorge, qui s'adoucissait en longue plainte dissonante. Certains ours étaient seuls, d'autres par deux, d'autres encore formaient des groupes qui augmentaient et diminuaient selon les déplacements continuels des grandes créatures au pas lourd. Peu à peu, les voix s'harmonisèrent, jusqu'au moment où toute l'assemblée appela en chœur. Sous la clameur grondante, le perchoir de Rémiz vibrait.

– C'est ça, souffla-t-il. Le grand congrès des ours bandars. Je l'ai trouvé.

Ses jambes enserrant le tronc pentu, il fouilla dans son sac à dos pour en sortir son calepin et son crayon de plombinier. En vue de son traité, il lui fallait saisir le moindre détail de ce merveilleux spectacle.

Des attroupements se disloquent et se reconstituent sans cesse, griffonna-t-il à la hâte. *Comme dans une vaste danse que chaque ours bandar semble connaître d'instinct... Et ce chœur : inouï, grondant, retentissant...*

Au-dessous de lui, la clameur s'intensifia. L'arbre trembla. Et vinrent s'ajouter...

D'abord difficiles à percevoir, mais oui, ils reprenaient. Mêlés à l'ensemble, et pourtant distincts de lui, des appels isolés enflaient et déclinaient sur le rythme de fond. Rémiz n'en discernait que des bribes.

« Moi, venu des crêtes solitaires des pics jumeaux... Moi, venu des hauteurs des canyons embrumés... Moi, venu des bosquets ténébreux d'arbres de fer... des forêts

d'arbres aux berceuses... du plus profond des bois noirs... »

Rémiz écouta, fasciné, cette succession de voix individuelles.

« Des cols enneigés des Landes supérieures... Des clairières humides de plantes des marais... Des buissons d'épines agités... »

Les voix composaient une carte sonore : une carte des Grands Bois en langage d'ours. Les ours bandars chantaient leur région, et leurs paroles entrelacées composaient une vaste description commune de tous les lieux qu'ils connaissaient. Au-dessous de Rémiz se déployait une bibliothèque vivante, aussi riche que la bibliothèque cachée de l'ancienne Infraville, conservée dans la mémoire des ours et partagée à ce grand congrès. Pris de tournis devant une telle beauté, Rémiz défaillit presque...

Son calepin lui échappa. Il tenta un geste désespéré pour le rattraper, le manqua, et perdit l'équilibre dans l'opération. Soudain, frappé d'horreur, il se sentit basculer ; ses jambes pédalèrent et ses bras battirent le vide alors qu'il tombait comme une pierre.

Un instant plus tard, il heurta la terre dure, compacte, avec un bruit sourd. Tout devint noir.

Rémiz avait le vertige. Il sentait un vent chaud lui frôler le corps et une lumière vive briller sur son visage.

Où suis-je ? s'interrogea-t-il.

Ses tempes palpitaient. Tout était flou, mouvant. Sa respiration était courte, saccadée ; et, lorsque sa tête s'éclaircit un peu, il poussa un cri de surprise.

Un cercle d'ours bandars se dressait autour de lui, la mine furieuse. Leurs énormes défenses étincelaient et leurs yeux fulminaient ; pourtant, leurs gorges n'émettaient pas le moindre son. Dans la Vallée aux mille échos, un silence absolu régnait.

Rémiz avala sa salive avec peine.

Soudain, un ours gigantesque, à la fourrure d'un noir de jais et aux épaisses défenses recourbées, se pencha. Rémiz vit les grandes pattes fondre sur lui ; des griffes dures et froides l'agrippèrent. Les poils de la créature dégageaient une odeur de moisi et son souffle était aigre.

– Aaahhh ! hurla Rémiz, l'estomac révulsé, alors que l'animal le soulevait dans les airs.

– *Ouaou !* rugit l'ours bandar.

« Comment oses-tu ! »

Rémiz sentit l'indignation et la rage vibrer dans tout le corps du colosse lorsque celui-ci le serra en criant :

– *Ouaou-ouarra !*

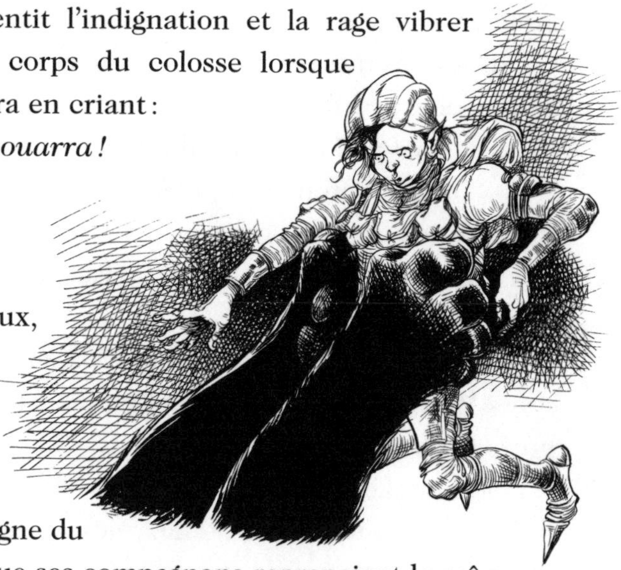

Il n'avait jamais vu un ours bandar aussi fou furieux, aussi... vengeur. Pétrifié de terreur, Rémiz se raidit dans la poigne du géant tandis que ses compagnons reprenaient le même cri effroyable, qui résonna bientôt dans la vallée entière.

– *Ouaou-ouag-ouarroug ?* tonna le grand ours noir au-dessus du tumulte.

« Qui ose voler les échos de notre vallée et s'introduire dans notre congrès sacré ? »

– *Ouaou*, répondit Rémiz d'une faible voix tremblante. *Ouaou-ouoor*.

Il se trémoussa pour libérer sa main du terrible étau et la pressa légèrement contre son cœur.

« Je viens en ami. Je ne vous veux aucun mal. »

L'ours bandar hésita. Le regard perplexe, il examina Rémiz, comme pour dire : « Qui est cet individu qui connaît le langage secret des ours bandars ? »

Rémiz devina l'embarras de la créature.

– *Ouarra-ouégga-ouig*, dit-il d'une voix frêle, chevrotante.

« Je suis un ami des ours bandars. Celle à la défense ébréchée qui marche au clair de lune et moi avons cheminé ensemble. »

L'ours fronça ses sourcils noirs et inspecta la foule, à la recherche de Ouaoumi parmi l'océan de visages furieux. Lorsqu'il l'aperçut, il plissa les yeux.

– *Ouaou ?* gronda-t-il, menaçant.

« Est-ce vrai ? »

Ouaoumi s'avança, la tête basse, ses oreilles frémissantes inclinées.

– *Ouaou-ouarrou. Ouaou*, dit-elle, sans lever le menton.

« Mon ami du chemin forestier n'a jeté que honte sur notre camaraderie. »

Elle se détourna.

– Ouaoumi ! s'écria Rémiz, désespéré. Ouaoumi, je t'en supplie ! Je...

L'ours noir le souleva de nouveau dans les airs. Son étau se serra, son regard devint glacial. Tenant Rémiz à bout de bras, il rugit :

« Toi, qui as écouté des paroles destinées aux seuls ours bandars, as commis le plus grand des sacrilèges. Tu as dérobé nos chants. Tu as volé notre clameur. Tu dois mourir ! »

À cet instant, un cri solitaire fusa, brusque, dans la frénésie croissante :

– *Ouaou !*

« Arrête ! »

Le grand ours noir se figea aussitôt. Il se retourna. Rémiz, étourdi, confus, distingua tout juste une ourse qui se frayait un passage dans leur direction.

– *Ouaou ?* voulut savoir l'ours noir.

« Qui parle ? »

L'ourse s'arrêta devant lui.

– *Ouaou-ouaou. Ouarra-ououg-ouila*, grogna-t-elle, touchant d'abord son épaule, puis sa poitrine.

« Moi, Ouamalou, qui ai souffert dans la Clairière des fonderies. Je le connais. Il m'a sauvé la vie. »

Rémiz sursauta et la regarda. Elle avait grossi depuis, sa fourrure était désormais épaisse et lustrée. Mais à son œil cerné, à son museau zébré de curieuses marques noires, Rémiz sut qu'elle était bel et bien l'esclave qu'il avait protégée de la flèche du gobelin.

L'ours noir hésita. L'ourse se tourna vers lui et approcha du sien son gros visage poilu.

– *Oura-ouaou-ouarl ! Ouaou-ouaou. Ouira-ouig*.

« Mon cœur implore la clémence. Épargne-le. J'ai cru qu'il était mort de la tige-poison. Mais il vit toujours. »

– *Ouarra-ouour-ouaoua*, expliqua tranquillement Rémiz.

« La flèche m'a touché, mais mon cœur a continué de battre. Je porte la cicatrice. »

Il ouvrit le haut de sa chemise, écarta les deux pans. De sa griffe, l'ours noir suivit délicatement le contour de la blessure refermée.

– *Ouaoua-ouaou. Ouarr !* s'écria-t-il.

« C'est vrai. Tu portes la marque de la tige-poison. »

Il reposa Rémiz sur le sol et demanda : « Tu as risqué ta vie pour l'un de nous ? »

– *Ouaoua-ouarrel-lourragoum*, expliqua Rémiz.

« J'aime les ours bandars depuis mon premier jour et je les défendrai jusqu'à mon dernier. J'ai été heureux de risquer ma vie dans la Clairière des fonderies ! »

Les ours rassemblés grognèrent doucement et marmonnèrent tout bas.

– *Ouaou-oualla*, dit Rémiz.

« Croyez-moi, je suis un véritable ami des ours bandars ! »

Soudain, au-dessus du murmure général, une voix s'éleva :

– *Ouaou-ouaou !*

Du coin de l'œil, Rémiz vit un troisième ours bandar s'approcher. C'était une vieille femelle voûtée, à fourrure gris argent.

– *Ouarra-louma-ouira-ouaou*, affirma-t-elle d'une frêle voix cassée.

« Je sens qu'il dit la vérité. Il est un ami des ours bandars. »

Intriguée, la foule se tourna et la regarda venir à la rencontre du jeune intrus. Un léger brouhaha envahit les rangs de l'assistance. La vieille ourse grise se pencha et entoura le garçon de ses grandes pattes.

Rémiz huma le tiède parfum de mousse de sa fourrure et perçut les vibrations de son cœur contre le sien. L'expérience était extraordinaire. Il se sentait en sécurité, protégé, et il se surprit à souhaiter que cette étreinte réconfortante ne finisse jamais.

Enfin, l'ourse s'écarta de lui et le dévisagea, ses yeux sombres remplis d'affection.

– *Ouaou-oualla-ouégiral*, chuchota-t-elle.

« Amis jusqu'à la dernière ombre de cette ultime nuit. »

Les ours voisins acquiescèrent d'un grognement. L'ours noir leva sa grande tête.

– *Ouara-galou-ouir !* proclama-t-il.

« Galia, la plus ancienne d'entre les anciens et la plus sage d'entre les sages, a parlé. Il ne m'en faut pas plus. »

– *Ouaou-ouarra-loouag*, continua-t-il.

« Nous t'accueillons parmi nous. Tu seras Iouraloa : celui qui a reçu la tige-poison. »

La foule des ours bandars rugit plus fort. Rémiz frémit de joie.

– Merci, dit-il. *Ouaou !*

– *Ouarra-ouour*, déclara l'ours noir, solennel. *Ouaou-ouaou*.

« Tu es différent des autres. Personne n'avait assisté à notre grand congrès, excepté… »

À cet instant, Rémiz devina un mouvement derrière lui. Il jeta un coup d'œil par-dessus son épaule : l'assemblée des ours bandars se divisait en deux. Par le long passage étroit qui s'ouvrait, Rémiz vit un personnage, là-bas au loin, avancer lentement dans sa direction.

– Qu'est-ce donc ?… chuchota Rémiz.

Il examina le personnage aux épaules courbées, aux longues chevelure et barbe blanches broussailleuses. Son pourpoint, son pantalon et ses bottes étaient en cuir brut, cousu de lanières. Son gilet en peau de hammel, élimé jusqu'à la corde, claquait dans le vent. Lorsqu'il fut plus près, Rémiz découvrit ses traits.

Il avait le visage tanné, ridé ; le moindre pli, la moindre balafre témoignaient d'un épisode de son passé. Mais ses yeux ! Rémiz n'en avait jamais vu de pareils. Aussi verts que les joyaux des marais, d'une limpidité de cristal, ils pétillaient, vifs, sous le clair de lune, débordants de jeunesse.

L'inconnu s'arrêta face à Rémiz.

– Je crois que ceci t'appartient, déclara-t-il.

Dans sa main calleuse, le vieil homme tenait le calepin de voyage perdu. Rémiz le récupéra, reconnaissant.

– M… merci, bredouilla-t-il. Mais… qui ai-je l'honneur de remercier ?

– Je m'appelle Spic, répondit le personnage. J'étais autrefois capitaine pirate du ciel, défenseur de la Vieille Sanctaphrax. Maintenant, comme toi, je suis un ami des ours bandars…

Il eut un sourire chaleureux, et ses yeux pétillèrent, plus vifs que jamais.

– Tu as peut-être entendu parler de moi ?

Chapitre 17

Le récit du capitaine

– C'était un matin radieux, Rémiz. Je ne l'oublierai jamais. Un matin que beaucoup, après la féroce tempête qui avait fait rage durant toute la nuit, pensaient ne jamais connaître.

Les yeux de Spic devinrent rêveurs ; il secoua lentement la tête.

– J'ai du mal à croire que cinquante années se sont écoulées depuis.

Rémiz considéra Spic, pensif. Cinquante années. Le capitaine pirate devait donc approcher les soixante-dix ans. La Falaise avait tellement changé au cours de ces décennies.

– Les temps anciens... Oh, les histoires que je pourrais te raconter sur les temps anciens ! disait Spic. Mais ce sera pour une autre fois. Après le passage de la grande Mère Tempête, les eaux de l'Orée se trouvaient rajeunies et, ce matin-là, l'espoir d'un avenir neuf et rayonnant vibrait dans l'air.

Rémiz acquiesça en silence. Dans les textes et les rouleaux de la grande salle de lecture pluviale, il avait découvert les différents épisodes : un nouveau rocher était apparu, la fondation de la Nouvelle Sanctaphrax avait suivi ; puis Vox Verlix avait pris la succession du Dignitaire suprême (un obscur novice, qui n'était pas à la hauteur de sa charge) et bâti les fondations de ce qui deviendrait la tour de la Nuit. Maintenant qu'il parlait à l'étrange vieux capitaine pirate en haillons, les exposés fades que Rémiz avait lus prenaient une vie extraordinaire.

– Ma tâche là-bas était accomplie, continua Spic, j'ai donc regagné *Le Flibustier du ciel* et me suis préparé au départ. Il était temps pour moi de mettre le cap sur les Grands Bois, afin d'aller chercher les membres fidèles de mon équipage restés à la Fontaline, dans l'attente de mon retour.

– La Fontaline, souffla Rémiz.

– Oui, mon garçon, dit Spic. C'est là-bas que je les avais laissés. Il y avait Mauguine, le meilleur pilote de pierres qui se soit jamais occupé d'une roche de vol. Barbillon, un aquatinal aux facultés auditives absolument remarquables, même pour un écoutinal. Et Goumy.

Souriant, il promena les yeux sur l'assemblée.

– Ce cher Goumy, l'ours bandar le plus courageux qu'un capitaine pouvait souhaiter. Je leur avais donné ma parole que je reviendrais ; et, ce beau matin-là, c'était justement ce que je m'apprêtais à faire.

Rémiz et Spic étaient assis côte à côte sur un arbre déraciné à la lisière de la vallée. Devant eux, le grand congrès battait son plein : les ours bandars innombrables se mêlaient, scandaient et partageaient entre voisins leurs connaissances des Grands Bois, tandis que les premières rougeurs de l'aube teintaient le pourtour du ciel.

– J'avais un bon équipage pour m'aider dans ma quête, reprit Spic. Je revois leurs visages presque aussi distinctement que le tien à cette minute. Il y avait Marek, un gobelin à tête plate : le compagnon de bataille idéal. Et Tarp Hammelier, l'égorgeur que j'avais sauvé des tavernes d'Infraville. Ainsi que Théo Slit, mon quartier-maître, horriblement défiguré par un éclair.

Il soupira.

– Et puis les autres. Chardon le naboton, expert en cordages, je me souviens. Rolf le cuisinier, avec son dos tordu et sa démarche claudicante. Le vieux Phylos, un gobelinet ; pas très utile, mais joyeux. Et bien sûr, Patoche ; impossible de l'oublier !

– Patoche ? demanda Rémiz.

– Un gigantesque rustotroll, précisa Spic. Pas l'esprit le plus délié, sans doute, mais fort comme un troupeau de hammels.

Il sourit pour lui-même.

– Enfin... Où en étais-je ? Ah oui. Après une courte halte pour faire nos adieux au Dignitaire suprême et lui souhaiter bonne chance, nous nous sommes mis en route, les voiles gonflées de vent et le cœur rempli d'espoir.

Les yeux pétillants, il se tourna vers Rémiz.

– Je me rappelle encore la chaleur du soleil dans mon dos, lorsque nous avons survolé le Bourbier en direction des Grands Bois. Et mon bonheur immense... ajouta-t-il avec un sourire épanoui. La Fontaline ! Je retournais à la Fontaline !

Rémiz sourit de même, conquis par l'enthousiasme du vieux capitaine pirate.

– Naturellement, continua Spic, redevenu grave, je savais que ce ne serait pas facile. Le trajet promettait d'être long et compliqué. Mais je savais aussi que je devais me fier à mes instincts et à mes sens. Barbillon me guiderait. Il fallait simplement que je reste concentré, de manière à suivre ses appels.

Le regard de Spic se fit lointain alors qu'il poursuivait son récit.

– Nous avons navigué plusieurs mois, dit-il. Les villages des trolls et les colonies des gobelins furent bien vite à mille lieues derrière nous. Chaque matin, je scrutais l'horizon et m'éclaircissais les idées. Alentour, les Grands Bois s'étendaient à perte de vue : sombres, menaçants, infinis. Mais nous continuions sans faiblir, toujours plus avant dans les profondeurs ténébreuses, où la forêt devenait si dense que nulle lumière n'y pénétrait plus. Audessus d'elle, l'air bouillonnait d'un tourbillon de nuages noirs et de tempêtes déchaînées qui bousculaient et ballottaient *Le Flibustier* ; notre navire se trouva bientôt dans un état aussi pitoyable que nos nerfs.

Spic se tut. Il cacha son visage dans ses mains.

– Que s'est-il passé ? demanda Rémiz. Avez-vous entendu l'appel de l'écoutinal ? Avez-vous trouvé la Fontaline ?

Spic releva la tête, les yeux brillants.

– Rien, dit-il. Je n'ai rien entendu que le mugissement railleur des tempêtes qui déchiraient nos voiles, et le silence moqueur des Grands Bois pendant les accalmies. J'ai même entendu pire... frissonna-t-il.

– Pire ? interrogea Rémiz.

– Le hurlement de Théo Slit lorsqu'une tempête le projeta du gaillard d'arrière, les râles du pauvre vieux Phylos, écrasé par la chute d'une partie du gréement, le bavardage décousu de Chardon lorsqu'il devint fou et, du haut du mât, s'élança dans le vide. Rolf, le cuisinier, mourut peu après ; le cœur brisé, selon mon équipage. Et néanmoins nous persévérions, parce que je ne pouvais pas renoncer, Rémiz. Je ne le pouvais pas. Ni moi, ni aucun d'entre nous. Tu dois le comprendre.

Rémiz tapota la manche en loques du vieux pirate.

– Je comprends, chuchota-t-il.

– Vraiment ? demanda Spic. Vraiment ? Seize années de voyage, Rémiz. Seize longues années solitaires, effrayantes, qui nous laissèrent loqueteux, las... vaincus. Et tout était ma faute. Je ne retrouvais pas le chemin de la Fontaline.

Il leva des yeux brûlants de douleur.

– J'ai failli à mes engagements, Rémiz. Envers mon équipage... Envers mes amis...

– Vous avez donné le meilleur de vous-même, dit Rémiz.

– Mais le meilleur de moi-même n'a pas suffi, répliqua Spic, amer. Finalement, reprit-il, nous n'étions plus que quatre : Marek, Tarp Hammelier, Patoche et moi. Naviguer sans pilote de pierres avait déjà été ardu, mais maintenant que nous étions si peu à bord, la tâche était presque impossible. Pour continuer notre quête de la Fontaline, je devais recruter des bras. J'ai donc fait demi-tour et mis le cap sur un lieu dont j'avais entendu parler dans les villages de trolls et les hameaux de gobelins en ruines que nous avions traversés durant notre périple ; un lieu décrit comme un flambeau d'espoir dans les ténèbres des Grands Bois, un abri pour les épuisés, un refuge pour les égarés…

– Les Clairières franches ! s'exclama Rémiz. Vous êtes allés dans les Clairières franches !

– En effet, confirma Spic. La Nouvelle Infraville n'était alors qu'un amas de cabanes en ricanier, les trolls des bois commençaient tout juste d'implanter leurs villages. Mais nous avons bel et bien trouvé un abri, au Débarcadère du lac, où un jeune bibliothécaire nommé Modeste nous accueillit…

– Modeste ! l'interrompit Rémiz avec fougue. Il vit toujours là-bas. Et il est devenu maître supérieur. Il a été mon professeur.

– Eh bien, tu as eu un professeur avisé, jeune Rémiz, dit Spic. Cette soirée s'est gravée dans ma mémoire. Nous nous sommes traînés jusqu'aux Clairières franches et avons amarré le navire à la tour du Débarcadère. Notre arrivée a provoqué un certain émoi, je dois le reconnaître, précisa-t-il avec un sourire. Je suppose que ces jeunes bibliothécaires, parmi lesquels Modeste, devaient nous trouver curieuse allure. Nos vêtements étaient de quasi-haillons, la coque du pauvre *Flibustier* était grêlée, striée, et ses voiles en lambeaux. Mais ils se sont attroupés autour de nous et sont restés à nous regarder, bouche bée, jusqu'au moment où Modeste s'est avancé pour se présenter. Il a déclaré que, vu notre apparence, nous avions sûrement grand besoin d'un bon repas et de repos ; il nous a priés de dîner avec eux dans leur réfectoire : non, nous ne pouvions pas refuser ! C'est durant le souper (ragoût de tilde et cidre de pommes de chêne, si je ne me trompe pas) que nous avons appris la terrible nouvelle... et compris pourquoi ils étaient si étonnés de nous voir.

– Quelle nouvelle ? demanda Rémiz.

– L'apparition de la maladie de la pierre, évidemment ! répondit Spic. Modeste me raconta tout. Les bateaux des ligues et les navires pirates tombaient du ciel comme des mouches des bois. Au cours des douze mois précédents, pas un seul vol en partance de la Vieille Sanctaphrax n'avait atteint les Clairières franches.

« C'était le rocher de la Nouvelle Sanctaphrax, frappé par la maladie, qui semblait à l'origine du désastre. Le mal, très contagieux, se propageait d'un navire à l'autre tel un feu de forêt. Lorsque la roche de vol d'un navire s'effritait, son équipage devait chercher du travail ailleurs et, ce faisant, il infectait la roche du nouveau vaisseau. Le premier âge de la navigation aérienne était terminé. Ce furent les paroles de Modeste, mot pour mot ; et, lorsque je les entendis, je pris conscience de l'horrible vérité.

« Nous étions venus dans les Clairières franches par manque criant d'hommes d'équipage, mais les risques de contamination m'empêchèrent de recruter quiconque. Si nous avions jusqu'alors échappé à l'épidémie, c'était parce que nous avions voyagé très longtemps dans les contrées les plus reculées des Grands Bois. Je quittai la table d'un bond, regagnai *Le Flibustier* en hâte et levai l'ancre aussitôt.

« Une fois le danger des Clairières franches derrière nous, je réunis l'équipage et exposai la situation. Tarp me lança une claque dans le dos, Marek me serra la main et Patoche faillit me rompre les côtes dans une étreinte digne d'un gros ours bandar. Tous étaient d'accord pour me suivre dans ma quête, même si, à quatre, la tâche serait éreintante. De braves compagnons, vraiment dévoués, dit-il, nostalgique. Morts depuis des lustres, bien sûr.

Spic demeura un long moment silencieux, le regard perdu dans le lointain. Rémiz finit par demander :

– Que s'est-il passé ?

La tristesse se peignit sur le visage de Spic.

– Une histoire tout à fait stupide. Mais mortelle. Vois-tu, il nous fallait des provisions. Comme nous n'osions pas nous aventurer dans les villages et les colonies par peur de la contagion, nous nous sommes fournis dans les Grands Bois eux-mêmes : viande de tilde et de vorisson, fruits et racines que nous pouvions mettre à sécher ou en conserve, et vingt tonneaux d'eau que Patoche, grâce à sa force gigantesque, recueillit en un seul après-midi.

Il secoua la tête, l'air piteux.

– Ce fut l'eau qui causa notre perte, car ce pauvre Patoche stupide (le ciel le garde) ignorait la règle la plus fondamentale des Grands Bois : « Ne puise jamais dans un bassin stagnant. » Patoche avait rempli les vingt tonneaux de la même eau croupie… Mais c'était ma faute, pas la sienne ! s'écria-t-il, le regard fulminant. J'étais le capitaine. J'aurais dû vérifier ; j'aurais dû le savoir…

« Bientôt, la fièvre de l'eau noire nous frappa tous. Je résistai un peu plus longtemps que les autres, mais je ne tardai pas à tomber malade aussi. Je vomis à m'en vider l'estomac. Je perdis connaissance. Combien de jours et de nuits je restai couché sur le pont, pendant que *Le Flibustier* dérivait à sa guise au-dessus des Grands Bois, je ne le saurai jamais. Je me tournais et me retournais dans les tourments de la fièvre, tantôt brûlant, tantôt secoué de frissons.

Rémiz hocha la tête, compatissant : il ne connaissait que trop les supplices des accès de fièvre.

– Lorsque je repris enfin conscience, l'aube était là. Je m'assis sur mon séant, parcouru de vertiges, le ventre gargouillant. Une brume froide, vaporeuse, tournoyait dans l'air. Elle collait à mes vêtements, à mes cheveux, à ma peau, et elle avait recouvert la moindre surface du *Flibustier* d'un fin manteau humide et glissant. Je me levai péniblement et scrutai les alentours.

« Il n'y avait plus d'arbres au-dessous du navire, rien que du roc : une vaste étendue grisâtre, de larges roches plates séparées par de profondes failles. Je sus aussitôt où j'étais, et mon cœur s'emplit d'effroi : la Lande, sinistre désert de brumes et de cauchemars.

« C'était dans la Lande, bien des années auparavant, que j'avais eu face à moi un monstre dont j'ose à peine te parler. La Lande, Rémiz, me terrifie au plus haut point, car j'y ai rencontré le luminard… et ai survécu à l'épreuve.

– Le luminard ! s'exclama Rémiz, médusé. Mais comment ? Quand ?...

–Un jour, je te raconterai toute l'histoire, promit Spic. Il suffit de dire que j'en avais réchappé et m'étais juré de ne jamais revenir dans cet endroit maudit. Mais le destin avait voulu que le pauvre vieux *Flibustier* malmené me transporte jusqu'à la Lande. Je regardai alors autour de moi...

Les yeux de Spic devinrent tristes.

– Le navire semblait désert. Mon équipage ! Où était-il ? Je ne l'avais ni vu ni entendu depuis mon réveil. J'appelai, mais il n'y eut pas de réponse. Je quittai la barre et me précipitai sur le pont avant. Et... et je les découvris. Tous les trois...

« Oh, Rémiz, gémit-il. Ils étaient morts. Marek. Tarp Hammelier. Même le pauvre Patoche, qui était pourtant un grand rustotroll robuste, n'avait pu vaincre la fièvre noire...

Sa voix se brisa.

– L... leurs corps gisaient sur le pont froid et humide, figés dans les affres de l'agonie, bras tendus, visages tordus par la peur et l'horreur. Tous avaient connu un terrible trépas...

Il avala péniblement sa salive.

– J'ai accompli de mon mieux les rites funèbres. C'était le moindre hommage que je pouvais rendre à cet excellent équipage fidèle, qui avait si bien servi son capitaine et *Le Flibustier*...

Il se tut, et Rémiz vit le grand pirate rude écraser une larme. Une boule se forma dans sa propre gorge.

– Voilà, Rémiz, j'avais fini par échouer. Il n'y avait rien à faire...

Spic prit une profonde inspiration.

– Regagner les Grands Bois par les airs était impossible : je n'aurais jamais pu manœuvrer seul *Le Flibustier*. Je l'ai donc amarré à un grand roc en surplomb qui terminait la falaise, tel un démon accroupi, noir dans la lumière du levant, et je suis parti.

– Vous voulez dire que *Le Flibustier* est toujours là-bas ? s'étonna Rémiz.

– Oui, mon garçon, répondit Spic. S'il n'a pas pourri ou succombé à la maladie de la pierre entre-temps, il est toujours là-bas. Une bruine légère tombait le matin où je lui ai fait mes adieux. Malgré les tempêtes subies, il flottait, magnifique, au-dessus du désert stérile, rappel déchirant de toutes les pertes irrémédiables. Le dernier navire du ciel… ajouta-t-il après un silence.

Il se tut de nouveau, poussa un soupir et reprit :

– Je dus cheminer trois jours pour franchir la Lande trompeuse, et marcher deux semaines encore avant de croiser, par hasard, la route de troglos ploucs itinérants qui me donnèrent eau, nourriture et abri. Depuis lors, je parcours inlassablement les Grands Bois.

« Bien que je sois l'unique survivant, en dépit de ma vieillesse et de ma lassitude, je n'ai jamais tout à fait perdu espoir. Chaque matin au réveil, je cherche la Fontaline à l'horizon ; chaque soir au coucher, je pense aux amis que j'ai laissés là-bas.

« Je vois leurs visages, Rémiz. Goumy. Mauguine. Barbillon. Ils ne me reprochent rien. Parfois, je voudrais qu'ils m'accusent. L'espoir et la confiance que je lis dans leurs yeux braqués sur moi sont mille fois pires. J'ai manqué à ma parole envers eux, Rémiz, souffla-t-il, la voix brisée. Ils croyaient en moi… Mes pauvres amis perdus…

Il enfouit sa figure dans ses mains.

– Je suis hanté par le souvenir de tous ceux que j'ai connus. Les vivants et les morts, rassemblés. Les visages que je ne reverrai jamais. Mon père. Tontin. Les vieux professeurs de Lumière et d'Obscurité. Hubby. Cabestan. Lapointe... Et le Dignitaire suprême de Sanctaphrax, son expression, ce matin si lointain où j'ai entrepris ma quête, alors qu'il agitait le bras en signe d'adieu...

Rémiz hocha la tête. Le capitaine avait bouclé la boucle de son récit.

– L'enthousiasme, teinté d'appréhension, dans son sourire. La noblesse dans son attitude. L'espoir dans ses yeux. Il avait été autrefois mon apprenti, et il était maintenant Dignitaire suprême de Sanctaphrax ! Comme je me sentais fier de lui. Pauvre, cher Séraphin... se désola-t-il.

– Séraphin ? répéta Rémiz, stupéfait. Mais je connais ce nom.

– Oui, Séraphin Pentephraxis, compléta Spic, amer. Assassiné il y a bien longtemps par Vox Verlix, ce tyran. J'ai appris la nouvelle au Débarcadère du lac.

Brusquement, les paroles de Xanth revinrent à la mémoire de Rémiz. « Je suis aussi prisonnier de la tour de la Nuit que mon ami Séraphin, auprès duquel je dois retourner. » Malgré sa fièvre aiguë d'alors, il était sûr de ce que Xanth lui avait dit. « C'est Séraphin qui, le premier, a peuplé mon esprit d'histoires sur les Grands Bois, et de ses aventures avec Spic le pirate du ciel. »

Rémiz bondit sur ses pieds. L'ami de Spic et le prisonnier de Xanth étaient une seule et même personne.

– Tellement jeune, disait Spic, et je l'ai laissé rebâtir Sanctaphrax sans assistance, pour me lancer dans cette quête vaine. Si seulement j'avais atteint la Fontaline, j'aurais pu rentrer l'aider ; et peut-être qu'il serait encore en vie à cette heure.

– Mais il l'est ! cria Rémiz, incapable de garder le silence un instant de plus.

Deux ours bandars se retournèrent, curieux, au beau milieu d'une modulation. Rémiz saisit le bras de Spic.

– Il est vivant ! s'exclama-t-il. Séraphin est toujours vivant !

Les joues de Spic se décolorèrent. Il demeura interdit.

– Vivant ? souffla-t-il.

Chapitre 18

Le Flibustier du ciel

Spic posa sur Rémiz un regard stupéfait.

– Mais comment sais-tu qu'il vit encore ? questionna-t-il, pressant. Modeste m'a dit... Voyons... Oui, même après tout ce temps, je me rappelle ses paroles. Lorsque je me suis enquis de Séraphin le Dignitaire suprême, il a secoué la tête avant de répondre : « Le Dignitaire suprême est désormais Vox Verlix. Le nom de Séraphin a été rayé des annales. Un assassinat pur et simple, voilà ce dont il s'agit, même si, dans la Nouvelle Sanctaphrax, bien peu osent l'affirmer. » Telle fut sa réponse, mot pour mot...

– Mais il est vivant ! répéta Rémiz. Il est emprisonné dans la tour de la Nuit. Un ami...

Il éprouva un brusque pincement au cœur et s'interrompit.

– Du moins, je croyais qu'il était mon ami, murmura-t-il. Ce garçon m'a raconté qu'il avait vu Séraphin, tout à fait vivant, dans la tour de la Nuit. Bien plus, Séraphin lui avait parlé de vous, Spic, et des aventures que vous aviez vécues ensemble.

– Vraiment ? demanda Spic.

Maintenant debout, il étreignait les mains de Rémiz et gardait les yeux braqués sur lui. Autour d'eux, les ours bandars se taisaient peu à peu dans la lumière de l'aube naissante, tandis que la voix enflammée de Spic résonnait dans la vallée.

– Cette tour de la Nuit, qu'est-ce donc ?

– Il y a longtemps que vous vivez retiré ici, capitaine Spic, lui répondit Rémiz. Beaucoup de choses ont changé depuis votre départ. Modeste vous a appris que Vox Verlix était devenu Dignitaire suprême, mais ce n'était que le début.

– Raconte ! exigea Spic. Raconte-moi tout ce que tu sais !

Les ours bandars se groupaient à présent autour d'eux, hautes montagnes de fourrure surmontées d'oreilles frémissantes.

– Après son accession au rang de Dignitaire suprême, Vox Verlix a ordonné la construction d'une grande tour dans la Nouvelle Sanctaphrax, alors même que le rocher commençait à s'effriter, malade. D'après ce que j'ai entendu et lu dans la bibliothèque, il prétendait que la maladie de la pierre prouvait la mollesse et la vanité des érudits ; et lui, Vox, allait remédier à cette situation.

– Ce Vox ! gronda Spic. Lorsque je l'ai connu, jeune apprenti dans la Vieille Sanctaphrax, il était déjà une mauvaise graine.

– Le pire est à venir, reprit Rémiz. Voyez-vous, Vox a instauré une secte de chevaliers érudits, qu'il a nommés les gardiens de la Nuit. Ceux-ci ont réduit les Infravillois en esclavage et les ont obligés à travailler, non seulement sur le chantier de cette maudite tour, mais aussi à d'autres grands projets. La Grand-Route du Bourbier. La forêt de Sanctaphrax, qui soutient le rocher malade…

– Des esclaves ? s'emporta Spic, les yeux fulminants. À Infraville ?

– Oui, je sais, répondit Rémiz. C'était une transgression terrible des principes fondateurs de la ville, et beaucoup ont résisté. Mais les gardiens de la Nuit étaient cruels. Ils ont veillé à ce que les projets se réalisent. Les chevaliers qui désapprouvaient les plans de Vox ont fait scission et rejoint les érudits terrestres pour constituer ensemble les bibliothécaires... Nous vivons cachés dans les égouts d'Infraville, ajouta-t-il après un silence.

– Des bibliothécaires qui vivent dans les égouts, déplora tristement Spic. Dire qu'il a fallu en arriver là. Vox Verlix la brute, maître de la Nouvelle Sanctaphrax !

– Pas exactement, rectifia Rémiz. Il y a eu un coup de théâtre.

– Continue, le pressa Spic.

– Eh bien, Vox ne s'était pas rendu compte du monstre qu'il créait en établissant les gardiens de la Nuit. Un chef n'a pas tardé à sortir de leurs rangs, un certain Orbix Xaxis, qui s'est proclamé Dignitaire suprême et a mis la main sur la tour de la Nuit. Craignant pour sa vie, Vox s'est réfugié dans un vieux palais d'Infraville. Les pies-grièches en ont profité pour régner sans partage sur la Grand-Route du Bourbier ; afin de conserver le peu de pouvoir qui lui restait à Infraville, Vox a dû s'appuyer sur des mercenaires gobelins. Aujourd'hui, à en croire la rumeur, il passe toutes ses journées dans son palais délabré, trop obèse pour quitter sa chambre, et, le soir venu, il s'abrutit en avalant bouteille d'oubli sur bouteille d'oubli.

– Oh, ce n'est pas moi qui le plaindrai ! s'écria Spic. Mais dis-moi, Rémiz, que sais-tu encore de cette tour de la Nuit où est détenu Séraphin ?

Le jeune garçon soupira.

– Je sais ceci : jamais personne ne s'en évade, dit-on. C'est une immense forteresse impénétrable, avec des portails hérissés de pointes et des fenêtres à barreaux, des frondes et des lance-harpons, de grosses catapultes pivotantes fixées sur chaque plate-forme en surplomb. Je ne l'ai aperçue qu'une fois, et de loin, mais des chevaliers bibliothécaires qui l'ont vue de près m'en ont parlé. Un jour, la grande Violetta Lodd l'a même attaquée avec une flotte d'esquifs du ciel ; mais les armes de la tour étaient bien trop puissantes.

– Des esquifs du ciel ? dit Spic. Ces petits engins en bois ? Je les ai découverts au Débarcadère du lac. Pas étonnant qu'ils aient échoué. Imagine des papillons des bois assaillir un hammel à cornes !

– Des gardes armés patrouillent dans le moindre recoin de la tour, continua Rémiz sans reprendre haleine, tous formés à tuer d'abord et à interroger ensuite. La tour de la Nuit est imprenable. Pour lancer une attaque terrestre, il faudrait passer par Ébouliville, dit-il avec un frisson. On raconte qu'elle est peuplée d'étranges créatures luisantes, qui se métamorphosent sans cesse : goules des gravats, démons des rochers... Même à supposer qu'on leur échappe, il y a la forêt de Sanctaphrax, cet énorme assemblage de troncs qui étaie le rocher. Il est infesté de pourrivores et de filelames ; des créatures redoutables, au dire de tous. Non, l'unique solution serait une attaque aérienne et, comme vous l'avez dit, un esquif du ciel est bien trop petit…

– Mais pas un navire du ciel, l'interrompit Spic.

– Un navire du ciel, souffla Rémiz.

Tout autour d'eux, les ours bandars écoutaient avec attention.

– Oh, Rémiz, mon garçon, reprit Spic, ce serait comme autrefois, quand je naviguais avec mon père, le Loup des nues, à l'assaut des grands bateaux des ligues bourrés de marchandises. Si je me souviens bien, notre technique consistait à mener une offensive brève et violente, puis à filer avec leur butin caché avant qu'ils comprennent ce qui leur arrivait. Et c'est ce que nous ferons, Rémiz : avec *Le Flibustier du ciel* !

– *Le Flibustier du ciel* ? demanda Rémiz. Mais, Spic, nous n'avons pas d'équipage.

Il y eut alors du mouvement derrière eux : Rémiz se retourna et vit s'avancer Ouamalou, la grande ourse bandar de la Clairière des fonderies.

– *Ouaou-ouarra-Sp-aou-ic-ouaou*, dit-elle, et elle porta une grosse patte à sa poitrine.

« J'irai avec vous, capitaine Spic, ami des ours bandars. »

Spic se pencha et lui donna une tape sur l'épaule.

– *Ouaou-ouaou !* répondit-il, et sa main décrivit un lent arc de cercle.

« Bienvenue, amie ! »

Un deuxième ours (un énorme mâle qui avait une profonde cicatrice à l'épaule) vint se placer à côté d'elle.

– *Ouaou. Ouliga. Ouaou-ouaou.*

« Moi, Oulig, irai aussi avec vous. »

– *Ouarra-ouaou !*

Il montra le ciel, toucha sa cicatrice et leva la tête.

« J'ai servi sur un navire pirate dans le passé, à l'époque dont vous parliez. »

–*Ouaou-ouilarou-ouag !* tonna le gigantesque ours noir.

« Je ne connais rien à la navigation aérienne, mais je suis robuste ! On m'appelle Ralim, celui qui est plus fort que le bois de fer. »

Trois autres postulants rejoignirent aussitôt Ralim : Miroum et Loumy, deux jumeaux qui avaient travaillé sur des péniches de transport du bois, et Molline, une vieille ourse maigre qui avait été l'assistante d'un pilote de pierres. Son sourire tordu révéla des dents manquantes et une seule défense ébréchée.

– *Ouaou-lila, ouaou-roulaoua*, modula-t-elle doucement.

« Je peux veiller sur votre roche de vol, capitaine Spic, si vous acceptez un vieux sac d'os comme moi. »

–*Ouaou-ouaou*, répondit Spic.

« Bienvenue, Molline. Celle qui est l'amie des pierres. »

Il recula d'un pas et leva les bras.

– Merci, mes amis, dit-il. Du fond du cœur, je vous remercie tous. Mais nous avons désormais assez de volontaires. Je crois que nous avons trouvé notre équipage, dit-il à l'adresse de Rémiz.

– *Ouaou-ouaou !* lança une voix insistante, et Rémiz vit Ouaoumi se frayer un passage dans la foule des ours.

« Prenez-moi, prenez-moi ! »

Spic sourit.

– Quelle expérience de la navigation aérienne pourrais-tu avoir, ma jeune amie ?

– *Ouaou,* répondit Ouaoumi, la tête basse.

« Aucune. Mais ma jeunesse est ma force. Je suis puissante et enthousiaste… »

–Merci, ma jeune amie, commença Spic, mais, comme je l'ai déjà dit, nous avons suffisamment de volontaires…

– *Ouaou…* bredouilla Ouaoumi, et elle jeta un regard malheureux, implorant, à Rémiz. *Ouaou…*

Rémiz se tourna vers Spic.

– Il nous faudra un cuisinier, dit-il. Et pour la cueillette, Ouaoumi n'a pas son pareil, je vous le garantis.

– Ouaoumi ? demanda Spic. Vous vous connaissez ?

– Nous sommes amis, répondit Rémiz.

Le visage de Spic se plissa dans un sourire chaleureux.

– L'amitié avec un ours bandar est la plus grande amitié qui soit, déclara-t-il, et il tira de son gilet en peau de hammel un pendentif (une dent d'ours décolorée, trouée au milieu), qu'il considéra durant un moment d'un air songeur. Je le sais. Bienvenue à bord, dit-il à Ouaoumi.

Mais je te préviens : si jamais tu nous sers des tigelles au vinaigre, je te condamnerai au pyrovol !

À cet instant, le soleil dépassa la haute crête d'arbres cernant la vallée et baigna de sa lumière vive le petit groupe d'ours qui patientait. Spic leva la tête.

– Allons, venez, mon brave équipage, invita-t-il. Ne tardons pas plus. *Le Flibustier* nous attend dans la Lande.

Un rugissement approbateur résonna dans la Vallée aux mille échos et, sous les vivats, l'assemblée d'ours s'écarta pour livrer passage à Spic, à Rémiz et aux sept volontaires.

– Séraphin, mon ami, murmura Spic à voix basse, je connais l'échec depuis trop longtemps. Cette quête-ci sera une réussite !

Leur progression dans les Grands Bois fut rapide. Sans jamais se reposer plus d'une heure, ils voyagèrent jour et nuit, s'orientant grâce au soleil et à l'étoile du levant dans leur course invariable vers le nord à travers la sombre forêt profonde, en direction de la Lande perfide.

De nouveau en selle sur *Le Frelon de tempête*, Rémiz voletait entre les arbres au-dessus de Spic et des ours. Les grandes créatures se hâtaient à pas vifs et feutrés. Contrairement à Ouaoumi, qui avait tout détruit sur sa route lorsqu'elle se précipitait, comme hypnotisée, au grand congrès, les ours de l'équipage ne laissaient aucun indice derrière eux. Rémiz ne pouvait que s'émerveiller de leur agilité, de leur adresse, de leur discrétion.

Il s'étonna que les ours bandars soient des êtres aussi solitaires : réunis, ils

travaillaient avec cohésion et efficacité. Chacun menait le groupe tour à tour et se laissait glisser le long de la file dès qu'il se sentait fatigué ; chacun tendait l'oreille et ouvrait l'œil, à l'affût d'un possible danger. Intrigué, Rémiz s'approcha de Ouaoumi durant l'une des courtes haltes consacrées à la cueillette et à la prise de repères.

– Pourquoi vivez-vous séparément les uns des autres ? demanda-t-il. Vous devriez former des tribus. Travailler ensemble. Vous le faites très bien !

Ouaoumi leva les yeux et ses oreilles s'agitèrent en tous sens.

– *Ouaou-ouaou. Ouarra-oualou.*

Elle cingla l'air de la patte et secoua la tête.

« Tu te trompes. Il est impossible pour les ours bandars de vivre ensemble. En groupe, nous attirons les plus féroces prédateurs. Seuls, nous avons de meilleures chances de survie, car nous passons plus inaperçus. »

Elle regarda ses compagnons et sourit, les défenses étincelantes.

– *Ouirou-ouaou !*

« Mais pour être dans un groupe comme celui-ci, sacrifier quelques années de ma vie me coûterait bien peu. »

–*Ouag-oualla-ouaou*, dit Spic qui s'approchait, les bras écartés.

« Ne parle pas de la mort, jeune Ouaoumi, même si je suis honoré de l'affronter avec toi à mon côté. »

Il y eut un froufrou dans les broussailles et Ralim apparut, les pattes chargées de branches : il avait trouvé des baies de cicatre.

– *Ouaou-ouaou !* grogna-t-il.

« Vite, mangez, car nous devons repartir. »

Ils continuèrent leur trajet dans la forêt. Rémiz filait en éclaireur sur *Le Frelon de tempête*, puis il imprimait une secousse à la corde à crampons, effectuait un demi-tour gracieux et rebroussait chemin pour inspecter sur toute sa longueur la file étirée des ours bandars. Pour l'heure, c'était Oulig qui ouvrait la marche, et la grande cicatrice sur son épaule brillait dans la pénombre. Quelques foulées derrière lui, Miroum et Loumy avançaient coude à coude. Peu après venait Ouamalou, épaules tachetées, voûtées, puis, sur ses talons, le massif Ralim, à l'étrange démarche bondissante. Après un intervalle important, Rémiz distingua Ouaoumi. Malgré sa jeunesse, elle semblait moins endurante que les autres. Enfin, après un nouvel intervalle très long, il survola les retardataires : Molline, plus vieille et plus lente que les autres, et Spic lui-même.

Lorsque Rémiz descendit en piqué, le pirate lui lança un signe de la main. Rémiz lui répondit, fier que le grand capitaine le salue. Et, alors qu'il reprenait de l'altitude, il entendit Spic murmurer des encouragements à Molline : « Nous ne sommes plus très loin, l'ancienne. La roche de vol attend ton doigté d'experte. »

La nuit tomba, mais les ours bandars (et Rémiz au-dessus d'eux) poursuivirent résolument leur route. Ils voyagèrent toute la nuit, sans jamais réduire leur allure inébranlable, sans jamais causer le moindre bruit. La lune monta dans le ciel, décrivit sa courbe et déclina loin sur leur gauche. Puis le soleil de l'aube réchauffa la terre humide, spongieuse, et souleva des volutes de brume dans la clarté resplendissante.

Tout à coup, un cri modulé retentit à l'avant de la file. C'était Ouamalou, qui avait pris le relais en tête : « La Lande ! Nous avons atteint la Lande ! »

« Attendez-nous ! recommanda Spic. Nous vous rejoindrons bientôt. »

Impatient de découvrir la Lande de sinistre réputation, Rémiz déploya toutes les voiles de son esquif et accéléra. Au-dessous de lui, les arbres devinrent épars, les broussailles clairsemées. Sur le ciel jaune pâle, Ouamalou se découpa, le regard tourné en arrière. Elle aperçut l'esquif qui s'approchait et agita la patte.

Rémiz lui répondit d'un geste, manœuvra les leviers des poids et les cordes des voiles, et piqua vers elle. Durant sa descente, la brume se mit à tournoyer autour de lui et le glaça instantanément jusqu'aux os. Il se posa sur une roche plate près de l'ourse immobile, sauta à terre et enroula la longe à son poignet.

– *Ouaou-ouou*, lui dit Ouamalou. *Ouallou-ouég*.

Elle plaqua ses bras contre son ventre.

« Cette contrée me remplit d'effroi. »

Rémiz acquiesça en parcourant des yeux la vaste étendue de rochers gris, glissants. Jamais aucun lieu ne lui avait donné un tel sentiment de malaise. Même les tunnels interminables des égouts d'Infraville, avec leurs paludicroques et leurs rats tachetés féroces, n'étaient rien comparés à la Lande stérile.

Elle mugissait et soupirait sous le vent froid qui, venu de par-delà la Falaise, sifflait dans les failles et les ravines de l'immense dalle granitique. Elle chuintait et chuchotait. Elle murmurait et gémissait comme un être vivant. Une odeur aigre, sulfureuse, coupa le souffle de Rémiz. Il eut la chair de dindon des bois lorsque les volutes de brume fétide l'enveloppèrent. Ballotté par le vent, *Le Frelon de tempête* dansait, léger, à son côté.

Il vit Ouaoumi sortir de la forêt, suivie de près par Ralim, Oulig et les jumeaux (Miroum et Loumy). De même que Ouamalou, ils parurent très perturbés par l'atmosphère inquiétante de la Lande austère ; ils se blottirent les uns contre les autres pour se réchauffer et se rassurer.

Spic et Molline arrivèrent les derniers dans le désert de roche. Spic posa la main sur l'épaule de Rémiz. Le jeune garçon vit qu'il tremblait.

– Je n'aurais jamais pensé revenir dans cet endroit terrible, avoua le capitaine en jetant un regard anxieux à la ronde. Mais quelque part là-bas, *Le Flibustier* nous attend. Suivez-moi, dit-il. Et tâchez de repérer au loin le grand roc noir en forme de démon !

Spic s'engagea dans la brume, Rémiz à sa hauteur ; l'esquif tressautait derrière lui au gré des glissades sur la roche traîtresse. Les ours bandars, toujours serrés les uns contre les autres, leur emboîtèrent le pas.

Le vent continuait de siffler, de susurrer à l'oreille de Rémiz et, alors qu'il marchait péniblement et s'appliquait à ne pas écouter, le jeune garçon sentait les doigts délicats de la brume lui caresser le visage et les cheveux.

– Oh ! grogna-t-il. Cet endroit est affreux, affreux.

– Courage, Rémiz ! dit Spic. Et continue de chercher le roc.

Rémiz scruta les tourbillons de brume dense. Devant eux, la dalle rocheuse semblait s'étendre à l'infini.

– Attendons une éclaircie, dit Spic. Elle viendra, ne serait-ce qu'un instant ; mais il n'en faudra pas plus pour repérer notre but.

Il poursuivit son effort. L'air hurlait à ses oreilles, chargé d'étranges voix railleuses et ricaneuses.

Rémiz, qui trébuchait dans son sillage, tandis que le petit esquif virait et virevoltait dans le vent de face, pouvait seulement espérer que le capitaine avait raison. La brume s'épaissit, lui brouilla la vue et lui affaiblit l'ouïe.

– Êtes-vous encore tous là ? demanda Spic.

– *Ouaou !* répondirent en chœur les ours bandars.

« Nous sommes tous ensemble. »

De temps à autre, de brusques bourrasques se levaient, heurtaient Rémiz de plein fouet et menaçaient de lui faire perdre l'équilibre. Il se laissait tomber à terre, la main crispée sur la longe, et patientait jusqu'à la fin de la rafale. Lors du dernier coup de vent, il crut entrapercevoir, à la faveur d'une trouée, durant une fraction de seconde, la Falaise elle-même. Mais le brouillard se reforma et Rémiz se retrouva plongé dans une blancheur aveuglante.

– Je ne vois plus rien ! s'affola-t-il.

– Tout va bien, Rémiz, répondit Spic. Fais-moi confiance.

À cet instant, la brume se déchira de nouveau, et Rémiz entrevit une deuxième fois l'extrémité de la falaise. Là-bas, au loin, une forme sombre surgit. Le brouillard se densifia, et Rémiz ne la distingua plus.

– L'avez-vous vu, capitaine ? demanda Rémiz, enthousiaste. Le roc !

– Le roc, oui, répondit Spic d'une étrange voix entrecoupée. Mais pas *Le Flibustier*.

Ils luttèrent au milieu des bourrasques et des brumes en spirale, s'évertuant à voir plus loin que quelques mètres devant eux.

– Je crois que je ne vais plus résister longtemps, haleta Rémiz, qui bataillait avec *Le Frelon de tempête*.

Spic paraissait voûté, épuisé ; les ours bandars autour de lui, hirsutes et pitoyables.

– Arrêtons-nous un peu ! cria Spic au-dessus du vent mugissant.

Les ours bandars encerclèrent Rémiz et le vieux capitaine pirate, afin de les protéger de la tourmente. Rémiz frissonna, malheureux. Si ces voix moqueuses voulaient bien se taire, il pourrait au moins réfléchir.

– Dites-moi, nous ne sommes pas perdus, capitaine ? demanda-t-il.

De toute évidence, Spic ne l'entendit pas. Il regardait droit devant lui. Le vent était tombé provisoirement et la brume se retirait.

– Regarde, dit-il simplement.

Là, au-dessus de leurs têtes, apparut le plus immense vaisseau du ciel que Rémiz ait jamais vu. À elle seule, sa grande proue malmenée avait la taille de vingt esquifs ; sa coque grêlée, striée, était aussi vaste qu'une taverne d'Infraville ; quant à son mât, il pointait vers le ciel tel un arbre de fer gigantesque. Une robuste chaîne d'ancrage descendait jusqu'au roc noir, dont la sombre masse abritait le flanc exposé du navire.

– Il est magnifique ! s'extasia Rémiz.

Mais il se rembrunit aussitôt, envahi par une triste pensée : certes, avoir construit un esquif du ciel en bois était merveilleux, mais *Le Frelon de tempête* faisait piètre figure à côté du *Flibustier*. Le « second âge de la navigation », dont les chevaliers bibliothécaires tiraient tant de fierté, n'était qu'une ombre pâle du premier. L'art du vol se trouvait si appauvri, si amoindri.

– Viens, mon garçon, l'appela Spic, le temps presse. Nous devons quitter cet endroit maudit ! Prends ton esquif et pose-toi sur *Le Flibustier*. Lance-nous les échelles de corde, afin que nous puissions grimper à bord. Allons, vite ! Avant que les bourrasques ne reprennent.

Rémiz se hâta d'enfourcher *Le Frelon de tempête* et décolla. En un clin d'œil, il fut à la hauteur du bastingage malmené du majestueux navire. Il attacha son esquif au mât et sauta sur le pont avant. De ses doigts tremblants, il dénoua les échelles de corde, qui se déroulèrent. Les ours bandars les gravirent immédiatement, puis Spic lui-même. Lorsqu'il posa le pied sur le navire, le vieux capitaine pirate s'agenouilla et embrassa le pont.

– Le ciel en soit remercié ! chuchota-t-il. Un instant, j'ai cru t'avoir perdu.

Il bondit sur ses pieds. Soudain, il ne sembla plus courbé. Les années parurent s'effacer, une lueur juvénile brilla dans ses yeux.

– Allons ! s'écria-t-il. Préparons le décollage du *Flibustier* !

Dans un même élan, les ours bandars se dispersèrent. Spic disparut aussi. Demeuré seul, Rémiz fit un rapide tour du navire : il fureta dans les placards et les vestiaires, jeta un coup d'œil sous le pont et observa les ours qui se précipitaient de-ci, de-là, pour remettre le grand navire pirate en état de vol.

Ouaoumi se dirigea vers les cuisines sous le pont. Ralim déplia la grand-voile, dont il inspecta par deux fois la toile, attentif au moindre accroc important. Ouamalou s'occupa des cordages. Miroum et Loumy franchirent les bastingages (l'un à bâbord, l'autre à tribord) et rampèrent sur le gréement de la coque : ils s'assurèrent que les poids et le gouvernail étaient tous bien accrochés et alignés. Oulig escalada le mât jusqu'au juchoir à son sommet, recherchant sur toute sa longueur une quelconque trace de pourriture ou une fissure révélatrice d'une détérioration interne du bois.

Rémiz entendit, dans son dos, un sifflement et un ronronnement doux. Curieux, il s'approcha et découvrit Spic, la tête entre les barreaux de la cage centrale, qui examinait avec soin la surface de la roche de vol. Près de lui, Molline réglait les torches désormais allumées.

– La roche est-elle abîmée ? demanda Rémiz.

Spic s'en écarta et se retourna.

– Elle ne présente aucun signe du mal, annonça-t-il.

– Quelle excellente nouvelle ! s'exclama Rémiz. Nous pouvons voler !

– En effet, dit Spic. Mais nous devons nous dépêcher. Car je crains que la maladie ait déjà frappé, invisible.

Rémiz fronça les sourcils.

– Mais comment ?

– Par le biais de l'équipage, répondit Spic avec un grand moulinet du bras. Tu as entendu le témoignage des ours. La plupart ont déjà navigué sur un navire du ciel. Le danger est que l'un d'entre eux, voire tous, soit porteur de la terrible épidémie.

– Y a-t-il moyen de le savoir ? demanda Rémiz, tremblant d'anxiété.

– Non, répondit Spic. La roche de vol est peut-être déjà contaminée. Peut-être pas. En tout cas, plus nous nous approcherons du rocher effrité de Sanctaphrax, plus le risque sera grand. Comprends-moi bien, Rémiz, c'est un voyage sans retour. *Le Flibustier du ciel* ne reviendra pas. Nous n'avons plus qu'à espérer qu'il tiendra suffisamment longtemps pour nous permettre d'atteindre la tour de la Nuit.

– Si la terre et le ciel le veulent, dit Rémiz, le visage blême et tendu.

– Mais courage, mon garçon ! dit Spic, en lui donnant une tape sur l'épaule. Une grande aventure commence. Viens avec moi.

Il se détourna et, laissant Molline veiller sur la roche de vol, il longea en hâte le plat-bord étroit et monta les quelques marches jusqu'à la barre. Il saisit la grande roue de gouvernail et la déverrouilla. Puis il testa chacun des leviers de vol à manche d'os, vérifia que les cordes coulissaient bien, leva ou baissa les voiles et les poids de la coque en vue du décollage.

Pendant l'opération, les ours bandars lancèrent successivement leurs cris modulés : les différentes parties du grand navire étaient en bon état. Lorsque le dernier d'entre eux (Oulig) annonça, du haut du juchoir, que le mât était intact, Spic battit des mains, joyeux.

– Préparez-vous au départ ! tonna-t-il. Apprêtez-vous à larguer la chaîne d'amarrage !

– *Ouaou-ouaou !* répondirent les ours bandars.

« Oui, capitaine. »

Il y eut une vibration formidable, un craquement sinistre, et *Le Flibustier* commença son ascension. Spic

délesta le navire de sa lourde chaîne, qui s'abattit dans un fracas retentissant.

– Nous n'en aurons pas besoin là où nous allons, expliqua-t-il.

Les voiles fatiguées se gonflèrent. Le navire s'inclina et s'écarta du roc noir. Calme, tranquille, le grand vaisseau prit peu à peu de l'altitude, jusqu'au moment où le vent arriva soudain par-derrière et le projeta à une telle vitesse que Rémiz en eut le vertige et l'estomac chaviré.

– C'est stupéfiant ! s'écria-t-il. Extraordinaire ! J'ai du mal à croire que je vole réellement sur un navire pirate !

– Moi aussi, mon garçon, glousse Spic. Moi aussi. Au nom du ciel, comme ces sensations m'ont manqué ! La force des voiles, l'oscillation des poids, le vent dans mes cheveux. C'est presque le bon vieux temps. Comme si j'étais redevenu pirate du ciel.

Rémiz pivota vers lui, les yeux brillants d'enthousiasme.

– Mais vous l'êtes ! répliqua-t-il.

Spic hocha la tête avec lenteur tandis que ses doigts dansaient sur les leviers de vol.

– Oui, Rémiz, je suppose.

Il fronça les sourcils avant d'ajouter :

– Je suis le tout dernier pirate du ciel.

Chapitre 19

La tour de la Nuit

C'ÉTAIT L'HEURE LA PLUS NOIRE, JUSTE AVANT L'AUBE. UNE fine rosée, scintillant à la lumière d'une lampe en contre-haut, enveloppait le rocher effrité de Sanctaphrax. Un léger bruit de succion sortit d'une crevasse obscure. Quelque chose bougeait.

Un long tentacule brillant apparut, puis un autre ; tous deux se cramponnèrent au rocher et se contractèrent. Une créature ruisselante, gélatineuse, émergea. Au sommet de sa tête, trois petites bosses rondes grossirent, s'ouvrirent et observèrent les environs avec méfiance. Les tentacules s'étirèrent de nouveau et la créature avança.

Après son passage, le rocher était absolument sec. Au fur et à mesure de sa progression rampante, la bête enfla. Elle enfla, enfla de plus belle, puis, dans un sifflement et un brusque effort, trois tentacules arrière se tendirent soudain et une substance épaisse, grasse, gicla sur le rocher. La créature avait assez bu.

La goule des éboulis se glissa de nouveau dans les fentes du rocher brisé. Maintenant qu'elle avait étanché sa soif, son ventre criait famine.

Loin, très loin au-dessus, un gobelin-marteau avait faim lui aussi. Une faim dévorante. Et soif. Et froid. Il battit la semelle et rassembla ses robes noires pour se protéger de l'air mordant, si glacial à cette hauteur de l'imposante construction qu'un verglas duveteux recouvrait le bois de la logette en surplomb.

– Attends que je te mette la main au collet, Face-de-Rat, espèce de petit avorton loucheur ! gronda-t-il.

Son souffle formait des nuages denses qui brillaient et se tordaient dans la lumière jaune des lanternes suspendues. Il fit les cent pas et se frictionna les bras pour tenter de se réchauffer.

– Me laisser ici assurer ton tour de garde ! se plaignit-il.

La relève était prévue à neuf heures la veille au soir ; à présent, les premiers rayons du soleil matinal cernaient déjà les nuages lointains d'une ligne argentée.

– Je suis resté ici toute la nuit ! grommela-t-il, furieux. Je vais te défoncer le crâne ! Je vais te briser les os jusqu'au dernier ! Je vais… aaah !

Le talon de sa botte glissa sur une plaque de verglas intact, et il s'affala par terre. Son lourd casque à cornes se détacha lorsque sa tête heurta violemment le bois froid et dur, dans un grand vacarme.

Étourdi, le gobelin s'assit sur son séant. Il vit le casque filer vers le bord de la logette. Le cœur palpitant, il lança le bras en avant et saisit l'une des cornes recourbées alors que le casque s'apprêtait à tomber dans le vide.

– Tu as frôlé la catastrophe, se reprocha-t-il. Fais attention, maintenant, Granit.

Il se hissa sur ses pieds, remit son casque en place. S'il l'avait perdu, le chef des gardes l'aurait jeté aux fers et condamné à une semaine de régime cellulaire pour le punir.

Granit vérifia le reste de son équipement : le couteau recourbé à sa ceinture, l'arbalète robuste sur son dos, la pesante pique à crochets… Il constata, soulagé, que tout paraissait en ordre.

À cet instant, bien loin en contrebas, la cloche qui coiffait le palais de Vox Verlix se mit à sonner. Elle égrena six coups. Dix-huit heures que le gobelin était en faction ! Alors que le soleil tremblant montait avec lenteur sur l'horizon, il porta son regard vers le ciel, la main en visière pour se garantir de l'éclat de plus en plus vif. Il baissa les yeux.

Là, au-dessous de lui, s'étendait le Jardin de pierres ; ses majestueuses colonnes d'autrefois n'étaient plus qu'un fouillis de débris jonchant la roche morte. Une nappe de brume enveloppait Ébouliville et Infraville. À mi-distance, déjà encombrée d'innombrables silhouettes minuscules, la Grand-Route du Bourbier serpentait vers l'obscurité dense, où elle se perdait. Car, malgré la clarté de l'aube, des nuages noirs arrivaient des Grands Bois par le nord-ouest : la pluie menaçait, voire l'orage...

– Une tempête, après tout ce temps.

Granit se racla la gorge et cracha.

– Voilà qui donnerait une bonne leçon à ces maudits chevaliers bibliothécaires, gronda-t-il. Ils se croient intelligents, ça oui, avec leurs livres, leur savoir et leurs petits esquifs pathétiques.

Il leva la tête vers les gros amas de nuages : pourvu qu'un éclair frappe le sommet de la tour !

– Mais un jour, ils comprendront. Lorsque la pointe de Minuit guérira le rocher et que nous retournerons habiter dans le ciel, alors ils verront...

– Force à la nuit ! lança une voix bourrue dans son dos.

Granit fit volte-face. Un vigoureux gobelin à tête plate, couvert de tatouages et des cicatrices de multiples batailles, se tenait devant lui, le poing droit pressé contre son plastron dans le salut rituel.

– Oh, Nodul, force à la nuit ! répondit Granit, qui le salua également. Tu n'imagines pas comme je suis heureux de te voir. Face-de-Rat n'est pas venu me relever, ce petit...

– On est sans nouvelles de lui, l'interrompit Nodul. Personne n'a l'air de savoir où il se trouve.

– Imbibé de grog des bois et avachi dans un recoin sombre, tel que je le connais, grommela Granit, amer, avant de bâiller. Dix-huit heures d'affilée perché ici. Dix-huit heures...

Nodul haussa les épaules.

– Ce sont des choses qui arrivent, marmonna-t-il sans s'apitoyer.

Puis, dans un regard circulaire, il examina le paysage urbain en contrebas, plissa les yeux vers le lointain et demanda :

–Une faction tranquille ? Pas de problème ?

– Aucun, dit Granit.

Le gobelin à tête plate indiqua le cortège de nuages qui s'approchait, menaçant.

– On dirait qu'il va pleuvoir, commenta-t-il. C'est bien ma chance !

– Oui, eh bien, je te laisse ! dit Granit. Moi, je file me coucher.

– Très bien, répondit Nodul, qui se tourna vers lui. Je vais…

Il retint une exclamation et scruta par-dessus l'épaule de son compagnon.

– Par le ciel ! Qu'est-ce donc ?

– Je ne tombe plus dans le panneau ! gloussa Granit.

– Mais je ne plaisante pas, Granit ! répliqua Nodul. C'est… c'est… bégaya-t-il avant de saisir le gobelin-marteau ricaneur par les épaules et de le faire pivoter. Regarde !

Granit écarquilla les yeux. Il resta bouche bée. Cette fois-ci, Nodul ne lui avait pas joué un de ses tours stupides. Il y avait bel et bien quelque chose.

– Je rêve… chuchota-t-il, tremblant d'effroi alors qu'un grand vaisseau fantomatique se dégageait de la nuée tourbillonnante.

Trop jeune pour avoir connu ce spectacle, Granit demeura pétrifié, le regard braqué, incrédule, sur le vaste navire robuste qui descendait gracieusement vers eux à travers ciel. Avec ses immenses voiles gonflées, sa coque massive, il était plus impressionnant que le gobelin aurait jamais pu se le figurer.

– M… mais comment ?… bredouilla-t-il. Comment est-ce possible ? Un navire du ciel encore capable de voler… D'où sort-il ?

– On s'en moque ! rétorqua Nodul. Sonne l'alarme ! Dresse les protections ! Fixe les harpons ! Allons, Granit ! Nous devons…

À cet instant, Granit entendit un sifflement aigu et un bruit sourd. Il virevolta. Nodul oscillait lentement sur place, d'avant en arrière. Il posa sur le gobelin-marteau des yeux apeurés, perplexes, tandis que ses doigts se fermaient avec précaution sur le projectile en bois de fer planté dans son cou. Sa gorge gargouilla. Du sang jaillit sur sa robe noire. Puis il chancela et culbuta de la logette, précipité dans une chute silencieuse.

Un deuxième projectile siffla au-dessus de la tête de Granit et se ficha dans une large traverse derrière lui. Un troisième pulvérisa la lampe suspendue. Une bonne douzaine de flèches suivirent ; elles fendirent l'air et s'enfoncèrent çà et là, frémissantes.

– Tous aux logettes ! rugit Granit. Nous sommes assaillis !

– Qu'y a-t-il ?... Que se passe-t-il ? crièrent plusieurs voix au-dessous de lui.

– Là-bas ! hurla quelqu'un depuis une logette supérieure, le doigt pointé vers le nuage maintenant à proximité de la tour.

– Un navire du ciel ! brailla un autre.

– Il se dirige vers nous ! annonça un autre encore, l'œil collé à sa longue-vue. Et il possède tout un arsenal de guerre !

Une sirène forte, grinçante, retentit ; quantité d'autres prirent le relais... Bientôt, la clameur des gardiens répondant à l'appel aux armes résonna dans la tour entière.

Tête baissée, Granit s'enfuit de la logette trop exposée. Il patina, gauche, sur le bois glissant et tomba dans l'embrasure de la porte. Derrière lui, dans un éclair et un fracas magistral, un boulet enflammé sectionna la logette et la projeta dans le vide. Si l'obus en bois de fer s'était abattu un instant plus tôt, le gobelin aurait basculé avec.

Granit se redressa, les jambes flageolantes. Partout fusaient des ordres tonitruants et des instructions stridentes. Des portes claquaient, des volets cognaient : niveau après niveau, l'intérieur de la grande tour se fermait pour prévenir une invasion. De lourdes bottes martelaient les escaliers : les gardiens en robe noire, armés jusqu'aux dents, se ruaient vers le flanc ouest pour repousser l'assaut du grand navire.

Dans tout ce chaos et cette confusion, personne ne remarqua le frêle esquif qui piquait dans la volute de brume opaque, du côté opposé de la tour.

Masqué par le nuage, le navire décocha une salve enflammée sur la tour de la Nuit. Les logettes se fragmentèrent et se fracassèrent ; de grands trous apparurent dans les parois et, dans les ouvertures causées par les obus embrasés, de petits feux éclatèrent.

À l'intérieur de la tour, les gardiens de la Nuit s'agitaient sous les kyrielles d'ordres aboyés par leurs chefs.

– Remettez cette poutre brisée en place !

– Éteignez cet incendie !

– Chargez les lance-harpons !

– Préparez les catapultes !

Pendant que certains effectuaient des réparations provisoires et que d'autres étouffaient les flammes sous l'eau et le sable, des escouades s'aventurèrent sur les plates-formes de défense, où le matériel lourd se dressait sur des socles boulonnés au sol. Trois par trois, les gardiens prirent leur poste de combat. Aux lance-harpons, l'un sautait sur le siège et amorçait le mécanisme de tir, l'autre enfilait le harpon dans le long cylindre tandis que le troisième saisissait la roue latérale et se mettait à tourner. Lentement, à mesure que les rouages internes bougeaient, tout l'appareil pivotait. Puis le garde saisissait une seconde roue, modifiait l'angle du cylindre afin de braquer l'immense harpon droit sur le navire assaillant. Aux catapultes pivotantes, le même processus se déroulait. Une fois la trajectoire de tir établie, les gardes (par équipe de deux) hissaient les énormes boulets pesants jusqu'aux cuillères de lancement.

– Feu ! rugit un chef.

Puis un autre, en contre-haut, lança le même commandement. Et un troisième, et un quatrième.

– Feu !... Feu !... Feu !

Une volée de harpons et de rochers jaillit de la tour de la Nuit et fondit sur le navire. L'un des harpons frappa la proue par le tribord ; un deuxième dérapa sur le pont inférieur. À l'arrière, un rocher cogna la poupe de biais. Tous ces projectiles auraient mis en pièces un petit esquif, mais le puissant navire tressaillit à peine.

Les gardiens de la Nuit rechargèrent leurs engins. *Le Flibustier* prit de l'altitude. Il fallut réorienter les lance-harpons et les catapultes pivotantes.

– Feu !

Le deuxième bombardement causa encore moins de dégâts que le premier : pas un harpon, pas un rocher n'atteignit sa cible. Les chefs des gardes, leurs longues-vues braquées sur les profondeurs de la nuée tournoyante, virent le personnage barbu à la barre (magnifique dans sa redingote de satin et son tricorne) donner ses propres ordres. La grand-voile se gonfla. Les poids de la poupe descendirent. Abruptement, le navire en suspension s'éleva dans les airs et répliqua aux tirs.

– Il se dirige vers la pointe de Minuit, cria quelqu'un.

– Défendez la pointe !

– Défendez-la jusqu'à la mort !

– Feu !

Une troisième salve de harpons et de rochers fusa dans le ciel : un unique bloc heurta le milieu du vaisseau, où un ours bandar solitaire s'occupait de la grosse roche de vol. Les ours à l'arrière du navire ripostèrent par une copieuse rafale de boulets enflammés. Les murs de la tour subirent de nouveaux dommages ; un tir direct détruisit un lance-harpons. Des flèches frappèrent deux gardiens au même instant, l'un perché sur une logette de guet, l'autre posté sur une plate-forme armée un peu plus bas. La tête la première, ils tombèrent en chute libre comme dans une curieuse danse tragique.

– Augmentez la puissance de feu ! rugit un chef.

– Des renforts dans la guérite de la pointe, sans délai !

– Alertez le Gardien suprême !

– Appelez Orbix Xaxis !

Granit s'accroupit sur les planches et regarda par le mur fissuré. Il n'avait ni lance-harpons ni catapulte pivotante dans la logette de guet, mais il allait venger la mort de son compagnon d'armes. Les mains tremblantes, il porta le viseur de l'arbalète à son œil, plaça le projectile dans le fût et banda la corde.

– C'est pour Nodul, marmonna-t-il, sinistre.

Le navire se dessina devant lui, au cœur d'un épais tourbillon de brume. Granit baissa la tête. Il visa. Durant une fraction de seconde, le navire fut à sa hauteur. Il décocha le trait.

Un bruit sourd. Un pincement de corde. Le projectile surgit et disparut dans le nuage. Granit retint son souffle. Un instant plus tard, au-dessus de la cacophonie de la tour, un cri de souffrance modulé retentit et, alors que la brume s'éclaircissait fugitivement, le gobelin vit un ours plaquer ses pattes sur sa poitrine et basculer.

– Je t'ai eu ! ricana Granit, hargneux, tandis que la grande créature poilue tombait dans le vide.

Il leva de nouveau l'arbalète. Alors qu'il regardait par le viseur, il aperçut trois gros boulets enflammés qui fonçaient droit sur lui.

Il n'eut pas même le temps de crier que les obus s'abattirent : ils arrachèrent toute la partie supérieure de la tour et tuèrent le gobelin-marteau. Le bâtiment trembla du sommet aux fondations. Le navire remonta presque au niveau de la grande tige qui coiffait l'édifice.

– Ils utilisent des grappins ! hurla un garde lorsqu'un lourd crochet à trois dents s'envola soudain du *Flibustier* en direction de la tour. Ils essaient de détruire la pointe de Minuit !

– Sacrilège ! tonna un autre.

– Massacrez les envahisseurs ! rugit un troisième.

Les gardiens intensifièrent leurs efforts pour repousser l'assaut du grand navire : les volées de rochers et de harpons, de flèches et de traits (et de tous les projectiles qui leur tombaient sous la main) se succédaient. Le vacarme de la bataille vibrait dans l'air. *Le Flibustier* ripostait avec ses propres flèches et traits, en plus des obus embrasés qui déchiquetaient peu à peu la sombre tour. De nombreux gobelins, troglos et trolls, portant la robe noire des gardiens de la Nuit, s'écrasaient sur le sol. Un autre grappin résonna contre la pointe. Un deuxième ours fut touché…

De l'autre côté de la tour, l'esquif s'approcha. Aussi discret et léger qu'un papillon des bois, il voltigea autour du grand mur est : son pilote cherchait une entrée. Il finit par se poser sur une petite avancée, apparemment déserte, aux deux tiers de la hauteur.

Le pilote mit pied à terre. Alors qu'il attachait solidement l'esquif à un anneau fixé dans le mur, le faible soleil laiteux transperça la brume épaisse et lui éclaira le visage. Le garçon, si concentré qu'il serrait les dents et fronçait les sourcils, se tourna vers la petite entrée obscure et disparut à l'intérieur.

Rémiz scruta les ténèbres : l'atmosphère sombre et menaçante assaillit ses sens comme un bélier tambourinant contre les portes closes d'une forteresse. L'obscurité régnait dans la tour malgré les lampes suspendues ; l'odeur de mort et de pourriture rance était suffocante. Rémiz vacilla, statufié, muet, incrédule : comment quelqu'un avait-il pu créer un lieu aussi épouvantable ?

Il distinguait des voix, des voix innombrables. Leurs plaintes étouffées, leurs faibles cris résonnaient dans le noir, accompagnement ténu, terrible, aux grondements de basse et aux furieuses percussions de la bataille qui faisait rage loin au-dessus.

– Pauvres malheureux ! murmura Rémiz. Si seulement je pouvais tous vous sauver.

Alors que ses yeux s'accoutumaient à l'obscurité, il s'enveloppa dans la cape en soie d'araignée de nuit et se risqua plus avant dans la tour. Il se retrouva dans un labyrinthe déconcertant, étroits passages et escaliers vermoulus coincés entre la muraille et la paroi interne. Les volées de marches zigzaguaient en tous sens, complètement irrégulières, au-dessus et au-dessous de lui, vers sa droite et vers sa gauche. Les lamentations désespérées des prisonniers s'amplifièrent, la puanteur s'intensifia.

Rémiz suivit des yeux le passage sur lequel il se tenait. Le boyau menait à un petit palier carré, puis virait brusquement et continuait de monter en pente raide. Au fond du palier, insérée dans la sombre paroi interne de la tour, une porte se découpait.

Était-ce l'une des cellules ? Il n'y avait qu'un seul moyen de le savoir.

Rémiz se précipita dans l'escalier. Arrivé sur le palier, il s'approcha du lourd battant de bois, et crut discerner des marques. Il sortit de sa poche les cristaux du ciel, les tint côte à côte et, à la lueur pâle qu'ils émettaient, il examina la porte de plus près. Plusieurs noms étaient gravés grossièrement dans le bois dur : *Gil Corne-de-Tilde, Abel Dosse, Reb Xulon, Léopold Venstek*... Tous étaient barrés d'un trait profond, sauf le dernier de la liste.

– Finius Verbiatrix, chuchota Rémiz. Un érudit, vu son nom.

La porte avait un judas fermé ainsi que deux gros verrous. D'un geste, Rémiz écarta l'opercule du judas et jeta un regard bref. Il ne distingua rien dans les ténèbres, mais la puanteur augmenta. Avec précaution, il tendit le bras et tira le verrou du haut, puis celui du bas. Il poussa lentement la lourde porte et regarda à l'intérieur.

Sans murs, sans chaînes, sans barreaux, la cellule ne ressemblait à rien de connu. Depuis le seuil, un étroit escalier descendait vers un rebord individuel qui prenait appui contre la paroi et s'avançait au-dessus d'un immense puits. Excepté la porte qui, refermée, se confondait totalement avec la paroi, la seule issue était un saut dans le vide, un plongeon vers une mort certaine en contrebas. Rémiz promena les yeux sur l'intérieur du puits : celui-ci contenait une multitude d'autres rebords, reliés chacun par son propre escalier à une porte de cellule particulière.

LES CACHOTS DE LA TOUR DE LA NUIT

Atterré, Rémiz aperçut le prisonnier au coin du rebord devant lui. Pelotonné en position fœtale sur une paillasse nauséabonde, il entourait de ses bras maigres des jambes plus maigres encore ; sa robe était en loques, sa respiration irrégulière et sifflante. De longs cheveux emmêlés lui retombaient sur le visage. Par endroits, des mèches entières manquaient ; elles avaient laissé des zones irritées, croûteuses, sur tout le crâne. Sa barbe était épaisse et sale, sa peau couverte de crasse et de plaies rouges, suintantes, tant il s'était gratté, de ses ongles pointus et souillés, pour tenter d'apaiser les démangeaisons insupportables des tiques venues pondre leurs œufs sous son épiderme.

– Finius ? Finius Verbiatrix, appela Rémiz avec douceur, en se rapprochant. Professeur Finius Verbiatrix ?

La respiration s'accéléra. Les paupières frémirent et s'ouvrirent un instant, mais, bien qu'ils aient été braqués dans sa direction, Rémiz sut que les yeux ne l'avaient pas vu. Les paupières se refermèrent.

– Pas ma faute, murmura le vieux professeur, d'une voix rauque et hésitante. Pas ma faute. Pas ma faute…

– Ne vous inquiétez pas, je ne vous ferai pas de mal, chuchota Rémiz, ému aux larmes.

Le professeur ne lui prêta pas attention, perdu dans son supplice personnel. Rémiz se retourna, remonta l'escalier avec précaution et franchit le seuil de la cellule. Le temps était compté : la manœuvre de diversion du *Flibustier* ne durerait pas une éternité. Rémiz devait absolument trouver Séraphin et fuir cet endroit terrible.

Il dévala un nouveau passage et découvrit une rangée de portes intégrées dans la paroi. En hâte, à la lueur des cristaux, il inspecta les noms gravés sur chacune :

Carafon Batifolon, lut-il. *Eldrick Doucheur. Faucon de la Pluie III. Silvix Arménius. Olgar*... À en juger par ces noms, les prisonniers étaient de toutes conditions sociales. Des marchands et des érudits. Des égorgeurs, des gobelins et des trolls. Un ancien pirate du ciel...

Devant certaines cellules, Rémiz se contentait de lire le nom et passait son chemin. Devant d'autres, il s'arrêtait pour glisser un regard par le judas ; mais, chaque fois, il regrettait son geste. Les détenus pitoyables offraient un spectacle trop affreux. Ils bredouillaient. Ils se tordaient. Ils avaient perdu la raison. Certains se balançaient lentement d'avant en arrière, certains déliraient et divaguaient, certains tournaient, tournaient sans fin en marmonnant, tandis que d'autres, les plus pathétiques, ceux qui avaient abandonné tout espoir, attendaient simplement, couchés sur le rebord, que la mort vienne les étreindre.

Une colère féroce envahit Rémiz. Maudits soient les gardiens de la Nuit ! songea-t-il, amer.

– Les cachots sont une abomination ! Un outrage à tous les êtres vivants de la Falaise, à la vie même ! Oh, si des doutes m'avaient saisi un jour quant à la légitimité de la guerre entre les chevaliers bibliothécaires et les gardiens de la Nuit, j'en serais aujourd'hui délivré, dit-il pour lui-même. C'est véritablement une lutte entre le bien et le mal !

– Voilà de bonnes paroles, approuva une voix toute proche.

Rémiz sursauta.

– Qui est-ce ? chuchota-t-il.

– Par ici, dit la voix.

Rémiz s'approcha d'une cellule. Il baissa les yeux. *Sébaste* était gravé dans le bois lourd et sombre.

– Ouvrez la porte, reprit la voix. Poussez-la bien fort. Vraiment fort ! Allez-y !

Rémiz tira le verrou et ouvrit le battant d'un geste brutal. Il y eut un bruit sourd, un cri étouffé. Rémiz eut un coup au cœur. Que s'était-il passé ? Qu'avait-il fait ? Il passa la tête dans l'entrebâillement, juste à temps pour apercevoir une créature verte, écailleuse, rouler sur les marches et tomber dans le vide béant du vaste puits.

– Non ! hurla Rémiz, et son cri d'angoisse résonna encore et encore dans l'air rance. Je vous demande pardon ! Je...

Soudain, il entendit une voix à l'intérieur de sa tête. « Merci, merci, mon ami, de m'avoir délivré alors que je n'avais pas le courage de sauter... » La voix se tut.

Rémiz frissonna. Combien de temps la malheureuse créature avait-elle attendu dans l'escalier que quelqu'un arrive et abrège ses souffrances ? Le jeune garçon claqua la porte dans une fureur impuissante, et le fracas retentit de haut en bas de la tour.

– Aïe, se plaignit une voix dans l'ombre, quelque part sur sa gauche. Oh, ma pauvre tête. Je savais bien que je n'aurais pas dû boire tout ce grog. Est-ce toi, Granit ?

Rémiz dégaina son couteau et, à pas feutrés, s'avança en direction de la voix. Un peu plus loin, il découvrit, affalé dans l'angle d'un palier, le front entre les mains, un gobelin à tête plate somnolent, vêtu de l'habit noir des gardiens de la Nuit, une arbalète et un verre vide à son côté.

En un clin d'œil, Rémiz s'empara de l'arbalète, envoya valser le verre et plaqua son couteau contre la gorge du gobelin.

– V-v-vous n'êtes pas Granit, bégaya le buveur.

Rémiz vit le blanc de ses yeux lorsque le gobelin tourna vers lui son visage terrorisé.

– Qu… qui êtes-vous ?

– Aucune importance, chuchota Rémiz, qui recula et pointa l'arbalète sur le luminard blanc ornant la poitrine du gobelin. Qui êtes-vous ?

– Je m'appelle Face-de-Rat. Je ne suis qu'un pauvre garde. Un surveillant. Ne me faites pas de mal, je vous en supplie.

Il fronça ses gros sourcils et marqua une pause.

– Vous êtes un de ces chevaliers bibliothécaires, non ? Oh, ayez pitié, monsieur ! Je n'ai jamais causé de tort à personne, je le jure.

– Et pourtant, vous portez la robe noire des gardiens de la Nuit, répliqua Rémiz, une colère froide dans sa voix calme.

– Ils m'ont recueilli, monsieur, quand je mourais de faim à Infraville. Je n'avais rien. Ils m'ont donné à manger et de quoi m'habiller, mais, au fond de moi, je ne suis qu'un pauvre gobelin des taudis de l'Orée. Ne me tuez pas, monsieur, je vous en supplie.

– Un surveillant, dites-vous ?

– Oui, monsieur. Je n'en suis pas fier, monsieur ; mais je fais mon possible pour les malheureux enfermés ici…

Rémiz leva l'arbalète pour réduire le gobelin au silence.

– Conduisez-moi jusqu'à la cellule de Séraphin Pentephraxis et j'épargnerai votre misérable vie, annonça-t-il.

– Il m'en coûtera plus que la vie si le Maître suprême découvre que je vous ai guidé jusqu'à Séraphin, gémit le gobelin.

– Il vous en coûtera plus que la vie si vous refusez de me guider, rétorqua Rémiz, et il banda l'arbalète.

– D'accord ! D'accord ! céda le gobelin, qui se leva, tout tremblant. Suivez-moi, monsieur, et faites attention avec cette arbalète que vous pointez dans mon dos.

Sous la conduite du gobelin, Rémiz s'enfonça dans le labyrinthe interminable de passages et d'escaliers. Au cours de la descente, un énorme fracas retentit dans les hauteurs au-dessus du puits, et les marches trépidèrent lorsque l'édifice entier trembla.

– Je suppose que c'est vos complices, là-haut, dit Face-de-Rat, qui provoquent tout ce désordre. En pure perte, vous savez. Quels incorrigibles vous faites ! Les esquifs ne peuvent rien contre les armes de la tour.

– Marchez donc, dit Rémiz, qui l'aiguillonna avec l'arbalète. Est-ce encore loin ?

– Non, répondit le gobelin dans un rire sans joie. Nous avons presque atteint le bas de la tour, jeune homme.

Le gobelin en tête, ils descendirent une nouvelle volée de marches. Face-de-Rat s'arrêta devant une porte aux lourds verrous.

– Séraphin Pentephraxis, lut Rémiz sur le battant. Nous y sommes !

– Voilà. Maintenant, suivez mon conseil et filez d'ici rapidos, dit Face-de-Rat, la mine renfrognée. Les gardes vont arriver en masse une fois qu'ils auront réglé le sort de vos camarades, et à présent que je vous ai aidé, ma vie ne vaut pas plus qu'un pépin de pomme de chêne !

Le gobelin ôta sa robe et la jeta sur le sol.

– Le vieux Face-de-Rat est bon pour les taudis de l'Orée, je crois... si les goules des éboulis ne l'attrapent pas.

Rémiz agita la main.

– Vous avez rendu un précieux service aux chevaliers bibliothécaires, lui dit-il. Bonne route, Face-de-Rat.

Une fois le gobelin parti, Rémiz revint à la porte de la cellule. Il vérifia que personne ne se tenait sur l'escalier intérieur, fit coulisser les verrous et poussa le battant.

– Est-ce toi, Xanth ? demanda une voix frêle, brisée.

– Non, professeur, répondit Rémiz. Je suis un chevalier bibliothécaire. Je viens vous délivrer.

Il descendit les marches jusqu'au rebord en bois rudimentaire. Ici, dans les profondeurs de la tour, la puanteur était indescriptible. L'ancien Dignitaire suprême de la Nouvelle Sanctaphrax leva la tête vers lui. Il était voûté, atrocement maigre. Il avait de longs cheveux gris tout ébouriffés, une robe tout élimée. Le pire était ses yeux. Hantés par des horreurs impossibles à oublier, ils demeuraient fixes, ternes, écarquillés…

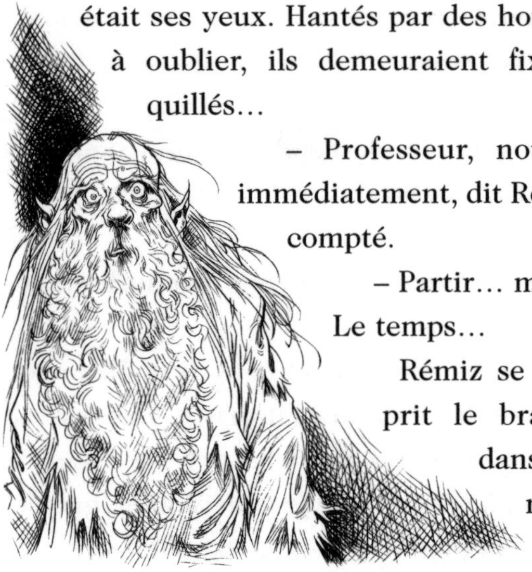

– Professeur, nous devons partir immédiatement, dit Rémiz. Le temps est compté.

– Partir… murmura Séraphin. Le temps…

Rémiz se pencha en avant, prit le bras du professeur dans un geste doux, mais ferme, et le hissa sur ses pieds. Puis, le soutenant (il était très léger), il le guida dans l'escalier.

– Attendez ! Attendez ! l'implora Séraphin, et il se dégagea.

Il regagna le rebord, saisit un rouleau de papiers et de manuscrits d'écorce, qu'il coinça sous son bras. Il regarda Rémiz, un petit sourire flottant sur ses lèvres.

– Maintenant, je suis prêt à partir, déclara-t-il.

Autour de la pointe de Minuit, la bataille faisait rage. L'équipage du *Flibustier* était désormais réduit à cinq membres. Ralim, l'énorme ours noir, avait péri le premier, fatalement blessé par le tir d'arbalète de Granit. Miroum fut le deuxième à succomber, transpercé par l'un des grands harpons et projeté dans le vide. Fou de chagrin, son frère Loumy s'élança de la poupe à la suite de son jumeau adoré.

Mais Spic n'eut pas le temps de pleurer la perte des trois braves volontaires, car Molline lui demanda de venir au plus vite vers la roche de vol. Le capitaine appela Ouaoumi, lui confia la barre et se précipita vers la vieille ourse bandar. Celle-ci lui montra une tache livide à la surface de la roche rutilante.

– *Ouaou-ouaou ! Ouigga-loura-miragoul. Ouaou !*

« Regardez ! La roche est blessée. Je croyais que les projectiles des Nocturnes ne l'avaient pas touchée... mais voyez, capitaine ! »

Spic regarda. Au point d'impact, un profond cratère s'était formé. Il s'élargissait comme un ulcère et dévorait la roche de vol.

– Elle est contaminée ! souffla Spic. Il nous reste très peu de temps. Fais de ton mieux, Molline, mais prépare-toi à quitter le navire.

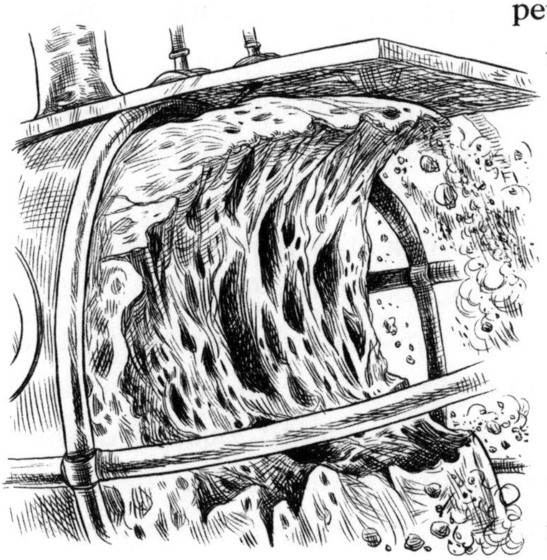

Il retourna en hâte à la barre.

Molline déploya toute son ingéniosité : elle éteignit les lampes de vol, inonda la roche de sable frais et, désormais secondée par Ouaoumi, actionna désespérément les ventilateurs. Mais la roche continua de se désagréger. Le cratère à sa surface s'agrandit, se creusa, et un flot croissant de particules se répandit dans l'air.

– Donne-moi le plus de temps possible ! cria Spic à l'adresse de Molline. Nous ne pouvons pas abandonner

Rémiz maintenant, ajouta-t-il avant d'essuyer les gouttes de sueur sur son front.

Ses mains s'agitaient à un rythme effréné sur les leviers à manche d'os, tandis qu'il réglait toujours plus subtilement les voiles et les poids, tentant d'empêcher le navire incliné, zigzaguant, de chavirer.

Mais le combat était perdu d'avance. À chaque minute qui s'écoulait, la flottabilité de la roche diminuait. Pour prévenir la catastrophe, il fallait alléger *Le Flibustier*.

– Oulig ! tonna Spic. Va sur le gréement de la coque ! Je veux que tu largues les poids.

– *Ouaou-ouaou*, lui répondit l'ours.

« Larguer les poids, capitaine ? Mais le navire deviendra instable. »

– C'est un risque à prendre ! cria Spic. Commence par les poids de l'étambot, puis de la quille. Si c'est insuffisant, passe aux poids de la proue et de la poupe… Avec la volonté du ciel, l'opération nous donnera la portance nécessaire. Allons, Oulig ! le somma-t-il, les sourcils froncés.

Le grand ours maigre poussa un grognement triste et se dépêcha d'obéir. Spic tripota les diverses amulettes en os et en bois qu'il portait en pendentif. Loin au-dessous de lui, sur la plate-forme au pied de la pointe de Minuit, se dressait un personnage dont la robe noire voletait dans la brume, au visage en partie dissimulé par une sorte d'étrange masque à gaz.

– *Ouaou ! Ouaou !* s'écria Molline.

« La roche de vol ! Elle est brisée en deux ! »

– Maintiens-la encore ! lui dit Spic. Un petit peu…

À cet instant précis, une fusée en ricanier surgit du flanc opposé de la tour et flamboya dans le ciel loin au-dessus de leurs têtes, traînée violette resplendissante.

Spic serra les dents.

– Le ciel en soit remercié ! chuchota-t-il. C'est le signal ! Rémiz nous attend !

Le navire eut une secousse brusque et s'éleva de plusieurs mètres : Oulig avait sans doute tranché le premier poids de la coque. Une salve de harpons fila sous la coque du vaisseau, inoffensive.

– Tiens bon, Séraphin, mon vieil ami, dit Spic, résolu. Nous venons te chercher.

Sur la plate-forme à la base de la pointe, Orbix Xaxis examina, soupçonneux, la lumière violette éclatante.

– Il s'agit sûrement d'un signal, dit-il.

Il tourna son regard vers *Le Flibustier* et plissa les yeux.

– Pendant que tu nous occupais, toi là-haut, dit-il lentement, pensif, autre chose se tramait. Il y a anguille sous roche... Les cachots ! s'exclama-t-il après un silence.

– Je vais vérifier sur-le-champ, annonça le jeune garçon blême, au crâne rasé, debout à son côté, avant de dévaler aussi vite que possible l'escalier endommagé.

– Toi, Banjax, cria le Gardien suprême à l'un des chefs près de lui. Prends deux douzaines de gardes et traque d'éventuels intrus dans les cachots. Personne ne doit entrer ni sortir !

– Tout de suite, Gardien suprême, répondit Banjax, et les lourdes bottes de ses hommes se mirent à résonner sur les marches en bois.

Le Gardien suprême considéra de nouveau *Le Flibustier*. Le navire s'éloigna enfin de la pointe et sembla esquisser une large courbe.

– Ainsi, tu penses avoir dupé le Gardien suprême de la Nuit, hum ? siffla-t-il.

Résolu, Spic empoigna le levier de la grand-voile. La roche de vol était irrémédiablement abîmée ; pour la portance, tout dépendait donc désormais de l'immense voile pleine d'accrocs. Avec lenteur et précaution, en lutte contre les courants de brume perfides, il orienta le navire vers le flanc est de la tour et entama une longue descente périlleuse.

– *Ouaou-ouaou. Ré-ouaou-miz !* s'écria Ouaoumi.

Spic baissa les yeux et vit Rémiz sur une petite avancée, à un tiers de la hauteur, en compagnie de… Spic eut le souffle coupé. Ce personnage pouvait-il être Séraphin ? Ce personnage voûté, aux cheveux gris, pouvait-il réellement être son apprenti ? Il paraissait si frêle, si fragile… si vieux.

– Préparez-vous à embarquer ! leur lança-t-il.

Rémiz regarda en l'air et agita le bras comme un fou. Le navire continua sa descente. L'avancée se rapprocha.

– Ouaoumi ! cria Spic. *Ouaou-ouila-ouarr.*

« Aide Séraphin à embarquer. »

– Professeur, dit Rémiz, pressant, il va falloir sauter.

– Sauter ? répéta le vieillard d'une voix rauque. Je crois que j'ai passé l'âge.

– Essayez, dit Rémiz. Vous devez essayer.

Il leva les yeux. *Le Flibustier* était juste au-dessus d'eux maintenant. Alors que le vaisseau descendait encore, le jeune garçon se plaça derrière Séraphin et lui saisit les épaules.

Le navire parvint à leur hauteur, mais ne ralentit pas…

– Non, non, impossible… trembla Séraphin, toutes ses années perché sur l'étroit rebord de la prison lui revenant soudain avec une force terrible alors qu'il regardait en contrebas.

– Vas-y ! cria Spic.

Rémiz poussa Séraphin dans le vide. Au même instant, Ouaoumi se pencha en avant, les pattes antérieures tendues. Elle rattrapa le vieux professeur et le déposa délicatement sur le pont.

– *Ouaou-ouaou*, dit-elle avec douceur.

« Vous êtes en sécurité à présent. »

Transporté de joie, Spic bloqua les leviers de vol et se précipita sur le pont avant pour saluer son vieil ami. Il arriva les bras ouverts et l'étreignit chaleureusement.

– Séraphin, Séraphin ! s'écria-t-il d'une voix étranglée par l'émotion. Je ne peux pas te dire combien je suis bouleversé de te revoir.

– Moi non plus, Spic, répondit Séraphin. Moi non plus.

Le navire fit alors une brusque embardée.

– Une seconde, mon vieil ami, dit Spic en s'écartant. Nous ne sommes pas complètement tirés d'affaire. Mais ne crains rien. Tu peux compter sur moi.

De retour à la barre, Spic desserra les leviers et fit de son mieux pour rétablir le vaisseau abîmé.

– Encore un petit effort, grogna-t-il tandis que le navire tremblait et grinçait.

– *Ouaou-ouaou !* hurla Molline.

« La roche de vol se disloque ! »

Spic bloqua de nouveau la barre et les leviers, courut vers le bastingage et rugit :

– Le poids de la proue, Oulig ! Puis celui de la poupe !

– *Ouaou-ouarra*, l'informa l'ours bandar.

Il avait déjà largué les deux poids en question.

– Les poids de la carlingue, alors, ordonna Spic. Sectionne les trois : le petit, le moyen et le gros !

Oulig ne répondit pas, mais, un instant plus tard, *Le Flibustier* remonta subitement au-dessus de l'avancée puis, sous la conduite experte de Spic, décrivit une courbe ascensionnelle autour de l'édifice avant de s'éloigner dans le ciel nuageux.

Lorsque le vaisseau passa devant lui, Orbix Xaxis, Gardien suprême de la Nuit, leva sa puissante arbalète finement ciselée. Il visa la barre du navire et décocha sa flèche.

Là-bas sur l'avancée, Rémiz détacha *Le Frelon de tempête* et bondit en selle. Puis, debout dans les étriers, il tira la corde à crampons vers la droite et décolla… mais fut stoppé net au bout de quelques secondes, lorsque la longe se raidit.

– Ouille ! souffla-t-il alors qu'il piquait du nez dans son siège sous la violence du choc.

Au lieu de s'envoler, *Le Frelon de tempête* restait ici, à danser dans l'air tel un cerf-volant. Rémiz regarda autour de lui. Quelle négligence ! Dans sa précipitation, il avait omis de ramener la longe et de la ranger. Il l'avait laissée pendre librement, et voilà qu'elle s'était empêtrée dans la balustrade de l'avancée.

Les mains tremblantes, Rémiz saisit la longe. Il la ballotta et la secoua tant et plus, mais elle était bien coincée. Elle refusait de bouger. Unique solution : se poser de nouveau, mettre pied à terre et la dégager…

– Halte !

L'ordre tonitruant fendit l'air comme un couteau. Le cœur de Rémiz eut un raté. Il s'acharna désespérément sur la longe. Elle remua, mais d'un petit millimètre, et se coinça plus que jamais. Une silhouette apparut dans l'embrasure au fond de l'avancée, une arbalète à la main.

– Halte, ou je tire !

Rémiz dévisagea le personnage sec en uniforme noir. Bien qu'il ne l'ait jamais vu le crâne rasé d'aussi près, il ne pouvait pas se tromper sur l'identité du jeune garçon.

– Xanth, murmura-t-il.

Xanth baissa l'arbalète.

– Rémiz ? Rémiz Gueulardeau, dit-il en plissant ses yeux sombres, est-ce toi ?

Rémiz ôta ses lunettes. Leurs regards se rencontrèrent.

Derrière Xanth, de lourds bruits de bottes se rapprochèrent. Le cœur de Rémiz battait à tout rompre dans sa poitrine. Xanth s'avança.

– Je t'en supplie, Xanth, dit Rémiz d'une voix douce. Au nom de l'amitié…

Le martèlement des bottes enfla. L'arrivée du bataillon était imminente.

Xanth leva son arbalète et visa. Rémiz ferma les yeux.

Il y eut un cliquetis, un pincement de corde et un sifflement lorsque le trait jaillit de l'arbalète et fondit sur *Le Frelon de tempête*. Rémiz se figea. Un instant plus tard, dans un chuintement, la flèche trancha la longe et *Le Frelon* fut catapulté dans les airs.

Rémiz reprit le contrôle de l'esquif et s'élança vers les brumes tournoyantes.

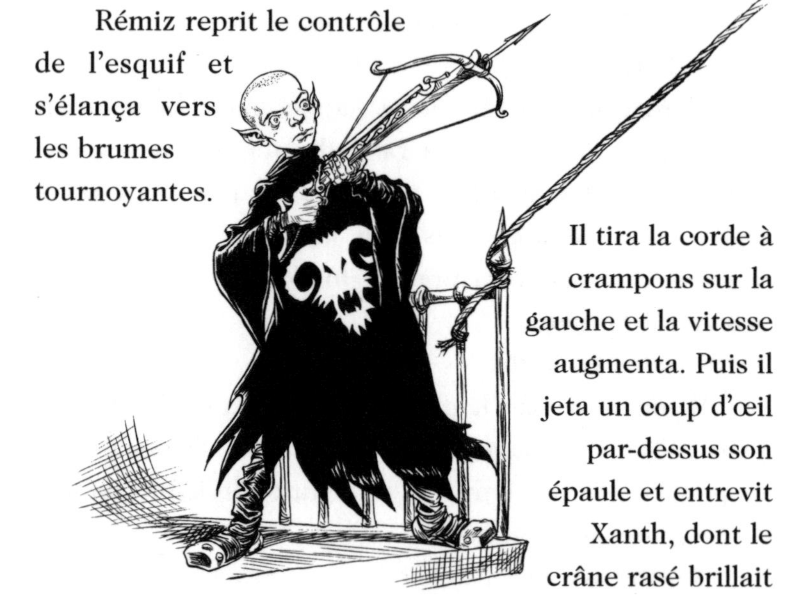

Il tira la corde à crampons sur la gauche et la vitesse augmenta. Puis il jeta un coup d'œil par-dessus son épaule et entrevit Xanth, dont le crâne rasé brillait

dans la
clarté du soleil
levant, debout au
milieu d'un vaste
groupe de gardiens.

Xanth avait-il sectionné la longe intentionnellement, de manière à le libérer ? Rémiz voulait le croire à tout prix.

– Merci, chuchota-t-il.

Alors qu'il laissait dans son dos la tour de la Nuit, Rémiz aperçut *Le Flibustier* dans le ciel devant lui. Mais quelque chose n'allait pas. Au lieu de l'attendre, le navire, très incliné sur un bord, accélérait. Il survola Infraville, continua sa course vers les docks flottants…

S'il ne changeait pas de cap, il franchirait la grande Falaise en surplomb et se perdrait dans le ciel infini.

Chapitre 20

Le retour

Rémiz régla la voile inférieure, se haussa dans les étriers et fila comme l'éclair. Alors qu'il bataillait pour rattraper *Le Flibustier*, il se rendit compte à quel point la situation avait empiré. La roche de vol semblait se désintégrer : des morceaux de plus en plus gros s'échappaient de la cage. En outre, sans les poids de la coque, le navire paraissait incontrôlable, à la merci du vent turbulent qui exerçait sur lui son emprise.

Lorsque *Le Flibustier* survola les docks flottants, Rémiz vit les ours bandars abandonner le navire. Leurs ailachutes fixées dans le dos, ils sautèrent du bastingage, actionnèrent les poignées d'ouverture et planèrent jusqu'au sol : la vieille Molline, qui n'avait plus de roche de vol à surveiller, Ouamalou, l'ourse dont il avait sauvé la vie dans la Clairière des fonderies, puis Ouaoumi, son amie. Le dernier à sauter fut Oulig. À l'instant où l'ours quitta le pont, Rémiz distingua une forme en haillons entre ses pattes. Il retint une exclamation.

C'était Séraphin, enveloppé comme un petit bébé dans l'étreinte protectrice de l'ours bandar. Tous deux descendaient vers les docks flottants. Rémiz tira sur la corde à crampons et orienta *Le Frelon* dans leur direction. Un nuage arriva, qui masqua *Le Flibustier* au loin.

– J'espère simplement qu'ils sont tous sains et saufs, murmura Rémiz alors qu'il atteignait les rives boueuses des docks flottants et se préparait à l'atterrissage.

Il posa son esquif près de l'un des grands dégorgeoirs qui les ramènerait dans le labyrinthe des tuyaux d'égouts. Les ours bandars s'étaient regroupés.

– Où est le capitaine ? s'informa Rémiz.

Il attacha *Le Frelon de tempête* et accourut. Séraphin pointa son doigt maigre vers l'horizon éclairci. Rémiz le suivit des yeux.

Haut dans le ciel, bien au-delà de la Falaise, *Le Flibustier* volait encore... mais à grand-peine. Sans poids pour assurer son équilibre, le navire pirate penchait sur le côté, secoué de vibrations alors qu'il continuait sa course. Les cordes des poids ballottaient, inutiles ; les voiles claquaient dans le vent grandissant. Rémiz porta sa longue-vue à son œil et fit la mise au point sur la barre.

– Je le vois ! s'exclama-t-il, la voix brisée par l'émotion. Pourquoi n'abandonne-t-il pas le vaisseau ?

Ouaoumi s'approcha soudain du jeune garçon.

– *Ouaou-ouag. Ouila-lougg*, expliqua-t-elle, la tête baissée.

« Il est mortellement blessé, un trait d'arbalète planté dans le dos. Il a choisi de mourir avec son navire. »

Ils demeurèrent là, côte à côte, la main en visière pour s'abriter du soleil, à contempler le grand navire qui s'éloignait.

– Il était si brave, dit Rémiz, tremblant. Si généreux...

Soudain, *Le Flibustier* cessa de voler. Sa roche flottante s'était désintégrée ; le navire tombait comme une pierre à travers ciel. Il descendit de plus en plus vite, avant de plonger, en un clin d'œil, au-dessous de la Falaise. Rémiz faillit crier. Des larmes lui inondèrent les yeux.

– Oh, capitaine Spic... murmura-t-il.

Ouaoumi lui enlaça l'épaule et le serra chaleureusement.

– *Ouaou-ouaou*, dit-elle.

« Ouaoumi est navrée. »

Rémiz renifla et s'essuya les yeux sur sa manche. Le capitaine Spic avait disparu. À jamais.

Il se tourna vers l'endroit où patientaient Séraphin, Oulig et Molline.

– Venez, dit-il, les érudits bibliothécaires nous accueilleront dans les égouts. Je connais le chemin.

Il regarda la Falaise une dernière fois, immobile et silencieux durant une minute, et s'apprêtait à partir lorsqu'il aperçut quelque chose du coin de l'œil. Une silhouette énorme. Une silhouette ailée... Il scruta les brumes lointaines. C'était un oiseau. Un splendide oiseau noir et blanc, aux ailes immenses, à la longue queue déployée.

– De quoi s'agit-il ? souffla Rémiz.

– Oh, c'est un oisoveille, répondit Séraphin. Je crois vraiment que c'est un oisoveille !

– Il est magnifique, admira Rémiz. Mais attendez... Qu'a-t-il dans ses serres ? Regardez !

Il indiqua la petite forme que les grandes griffes crochues de l'énorme créature maintenaient solidement.

– Bien sûr, c'est ça ! souffla Séraphin. J'aurais dû le savoir dès le début !

Il rit de joie et battit des mains.

– C'est le fameux oisoveille. Celui que Spic a vu éclore quand il était enfant. Celui qui veille en permanence sur lui depuis lors !

Rémiz regardait le spectacle, les yeux écarquillés.

– Je me demande où il l'emmène.

Séraphin secoua la tête.

– Je n'en ai pas la moindre idée, jeune bibliothécaire.

L'oisoveille, dont le précieux fardeau oscillait sous la silhouette imposante, avait viré dans le ciel et se dirigeait vers les Grands Bois. Soudain, Rémiz se rappela les paroles de Spic : sa quête, sa vaine quête interminable de l'équipage resté à l'attendre.

– L'oiseau ne peut l'emmener qu'à un seul endroit, dit-il, le cœur plein d'espoir. À la Fontaline.

LE VIEUX CAUCHEMAR ÉTAIT REVENU. LES LOUPS hurleurs à collier blanc, leurs yeux étincelants, leurs dents découvertes et leur fourrure hérissée. Son père criait, sa mère hurlait. Il courait… Il courait… Il fallait échapper aux loups… Il fallait fuir les preneurs d'esclaves…

Maintenant, il était seul, perdu et errant au milieu de la forêt sombre, menaçante. Des yeux luisants le fixaient dans l'obscurité. Des grognements, des grondements et des cris sanguinaires résonnaient dans les ténèbres. Tout à coup, il distingua un autre bruit. Un bruit proche… et qui s'approchait, s'approchait encore.

Il leva la tête. Une créature massive venait dans sa direction… Mais que se passait-il ? N'aurait-il pas dû se réveiller à cet instant, comme toujours ?

Cette fois, pourtant, il n'en fut rien. Cette fois, la créature continua de s'approcher, inexorablement. Il entendait ses pas, percevait son souffle tiède et moite face à lui. Secoué de sanglots, sachant qu'il n'y avait pas d'issue, Rémiz tendit la main... vers les ténèbres, vers l'inconnu.

Ses doigts frôlèrent une fourrure épaisse et chaude. Son cœur battit la chamade ; ses jambes vacillèrent. Des grognements profonds, apaisants, chuchotèrent à son oreille, alors que ses pieds quittaient le sol et que les bras de la créature, gigantesques mais caressants, l'enlaçaient.

Ils avaient une odeur de mousse. Ils le bercèrent avec chaleur, avec tendresse. Ils le cajolèrent. Ils le protégèrent. Rémiz ne s'était jamais senti aussi à l'abri, aussi bien...

– Rémiz... est-ce que tu dors ?

Les paupières de Rémiz s'ouvrirent. Il connaissait cette voix. Il promena les yeux sur la petite pièce douillette. La lampe à huile décorée brûlait toujours sur le bureau ; elle répandait une douce lueur d'ambre dans les moindres recoins et baignait son calepin de voyage posé, ouvert, sur le plateau. Près de son lit se tenait Violetta Lodd.

– Le professeur d'Obscurité m'a appris tes exploits dès mon arrivée des Clairières franches, dit-elle. Tout Infraville en parle !

Elle marqua un silence.

– Mais qu'as-tu ? Je jurerais que tu as vu un fantôme.

– Pas un fantôme, répondit Rémiz. Un rêve. J'avais déjà fait ce rêve de nombreuses fois, mais aujourd'hui... Violetta, quand vous m'avez sauvé, bébé, vous rappelez-vous précisément l'endroit où vous m'avez trouvé ?

– Trouvé ? demanda Violetta.

– Dans les Grands Bois, dit-il. Que s'est-il passé ? Vous ne m'avez jamais vraiment...

– Tu l'ignores ? s'étonna Violetta. Je ne m'en doutais pas. Je croyais qu'on t'avait raconté. Les preneurs d'esclaves ont emmené tes parents. Tu t'es enfui. Le ciel et la terre savent comment. Et ensuite... Oh, Rémiz, c'était miraculeux ! Je t'ai trouvé endormi, replet et bien portant, bordé dans un nid d'herbes tressées...

Rémiz la regarda fixement.

– Un nid ?

– Oui, confirma Violetta. Un nid d'ours bandar abandonné. Mais je n'ai pas la moindre idée de la manière dont tu étais arrivé là.

Rémiz se mit à trembler alors que les souvenirs affluaient : l'étreinte des bras gigantesques, le souffle tiède, la fourrure épaisse, les pulsations régulières du cœur qui battait contre le sien. À l'abri, protégé, couvé, dans les profondeurs immenses des Grands Bois infinis.

– Je sais comment j'y suis arrivé, dit Rémiz en souriant. Je le sais.

TABLE DES MATIÈRES